MÉNAGE VERT

SE FACILITER LA VIE EN LA PROTÉGEANT

DU MÊME AUTEUR

Zéro Toxique, petit manuel de survie –
Toutes les réponses, tous les produits, Éditions du Trécarré, 2008

Zéro Toxique – Pourquoi et comment se protéger,
Éditions du Trécarré, 2005

La Côte d'Adam, Éditions de l'Homme, 1995

La Célébration sexuelle (coll.), Éditions de l'Homme, 1990

MARC GEET ÉTHIER

MÉNAGE VERT

SE FACILITER LA VIE EN LA PROTÉGEANT

TRÉCARRÉ

Une compagnie de Quebecor Media

Catalogage avant publication de Bibliothèque
et Archives nationales du Québec et Bibliothèque et Archives Canada

Geet Éthier, M. (Marc)

Ménage vert : se faciliter la vie en la protégeant

Comprend des réf. bibliogr. et un index.

ISBN 978-2-89568-385-8

1. Habitations - Entretien journalier - Aspect de l'environnement - Guides, manuels, etc. 2. Produits écologiques - Guides, manuels, etc. 3. Produits de nettoyage - Aspect de l'environnement - Guides, manuels, etc. 4. Taches (Nettoyage) - Aspect de l'environnement - Guides, manuels, etc. I. Titre.

TX324.G43 2008   648'.5   C2008-940836-5

Édition : Martin Balthazar
Conseillère à l'édition : Julie Simard
Révision linguistique : Carole Mills
Correction d'épreuves : Céline Bouchard
Couverture, maquette intérieure : Axel Pérez de León
Mise en pages : Axel Pérez de León, Louise Durocher
Illustrations : Amélie Roberge
Photo de l'auteur : Robert Etcheverry

Remerciements
Les Éditions du Trécarré reconnaissent l'aide financière du gouvernement du Canada par l'entremise du Programme d'aide au développement de l'industrie de l'édition (PADIÉ) pour ses activités d'édition. Nous remercions la Société de développement des entreprises culturelles du Québec (SODEC) du soutien accordé à notre programme de publication. Gouvernement du Québec – Programme de crédit d'impôt pour l'édition de livres – gestion SODEC.

Les Éditions du Trécarré
Groupe Librex inc.
Une compagnie de Quebecor Media
La Tourelle
1055, boul. René-Lévesque Est
Bureau 800
Montréal (Québec) H2L 4S5
Tél. : 514 849-5259
Téléc. : 514 849-1388

Dépôt légal – Bibliothèque et Archives nationales du Québec et Bibliothèque et Archives Canada, 2008

ISBN : 978-2-89568-385-8

Distribution au Canada
Messageries ADP
2315, rue de la Province
Longueuil (Québec) J4G 1G4
Téléphone : 450 640-1234
Sans frais : 1 800 771-3022

Diffusion hors Canada
Interforum

SOMMAIRE
SE FACILITER LA VIE EN LA PROTÉGEANT

Remerciements

Merci à toutes ces personnes qui continuent d'enrichir l'art de «tenir maison» avec une patience et une ruse étonnantes : le nul que je suis un peu moins leur en doit toute une.

Merci à Satyam Archambault, pour l'idée initiale d'un «petit quelque chose» qui aide à se débrouiller.

Merci à Premo, Diane Petit et Brigitte Maheux, pour la patience, les coups de pouce et les conseils.

Merci à Gérald Lafleur, Ph. D., pour la complicité et sa passion pour le tapis-brosse.

Merci à Louise Dupaul pour les petits-déj réjouissants.

Merci Élène, merci Danielle, merci Michèle, merci Corinne, merci Louis-Philippe, merci Laurence : votre affection est un carburant précieux.

Merci aux amis, pour la joie sans cesse renouvelée.

Merci Nicole ;-)).

Merci à mon éditeur, Martin Balthazar, pour ce dernier livre initié ensemble – lui qui a dû puiser dans son profond les ressources de patience requises pour défendre le thème plutôt étranger et, ma foi, ingrat du ménage.

Merci à la belle bande de complices allumés chez Librex, qui ont tous ajouté un surcroît de poussée pour embellir l'accouchement de ce monstre sympathique : merci Julie, merci Lison, merci Natalie, merci Anne, mercis Carole et Carole, merci Johanne, merci Pascale, merci Annie, merci Axel et merci les autres.

Un des apports importants à la documentation de cet ouvrage est le travail irremplaçable qu'effectue un magazine comme *Protégez-Vous*, une organisation sans but lucratif, autofinancée et entièrement indépendante depuis 2001. Il est important de soutenir pareille organisation, et il est possible de le faire en devenant membre ami (45 $), tel qu'on nous invite à le faire sur le site Internet (www.protegez-vous.ca).

À M. P.-A. : vite !

PRÉCISIONS

Deux unités de mesure reviennent couramment sous la forme de symboles. La cuillère à café qui contient 5 ml est symbolisée par «c à c». La cuillère à soupe qui contient 15 ml est symbolisée par «c à s». La tasse, qui contient 250 ml, est symbolisée par un simple «t». Quatre tasses (4 t) constituent donc un litre (1 l).

Les marques de nettoyants recommandées sont d'excellents repères, mais leur liste n'est pas exhaustive. De nouveaux produits apparaissent constamment et d'autres ont pu échapper au repérage. Les critères de choix sont donc tout aussi importants que les marques suggérées pour se faire un jugement sur les autres marques qui retiennent notre attention.

Le terme *cancérogène* est utilisé plutôt que ceux de *cancérigène* et *carcinogène*, selon la suggestion du *Grand Dictionnaire terminologique* de l'Office québécois de la langue française.

POURQUOI
se protéger

NOS CORPS SONT CONTAMINÉS

Le génie chimique a opéré une véritable révolution depuis les années 1940. Quelque 75 000 substances chimiques ont été créées et sont utilisées dans des domaines aussi variés que les matériaux de rénovation, le mobilier, les nettoyants ou les aliments.

Or, si le mot « chimique » est devenu synonyme de « toxique » et non de « progrès » au cours de cette période, c'est parce que certaines de ces substances ont été retrouvées dans notre corps et qu'elles ont été reliées à de sérieux troubles de santé.

On appelle la quantité des substances présentes dans le corps d'une personne la contamination ou charge chimique corporelle (CCC) (*chemical body burden*, en anglais). Un nouveau domaine de connaissance a émergé depuis une vingtaine d'années, l'écosanté ou la santé environnementale, qui s'intéresse à tout ce qui concerne la CCC : son origine, son impact, les moyens de s'en protéger. C'est au gré des révélations de l'écosanté que la population en est venue à confondre chimique et toxique.

Tout récemment, des chercheurs canadiens s'appuyant sur une étude de l'Organisation mondiale de la santé (OMS) ont dressé un premier portrait d'ensemble des décès et maladies reliés à la CCC, et ce, pour quatre troubles de santé majeurs : troubles respiratoires, troubles cardiovasculaires, maladies congénitales et cancers[1]. Rien que pour ces quatre types de troubles, la CCC entraînerait des coûts annuels de 9,1 milliards de dollars. Selon la Société de recherche sur le cancer, « c'est une somme effarante, compte tenu du fait que tous ces facteurs – pollution de l'air, pesticides, dioxines et métaux lourds, entre autres – pourraient être évités[2] ».

On sait aussi que 12,6 % de la population réagit fortement à de faibles quantités de substances chimiques, telles que celles qui sont contenues dans les parfums et à divers composés organiques volatils (COV) contenus dans les nettoyants[3]. En outre, 3 % de la population y réagit assez fortement pour ne plus pouvoir le supporter[4]. Ajoutons que cette réaction aiguë, à court terme, est pourtant moins forte que l'effet à long terme de certains contaminants qui fragilisent diverses défenses de notre organisme, selon les chercheurs.

Or, l'air que nous respirons à l'intérieur des logis et bâtiments, où nous passons 90 % de notre temps, est de deux à cinq fois plus pollué que l'air de l'extérieur. Selon les études de la très sérieuse Agence américaine pour la protection de l'environnement (EPA), la pollution de l'air à l'intérieur de nos logis est l'un des principaux motifs d'inquiétude pour la santé, et les produits d'entretien en vente sur le marché seraient une importante source de pollution.

Selon une enquête du magazine *Protégez-Vous*, on constate que «les produits courants – cigarette, pesticides, nettoyants, produits parfumés branchés à une prise électrique, vêtements nettoyés à sec, assouplisseurs pour tissus et aérosols – sont la source la plus importante de pollution intérieure[5]».

Enfin, d'après une étude récente sur plus de 7 000 enfants et portant sur l'utilisation de 15 nettoyants ménagers, on note que les bambins dont les mères utilisaient le plus souvent les nettoyants en fin de grossesse et peu après la naissance affichaient plus de sifflements respiratoires dans l'enfance et une baisse de leurs capacités respiratoires dès l'âge de 8 ans[6]. Ces observations corroborent le fait que les travailleurs de l'entretien ménager courent plus de risques de devenir asthmatiques.

LA MAISON DÉCONTAMINÉE

L'approche adoptée dans le présent guide est en continuité avec la réflexion proposée dans *Zéro Toxique, Pourquoi et comment se protéger* (2005). Le retard considérable pris dans l'évaluation de l'innocuité des substances chimiques partout présentes autour de nous, retard jumelé à une loi qui exige la certitude de la nocivité d'une substance avant de pouvoir la réguler (la possibilité et la probabilité de la nocivité ne suffisent pas), ce retard donc milite pour éliminer du mieux, autour de soi, tout ce qui est douteux.

À ce choix, le présent guide ajoute le souci d'offrir autant que possible des solutions – produits et façons de faire – qui simplifient la vie et sont accessibles à la majorité d'entre nous.

La publication de *Zéro Toxique, Petit manuel de survie* a déjà rendu accessible à la consultation une information considérable sur l'ensemble des produits de consommation susceptibles de limiter la contamination de nos corps.

Le mieux peut réellement être l'ennemi du bien lorsque ne sont proposées que des solutions parfois lourdes. Par exemple, plutôt que de ne recommander que le lavage des couches pour bébé, solution éminemment méritoire, le présent guide est heureux de proposer un nouveau modèle de couche dont la pochette servant de réceptacle aux créations de bébé peut être simplement placée à la toilette – ou au compost, ou aux ordures. C'est l'esprit du présent guide.

En faire MOINS, faire MIEUX

Adoptez quelques raccourcis

FINIES LES COMPLICATIONS

Une part importante de l'entretien se règle de lui-même, dès la porte d'entrée du logis. Voici quelques accessoires et façons de faire qui confondront les sceptiques : retenez celles qui sont les mieux adaptées à votre situation.

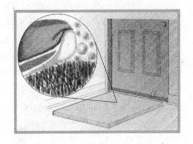

■ **Éliminez jusqu'à 200 heures d'entretien par année (30 minutes par jour) dans une grosse maisonnée en posant un bon tapis-brosse à poils longs à l'extérieur,** devant les portes d'entrée, pour servir de rempart à la saleté – 80 % de la saleté pénètre par ces ouvertures. Il en existe en noix de coco mais aussi en plastique, certains brossant plus efficacement la saleté.

Ajoutez une carpette à l'intérieur et secouez les deux en sortant les ordures à la rue ; lavez de temps à autre la carpette au tuyau d'arrosage ou à l'eau savonneuse, avec une brosse.

Mieux encore, le moyen le plus efficace de limiter dans la maison la dispersion des polluants chimiques et naturels contenus dans la poussière qui nous vient de l'extérieur est de laisser les chaussures à l'entrée.

Vous protégerez également vos appareils électroniques de la chaleur retenue par l'écran de poussière qui en vient à les envelopper. Et les fibres de tapis seront protégées du broyage qui survient au passage des pieds lorsqu'elles sont incrustées de saletés.

■ **Éliminez une bonne partie des nettoyants :** des tests effectués par *Consumer Report* ont démontré que la plupart des dégâts se nettoient simplement à l'eau si on agit avant qu'ils soient absorbés, qu'ils ne sèchent et s'incrustent. Supprimez ainsi de nombreuses occasions d'utiliser des nettoyants inutilement puissants et toxiques. C'est l'une des principales recommandations du groupe EWG qui fait la

19

promotion de l'écosanté (la santé par la préservation de notre milieu contre les polluants chimiques) : réduire le nombre de nettoyants ménagers, essayer l'eau et le savon avant toute chose. Traités sans tarder, une majorité de dégâts s'éliminent facilement : commencez toujours par éponger avant de frotter.

■ **Éliminez le rinçage de la vaisselle :** saviez-vous que si vous grattez – sans les rincer – les articles avant de les placer au lave-vaisselle, vous pouvez épargner jusqu'à 124,80 $ par année, en argent et en consommation d'énergie. Le lave-vaisselle est en effet plus éco-énergétique que le lavage à la main, parce que le coût principal réside dans le chauffage de l'eau.

Par contre, évitez d'envoyer les déchets putrescibles dans le broyeur à déchets parce qu'ils nécessitent un complément de traitement à l'usine avant d'être retournés dans la nature. En attendant que s'organise la collecte sélective pour le compost, il est préférable de placer ces déchets avec les ordures.

■ **Éliminez une grande part du rangement en suivant ce conseil : ne déposez jamais ce que vous venez d'utiliser, rangez-le plutôt.** Abandonner les choses au petit bonheur multiplie un boulot que vous détestez. Vous vous apercevrez que ranger au fur et à mesure est une forme de paresse intelligente. Lorsque vient le temps d'arrêter ou de passer à autre chose, vous ne vous retrouverez plus face à une montagne de rattrapage.

Cette façon d'opérer est aussi vraie dans la cuisine qu'avec les papiers. Suivez cette règle : un papier – facture, pub ou autre – ne doit jamais être manipulé plus de deux fois. Une pour l'identifier et le ranger dans l'espace ou le dossier qui lui est réservé, l'autre pour le régler.

■ **Éliminez une bonne part du récurage des aliments collés au fond des chaudrons** en y faisant bouillir de l'eau additionnée d'un petit jet de nettoyant liquide à vaisselle, le temps que la nourriture se décolle ; on peut aussi couvrir le fond d'eau chaude avec 15 à 30 ml (1-2 c à s) de bicarbonate de soude et laisser tremper durant la nuit.

■ **Éliminez la corvée de récurer les surfaces longtemps et à répétition parce qu'elles ont été rendues poreuses :** évitez dès le départ d'utiliser les abrasifs qui éraflent ces surfaces, comme les tampons d'acier. La laine d'acier sur le comptoir, le mur du four ou un émail les érafle, les font se salir plus vite et les rendent plus difficiles à nettoyer.

■ **Éliminez encore d'un tiers l'entretien en mettant la priorité sur les achats et rénovations qui vous faciliteront la vie :** plancher, cuvette, évier et jointements de tuiles qui deviennent poreux, salissants et difficiles à nettoyer, tapis et tissus de fauteuil de couleur trop pâle.

Prévenez les moisissures en plus d'évacuer l'humidité qui hausse les frais de chauffage par temps froid en installant un ventilateur de salle de bains efficace.

Remplacez les finis mats sur les murs des espaces les plus utilisés par des finis semi-brillants et brillants. Choisissez des rideaux qui se lavent aisément. Remplacez les tapis par des planchers durs qui s'entretiennent plus aisément et accumulent moins les salissures allergènes. En effet, le passage de l'aspirateur n'enlève pas la poussière profonde des tapis, il ne fait qu'amener la poussière domestique profonde et ses composés toxiques à la surface.

■ **Ayez une époussette en laine d'agneau** pour un entretien rapide et plus régulier de la poussière – stores vénitiens à lamelles horizontales inclus. Complétez chaque mois, plus ou moins, par un époussetage avec chiffon humide, selon la quantité de poussière propre au milieu.

Les plumeaux à recharge désormais populaires retiennent la poussière grâce à un effet d'électricité statique qui est transféré à la surface époussetée – ce qui attire ensuite plus rapidement la poussière. Mais les recharges coûtent 1 $ et doivent être remplacées chaque semaine pour l'époussetage d'un logement moyen (52 $ par année). Épargnez des sous, des ressources et du temps en limitant l'utilisation de ce genre de plumeau au plus à l'époussetage des menus objets.

■ **Éliminez tout autour de la cuisinière le nettoyage des dépôts de gras laissés par un filtre de hotte mal entretenu.** Un tel filtre laisse filer jusqu'à 30 kg de gras par année dans les grosses maisonnées. Facilitez l'entretien de la hotte et évitez son bruit désagréable – motif principal de sa non-utilisation – en prenant le soin de choisir une hotte adéquate. L'entretien des filtres des systèmes de chauffage et de filtration d'air requiert le même soin.

■ **Éliminez la majeure partie de l'entretien des parois de la douche** (dépôts savonneux et minéraux, saleté et moisissures) en plaçant une raclette (squeegee) à portée de main pour éliminer l'eau des parois après chaque douche.

Prenez soin de toujours déployer le rideau sur toute sa longueur en sortant de la douche : un rideau tassé sur le côté ne sèche pas et développe des moisissures malodorantes.

Éliminez presque entièrement la contrainte du récurage de la baignoire – garanti par une adepte de la propreté de soixante-dix ans ayant élevé six enfants. Avant de quitter le bain, tirez le bouchon et, pendant que l'eau se retire, passez une éponge ou la main tout autour sur le cerne laissé par la saleté. Rincez ensuite le tour et le fond avec le restant de l'eau avant qu'elle ne soit entièrement évacuée. Une éponge aide mais n'est pas indispensable pour cette salissure non incrustée. Un bain moussant facilite la tâche mais irrite les muqueuses.

De même, la saleté du corps laisse un film sur le fond de la douche et le bas des côtés : passer la main et rincer éliminera l'accumulation de salissures.

- **Éliminez l'entretien des appareils qui ne servent pas** en les couvrant et les rangeant : autrement ils accumulent la poussière et les dépôts de gras.

- **Éliminez les taches d'eau** avec des sous-plats enduits de scellant sous les pots de plantes.

- **Éliminez les éraflures sur les planchers** avec des protecteurs adhésifs sous les pattes de chaises et de meubles : ne manquez pas de les renouveler au besoin.

- **Éliminez la corvée de repeindre les murs** si leur couleur vous convient encore : les laver ou les faire laver peut leur redonner une bonne partie de leur lustre.

- **Éliminez enfin la montagne de tâches interminables du samedi matin :** déterminez précisément une ou deux tranches de 30 à 45 minutes en cours de semaine pour expédier ces tâches avant qu'elles ne s'accumulent.

- **Éliminez la perte de temps causée par la dispersion.** Couvrez l'ensemble du logis avant d'attaquer les besognes particulières comme le rangement de la pharmacie ou d'un tiroir. Gardez ces tâches sur une liste de choses à effectuer à temps perdu, pour vous changer les idées : une sorte de méditation zen active.

    Les droitiers frotteraient plus rondement dans le sens contraire des aiguilles d'une montre et vice-versa : ceux qui n'ont pas de mémoire improvisent.

FINIS LES PRODUITS MALSAINS PRIORITAIRES

Voici un aperçu des gestes prioritaires pour limiter la contamination corporelle de votre entourage.

CONSEILS DE LA SCHL POUR PRÉVENIR L'ASTHME

La Société canadienne d'hypothèques et de logement (SCHL) affirme que vous pouvez contribuer à éviter l'apparition et l'exacerbation de l'asthme en suivant ces consignes[7] :

- **Éliminez les détergents chimiques puissants** et les produits de nettoyage parfumés.
- **Évitez les assainisseurs d'air et les désodorisants.** Ils masquent les odeurs au lieu de les éliminer et ils ajoutent des polluants dans l'air.
- **Le moyen le plus efficace pour enrayer les acariens consiste à abaisser le taux d'humidité** dans la maison (et non à recourir à des produits chimiques ou à des housses protectrices en vinyle). Un taux d'humidité élevé entraîne la prolifération des moisissures, un problème qui peut s'avérer plus grave que les acariens.
- **N'utilisez pas d'ozoniseur pour éliminer les contaminants dans l'air.** L'ozone est un irritant qui peut aggraver l'état des asthmatiques, et il subsiste des doutes sur son efficacité.

- **Éliminez des chambres les sources d'émanations chimiques,** dont les parfums et les meubles en panneaux de particules [...].

Conseils du Environmental Working Group (EWG)

L'EWG, des États-Unis, est désormais un groupe de référence sur les raisons et les moyens de se protéger contre la contamination de notre corps. Selon l'EWG, il y a une dizaine de gestes prioritaires pour se protéger, dont trois sont reliés à l'entretien[8].

- **Utilisez des poêlons en fonte** au lieu de ceux qui ont un recouvrement anti-adhésif (voir rubrique *Poêles à frire, casseroles* **(p. 276)**).
- **Scellez les structures en bois d'extérieur.** Commandez un ensemble pour tester si votre patio, table à pique-nique ou structure de jeu, faits en bois, laissent filtrer de l'arsenic (voir rubrique *Bois traité ACC* **(p. 91)**).
- **Laissez vos chaussures à l'entrée de la maison.** Un facteur déterminant qui minimise la distribution des contaminants rattachés à la poussière (voir rubrique *Poussière* **(p. 75)**).

Produits à éviter selon le présent guide

Réduisez avant tout le nombre de vos nettoyants : quelques produits de base et leurs consignes d'utilisation résoudront la plupart des problèmes.

Évitez les colorants, les parfums, le format aérosol, les solvants, l'ammoniaque et l'eau de Javel. Des explications pour tous ces produits sont données dans la section *Solutions et nettoyants* **(p. 140-141)**.

Renoncez aux trois grands « salopards » de l'entretien :

- Le nettoyant à four
- Le nettoyant à cuvette
- Le débouche-tuyaux

Ils concentrent en eux tout ce qui est mal avisé dans la conception des produits conventionnels : acides, composés volatils, lessive caustique et autres, lesquels peuvent irriter ou causer des dommages permanents aux yeux et à la peau, en plus d'affecter les poumons et le système nerveux. En cas d'accident, leur absorption peut être fatale.

Des recherches récentes incitent à la prudence quant à l'utilisation des huiles essentielles naturelles. Alors que leur utilisation des plus plaisante était généralement recommandée pour bonifier les nettoyants maison, on s'est aperçu qu'elles peuvent susciter une hypersensibilité en plus de provoquer de fortes réactions chez les personnes sensibles.

Utiliser avec modération les sortes les moins fortes est maintenant recommandé, tel qu'expliqué à la rubrique sur ce produit **(p. 209)**. Il n'est pas inutile de rappeler qu'aucun nettoyant n'est conçu pour être absorbé, même si les nettoyants comme les trois salopards présentent encore plus de risques. Il se produit encore régulièrement des empoisonnements d'enfants par des produits rangés à des endroits trop aisément accessibles pour ces grands explorateurs. Rangez vos produits d'entretien hors de leur portée.

LISTE DES INGRÉDIENTS À ÉVITER

Le principe est de chercher à éviter tous les nettoyants contenant les ingrédients reconnus pour être neurotoxiques, reprotoxiques, immunotoxiques, cancérogènes ou autres. Or, les fabricants ne sont pas obligés d'afficher tous les ingrédients dont sont constitués leurs produits sur les étiquettes. L'Association pour la santé environnementale de la Nouvelle-Écosse s'est donc attelée à la tâche de repérer les ingrédients toxiques les plus communs dans les diverses marques de produits ménagers. À l'aide de cette information, l'Association a constitué le *Guide to Less Toxic Products*[9] (Guide des produits les moins toxiques) que l'on peut consulter sur Internet.

La liste suivante donne quelques-uns des ingrédients les plus communs dont la toxicité est démontrée, ainsi que les produits nettoyants dans lesquels ils sont présents, selon le guide. Pour de plus amples explications sur chacun de ces ingrédients et leur impact respectif sur la santé, voir le site www.lesstoxicguide.ca (en anglais). Le présent guide n'est pas axé sur la description de la nature toxique de chaque nettoyant conventionnel : les explications portent plutôt sur la description de solutions accessibles, abordables et commodes. On constatera ainsi qu'une grande partie des tâches de l'entretien peuvent être accomplies sans ces ingrédients toxiques. D'ailleurs, ce n'est pas pour rien que les fabricants commencent à offrir des produits plus sains. Ce n'est qu'un début et vous n'êtes pas obligé d'attendre leur bon vouloir.

Acétone : présente dans les détachants, les « chasse-taches » et autres produits similaires.

Acide phosphorique : présent dans certains détergents à lave-vaisselle liquides, vernis à métal, désinfectants, particulièrement ceux qui enlèvent dépôts et moisissures.

Ammoniaque : présente dans un grand nombre de nettoyants.

Blanchisseur javellisant : voir hypochlorite de sodium.

Chlorure de méthylène : présent dans les détachants.

Dichloroisocyanurate de sodium dihydraté : présent dans certains nettoyants pour toilettes et chasse-odeurs, détergents industriels et détergents à lave-vaisselle.

Diéthanolamine : présente dans un grand nombre de nettoyants.

D-limonène : solvant présent dans plusieurs nettoyants, en particulier ceux qui ont un parfum de citron ou d'orange.

Éthoxylate de nonylphénol : présent dans les détergents à lessive et autres nettoyants.

Formaldéhyde : présent dans un grand nombre de produits, dont les vernis pour meubles.

Fragrance : des parfums sont présents dans la plupart des nettoyants.

Hypochlorite de sodium (blanchisseur javellisant) : présent dans un grand nombre de nettoyants.

Laureth sulfate de sodium : agent moussant.

Monoéthanolamine : présente dans les nettoyants à four, les nettoyants à tuiles et baignoire, les solutions de prétrempage, les décapants à plancher, les nettoyants à tapis.

Morpholine: solvant présent dans des produits comme les vernis pour meubles et les produits à récurer abrasifs.

Naphthaline: présente dans les boules antimites, les chasse-moustiques, les désodorisants.

Parabènes: largement utilisés comme agents de conservation des produits; on les reconnaît aux préfixes suivants: méthyl-, éthyl-, buthyl-, propyl-.

Paradichlorobenzène: pesticide volatil présent dans les boules antimites, certains chasse-odeurs pour la salle de bains et pains pour urinoirs.

Produits en aérosol.

Térébenthine: présente dans les nettoyants à solvant spécialisés, les vernis pour meubles, les produits pour les chaussures.

Toluène: composé organique volatil présent dans les parfums d'ambiance de diverses sortes, ainsi que les décapants et les adhésifs.

Xylène: présent dans certains détachants, vernis pour le plancher, additifs pour le repassage et autres.

Détergents à lessive à éviter
PARFUMS, COLORANTS, JAVELLISANT, ENZYMES

Les marques commerciales contiennent toutes un parfum synthétique et un colorant à moins d'une indication contraire. Les experts en écosanté déconseillent l'utilisation de ces composants. Les personnes qui adorent l'odeur de «propreté» associée aux parfums synthétiques – celles qui les bercent depuis leur enfance – seront heureuses d'apprendre qu'en évitant ces substances, elles peuvent redécouvrir le parfum bien réel de la propreté.

Le blanchisseur javellisant – pas le blanchisseur oxygéné, reconnaissable par l'appellation oxy qui lui est souvent associée ou par l'appellation de javellisant pour les couleurs – est aussi déconseillé parce qu'il abîme les tissus, cause des réactions allergiques comme des démangeaisons et s'unit à d'autres substances dans les eaux de rejet pour créer des composants organochlorés nocifs.

La majorité des détergents contiennent des enzymes, qu'ils le disent ou non. Les détergents efficaces qui élimineront 90 % de la saleté et des taches contiennent soit du javellisant (chlore ou hypochlorite de sodium), soit des enzymes. Lors de tests indépendants, les détergents écolos ne se classent pas dans la catégorie la plus efficace. Mais ils peuvent tout à fait convenir pour la saleté modérée. Additionnés de cristaux de soude ou de bicarbonate de soude (voir les détails), ils offrent cependant une bonne efficacité, avec un coût par brassée de 50 ¢. Par ailleurs, quand les enzymes sont rejetés dans l'environnement, ils sont susceptibles de contribuer au développement d'allergies par les organismes. Le javellisant, lui, s'associe à d'autres substances dans les eaux de rejet pour former des substances organochlorées toxiques, en plus de gêner les usines d'épuration en s'attaquant aux bactéries destinées à permettre la dégradation des résidus. Les allergies auxquelles les enzymes pourraient contribuer relèvent d'une possibilité à mieux circonscrire par la recherche: il existe plus de 2 000 enzymes différents, avec des impacts variables. Les dommages causés par le javellisant, quant à eux, sont mieux documentés.

En attendant que les fabricants développent des détergents à la fois efficaces et dépourvus aussi bien d'enzymes certifiés nocifs que de javellisant – des détergents certifiés sécuritaires par le programme Choix environnemental et son Éco-Logo – il est préférable d'utiliser un détergent avec enzymes plutôt qu'avec javellisant, et de diminuer au moins du tiers (sinon de la moitié, avec recours à un additif au besoin) la quantité de détergent recommandée par le fabricant. Le fabricant est en conflit d'intérêt lorsqu'il suggère la quantité à utiliser, comme l'a clairement démontré le test de *Protégez-Vous* qui a obtenu la même efficacité avec un tiers de moins de détergent[10].

BASE FOSSILE, ANIMALE OU VÉGÉTALE

Toutes les grandes marques nationales de détergents sont fabriquées à partir d'une base fossile (pétrole), avec parfois une partie animale. Il existe des marques à base végétale et minérale qui contiennent par contre souvent une légère part de surfactants à base de pétrole.

Les produits certifiés Choix environnemental et portant l'Éco-Logo appartiennent à la seconde catégorie. Ils limitent le recours inutile aux produits reposant sur des industries ayant un impact lourd sur l'environnement, comme l'élevage et la pétrochimie. Les détergents à base végétale sont produits avec des ressources renouvelables. Les marques à base végétale sont de plus en plus présentes dans les grandes surfaces.

PHOSPHATES

Ce sont les agents de renfort les plus efficaces dans les produits nettoyants, sauf qu'ils causent la prolifération d'algues dans les bassins d'eau, lesquelles asphyxient les bassins, à la longue. Preuve que les gouvernements sont en partie sensibles aux risques pour la santé et l'environnement, la Loi canadienne sur la protection de l'environnement n'autorise plus, depuis mars 2000, que des quantités minimales de phosphates dans les détergents à lessive. La mention sans phosphate que l'on voit encore sur les emballages de détergent est un truc publicitaire jouant sur l'ignorance fort compréhensible de la majorité de la population.

HISTORIQUE

Le recours généralisé aux détergents à base de carburants fossiles est survenu autour de la Seconde Guerre mondiale alors que l'huile pour confectionner le savon était rare. On lavait alors très propre depuis longtemps avec une solution de 250 ml (1 t) de savon en flocons et 25-50 ml (2-4 c à s) de cristaux de soude. Mais on faisait littéralement cuire ce qu'on lavait à eau très chaude. Les tissus synthétiques d'aujourd'hui ne supportent pas de telles températures. De plus, l'utilisation du savon avec une eau dure tend à ternir les tissus.

RAPPELS IMPORTANTS
Relâchez la poulie...

Ralentissez la cadence ! Les blessures démobilisent et font perdre du temps. Il faut savoir que les chutes sont la première cause de mortalité à domicile, après les empoisonnements.

- **Portez gants, lunettes, masques et vêtements protecteurs au besoin.** Aérez la zone de travail. La soupe chimique corporelle s'alimente par l'air, le contact avec la peau et l'ingestion.

- **Ne mangez pas lorsque vous manipulez des produits toxiques.** Enlevez les verres de contact souples avant de manipuler des substances toxiques.

- **Refermez les contenants avec soin** après usage.

- **Ne ramassez le verre cassé qu'avec brosse et porte-poussière.** Enfoncez les déchets avec un manche quelconque et non avec la main.

- **Évitez le contact de l'eau** et des nettoyants avec l'électricité.

- **Forcez en gardant le dos droit et en pliant les genoux.** Stabilisez solidement échelle, escabeau et marchepied avant de grimper.

- **Ne mélangez jamais deux nettoyants sans avoir lu les instructions.** Eau de Javel et ammoniaque, par exemple, dégagent des vapeurs toxiques lorsqu'elles sont mélangées. L'une ou l'autre peuvent faire partie d'un nettoyant commercial sans qu'il y paraisse – le nettoyant à vaisselle liquide, par exemple, contient souvent de l'ammoniaque.

- **Utilisez les pulvérisateurs manuels plutôt que des aérosols,** car la fine bruine que ces derniers dégagent est chargée de substances que vous ne manquerez pas d'inhaler.

- **Manipulez avec soin les nettoyants puissants** conçus pour dissoudre graisses et saletés, tels que les diluants à peinture, polisseurs, détachants, débouche-tuyaux. À défaut d'utiliser leurs alternatives sécuritaires, lisez les instructions avec soin et aérez la pièce, évitez la proximité de la chaleur ou du feu, évitez l'inhalation des émanations et ne consommez pas d'alcool durant leur utilisation. La composition des nettoyants commerciaux change régulièrement. Vérifiez celle de vos produits habituels. Gardez les nettoyants dans leur contenant d'origine pour conserver le mode d'emploi et éviter les empoisonnements.

Aérez

Les chasse-odeurs et rafraîchisseurs d'air commerciaux ne font que masquer les mauvaises odeurs, en plus d'ajouter un parfum synthétique et un désensibilisant nasal malsain.

Pour assurer un bon échange d'air avec l'extérieur, la Direction de la santé publique du Québec recommande simplement d'ouvrir les fenêtres tous les jours, durant 10 minutes et idéalement deux fois par jour. Par temps sec en hiver, l'aération abaisse l'humidité intérieure et réduit les frais de chauffage. Par temps froid, réduisez le temps d'aération mais non la fréquence. Un échangeur d'air efficace réduit la nécessité de l'aération.

Les moisissures nous importunent par les particules reproductrices qu'elles émettent dans l'air : ce n'est pas la tache dans le coin du mur ou sur le rideau de douche qui nous affecte, mais ce qu'elles émettent. Aérer la salle de bains après usage est un moyen simple de contrôler le principal foyer habituel de prolifération des moisissures. Séchez, nettoyez et réparez sans tarder toute autre zone de votre logis ayant connu un dégât d'eau – murs, plafonds, sous-sol.

Comme on l'a vu, la pollution de l'air à l'intérieur de nos logis est, selon l'EPA étatsunienne, l'un des principaux motifs d'inquiétude pour la santé. Selon la Direction de la santé publique du Québec, le chauffage à l'huile et au bois, avec des équipements mal entretenus, serait l'un des principaux contaminants de l'air intérieur, auxquels s'ajoutent les produits en aérosol et les recouvrements de vinyle.

Maux de tête, démangeaisons, écoulements nasaux, allergies en hausse et asthme – qui a presque doublé chez les moins de 18 ans ces dernières années – sont les troubles *identifiés* qui en découlent. Les gens forcés d'éliminer tous les produits irritants à cause de leurs allergies se débarrassent aussi de ces désagréments devenus tellement ordinaires qu'ils passent presque inaperçus.

Surveillez éponges, torchons, serviettes et... coliformes

L'éponge et le chiffon à nettoyer de la cuisine sont en général les deux articles les plus contaminés de votre logis. La serviette à main de la cuisine contient plus de coliformes fécaux que celle de la salle de bains – déjà bien garnie – parce qu'on s'y lave plus souvent les mains. Remplacez-les donc chaque jour.

Désinfectez facilement les éponges à récurer en nylon et brosses en plastique de la cuisine en les mettant au lave-vaisselle ou, plus rapide, en les trempant dans de l'eau et en les plaçant au four à micro-ondes pendant deux minutes à puissance maximale : elles perdront leurs odeurs.

Remplacez chaque jour, au besoin, le torchon de l'évier de la cuisine qui tend à être encore plus contaminé que les éponges. Mouillez-le et passez-le au four à micro-ondes durant deux minutes : il sera désinfecté et débarrassé de ses odeurs. Et faites d'une pierre deux coups : la vapeur qu'il dégagera vous aidera à décoller la saleté à l'intérieur du micro-ondes, saleté qu'il suffit d'essuyer avec le torchon désinfecté. Attention : secouez le chiffon avant de l'utiliser pour ne pas vous brûler, puisque son humidité a été portée à ébullition. Dans la salle de bains, remplacez la serviette à main quotidiennement, selon le nombre d'occupants du logis.

DÉSINFECTEZ UNIQUEMENT CE QUI LE REQUIERT

Souvenez-vous que 90 % des maladies contagieuses se propagent par les mains. Se laver les mains une vingtaine de secondes, à l'eau chaude et savonneuse, est nécessaire et suffisant pour éliminer les bactéries porteuses de maladies. Indispensable : toujours les laver après avoir éternué en temps de grippe, après s'être soulagé et après avoir manipulé des viandes.

En réalité, savons à mains et nettoyants prétendument antibactériens ne sont d'aucune utilité contre ce qui nous rend malades. Ils n'éliminent que ce qui n'est pas nocif et renforceraient ce qui l'est. Les experts les jugent nuisibles, à la manière des antibiotiques quand ils sont utilisés sans raison et sans suivre la posologie.

Seul le comptoir de cuisine mis en contact avec la viande et ses jus (volaille et poisson inclus) peut requérir d'être désinfecté – tel qu'expliqué à *Désinfecter* **(p. 215)**.

Et il est possible d'éviter d'avoir à le faire : déplacez les viandes directement de leur emballage au contenant de cuisson, tant que faire se peut. Épongez le jus des viandes avec des essuie-tout et jetez tout de suite leurs emballages. Désinfectez les articles qui ont été en contact avec la viande en les plaçant directement au lave-vaisselle avant de les utiliser à nouveau avec de la nourriture. Utilisez une planche de travail plus petite réservée à la viande et qui peut être placée au lave-vaisselle après usage.

Si vous devez désinfecter la zone, utilisez la solution désinfectante maison décrite à la rubrique du même nom **(p. 198)**. Attention aux étiquettes sur les nettoyants commerciaux : seuls les produits portant mention de leur capacité d'éliminer la salmonelle peuvent être qualifiés de désinfectant. La grande majorité des nettoyants dits naturels ne le peuvent pas.

Dans la salle de bains, la désinfection n'est pas nécessaire : c'est votre dégoût qui peut vous faire croire le contraire. Il est donc inutile de verser de l'eau de Javel dans la cuvette de la toilette. Lavez-la simplement avec la brosse et le nettoyant. Utilisez un nettoyant à salle de bains comme celui de la marque Bio-Vert (Biotechnologique, en pulvérisateur) : ses cultures bactériennes et extraits de fermentation s'attaquent directement aux résidus d'urine autour de la cuvette et dans les jointements de tuile environnants, de même qu'aux résidus d'excréments. Ils dégradent ces matières organiques et neutralisent leurs odeurs à la source. Utiliser l'eau de Javel ne présente aucun avantage réel et relève plutôt d'une habitude.

Si vous désirez tout de même désinfecter la zone, tirez la chasse après avoir lavé la cuvette, puis pulvérisez un bon jet d'eau de Javel conservée dans un contenant à gicleur réservé à cette fin. Un jet fait environ 6 ml, un peu plus de 1 c à c, assez pour les 2 l d'eau contenus dans la cuvette. Le gicleur aide à ne pas dépasser la quantité requise et à éviter les dégâts sur les vêtements causés par les éclaboussures. Rincez ensuite le tour de la cuvette avec la brosse trempée dans cette solution, et laissez reposer jusqu'à la prochaine utilisation. Attendez au moins 6 minutes avant d'évacuer l'eau.

Contrôlez aussi dans la douche et la baignoire la prolifération des moisissures et champignons qui se transmettent aux pieds, puis à l'aine (par le sous-vêtement – désagréables démangeaisons) en évitant ces tapis antidérapants qui sèchent mal et favorisent le développement des micro-organismes.

Enfin, humidificateurs et climatiseurs n'ont pas besoin d'être désinfectés s'ils sont nettoyés à fond et régulièrement en suivant les indications du fabricant. Utiliser un désinfectant favorise la diffusion par le ventilateur d'irritants pour les voies respiratoires.

CONSEIL DE L'ONU POUR VOS JEANS

« Porte ton jeans au moins trois fois, lave-le à froid, sèche-le à l'air, oublie le fer : c'est cinq fois moins d'énergie consommée ! » Voilà la devise proposée aux jeunes par les Nations Unies en mars 2008, pour économiser l'énergie et comprendre l'importance des gestes simples.

ÉQUILIBREZ LE PARTAGE DES TÂCHES

Le partage des tâches présente des bénéfices considérables pour tous. Les femmes consacrent aujourd'hui 9 heures de moins chaque semaine à un emploi rémunéré que leur partenaire, et 7 heures de plus aux tâches domestiques – qui les occupent durant 16,4 heures. Il suffit aux hommes d'ajouter chaque jour 30 minutes de tâches, soustraites au temps consacré par la femme, pour obtenir l'équilibre.

Selon le Forum économique mondial, il y a un lien direct entre l'égalité entre les sexes et les bonnes performances économiques d'un pays. Tendre vers l'équilibre dans la répartition des tâches domestiques augmente la participation et les opportunités économiques des femmes – élevant du même coup la richesse d'un pays[11]. Ce sont les mesures de conciliation famille / travail qui offrent la meilleure solution pour mettre un terme aux horaires insensés d'aujourd'hui, et pas le retrait du marché du travail (complet ou partiel) de l'un ou l'autre des partenaires.

Bénéfice national complémentaire non négligeable : « Les hommes qui font la vaisselle ont une meilleure vie sexuelle », titrait il y a peu l'Agence France-Presse.

It s'agit d'évoluer vers un nouvel équilibre, puisque hommes et femmes travaillent déjà un temps égal : 8,8 heures par jour, incluant le travail rémunéré et non rémunéré, au bureau et à la maison[12]. D'autres études indiquent que l'homme travaille un peu plus longtemps.

Servir ou être servi appartient à un autre siècle : la vie en commun décoincée est un échange généreux de soutien pour se faciliter la vie – sans préjugés. En outre, justifier le partage inégal des tâches par une différence de revenus ne fait que perpétuer cette différence et prépare des lendemains incertains en ces temps de fragilité des relations. De même, justifier le partage inégal par des horaires impossibles ne doit jamais être que temporaire. La double tâche – travail, maison – n'a de sens pour personne : c'est aussi toxique pour le couple que le sont les substances douteuses pour la santé.

31

Plus important, les partenaires qui apprennent les façons de diminuer la tâche d'entretien peuvent réduire de moitié le boulot et la frustration de la personne qui s'en occupe. Le partage des tâches, c'est pour ceux qui ont compris. Aux autres, les passions solitaires et les pensions.

En fait, la plupart d'entre nous sommes plutôt bien disposés, mais nous ignorons comment nous faciliter la tâche au milieu d'horaires surchargés : le présent guide rassemble une foule d'indications en ce sens.

Le ménage peut devenir une activité méditative et régénérante : les pratiques d'ascèse spirituelle l'incluent toutes, avec ce que l'on peut qualifier d'esprit zen. Mieux : deux heures de cuisine et d'entretien général par semaine deviennent facilement une occasion précieuse de se côtoyer en famille.

Reconnaissez et respectez le territoire de chacun. Chaque personne a sa façon de travailler et son territoire pour s'organiser – pour le boulot et les loisirs comme pour l'entretien. Un homme habitué à conduire un véhicule pourra être impatienté par la conduite hésitante d'une compagne moins familière. Il en va de même pour le ménage.

CODE DE LA MAISON POUR COUPLES

Des études australiennes, canadiennes et québécoises ont évalué la quantité de travail que représentent les tâches domestiques, les unes par rapport aux autres[13].

Faire la cuisine, y compris la vaisselle, c'est 25 % du travail dans un logis avec enfants (voir *Code des tâches pour couples*) : autant que faire le ménage (14 %) plus la lessive (10 %). Total des trois, 50 % du boulot de la maison.

Voilà une base claire pour le partage des tâches à deux : à l'un les chaudrons, à l'autre la vadrouille et la laveuse. Chacun gère les tâches qui lui sont assignées, et donne à l'autre ses indications : comment ranger la vaisselle après le repas, comment placer les vêtements destinés au lavage, etc.

Rien n'interdit, évidemment, de se donner un coup de main dans cet échange généreux de soutien qu'est la vie en commun. L'entretien est ici assigné à l'homme parce qu'il faut s'en occuper pour apprendre à le faciliter, voire à le diminuer grandement.

Réparations et communications en tout genre (9 %) équivalent à effectuer les achats, y compris l'épicerie (10 %). C'est la personne qui fait la cuisine qui doit faire l'épicerie : il est donc préférable qu'elle se réserve les achats. Enfin, entretien extérieur (6 %) plus gestion des factures et du programme (4 %) équivalent au transport pour le travail et les loisirs (10 %). Le soin des enfants représente 10 % des tâches et se partage à égalité. Ce troisième groupe de tâches varie beaucoup selon le nombre d'enfants et leur âge, selon la nature de vos emplois et de votre logis : les statistiques ne servent ici que de repères.

Les célibataires, eux, n'ont qu'à additionner les pourcentages… dans l'attente de l'âme sœur ou d'un coloc – forme de cohabitation entre amis devenue plus populaire avec le statut volatil des rapports amoureux.

Le Code des tâches pour couples offre une base claire pour une entente de cohabitation qui mettra fin à l'usure de trop nombreux couples. On s'y met et on passe à autre chose, confiants de faire pour le mieux.

Révisez ensemble la description des tâches d'entretien pour vous entendre sur quoi faire et quand.

PARTAGE DES TÂCHES

Proposition établie à partir de statistiques australiennes, canadiennes et québécoises. Les pourcentages représentent la proportion de chaque tâche comparée à l'ensemble. Ainsi, le ménage constitue 14 % du boulot dans un logis avec enfants.

Et ne modifiez la répartition suggérée que si vous êtes d'accord avec l'autre pour le faire sans discussion !

CODE DES TÂCHES POUR COUPLES

COUPLE AVEC ENFANTS

TÂCHES DE L'HOMME		TÂCHES DE LA FEMME	
■ Ménage	14 %	■ Cuisine et vaisselle	25 %
■ Entretien des vêtements	10 %	■ Soin des enfants (50-50)	5 %
■ Jardinage, entretien extérieur	6 %	■ Achats pour la maison	10 %
■ Soin des enfants (50-50)	5 % *	■ Soins aux animaux	2 %
■ Transport (travail + loisirs)	10 %	■ Réparations, communications	9 %
■ Gestion (factures, programme)	4 %		
■ Café/croissant au lit, week-end	2 % **		
TOTAL 51 %		TOTAL 51 %	

* « Soin des enfants » inclut la supervision des devoirs et les soins médicaux.

** Seule modification aux statistiques pour équilibrer les pourcentages.

COUPLE SANS ENFANT

TÂCHES DE L'HOMME		TÂCHES DE LA FEMME	
■ Autres travaux (ménage)	40 %	■ Préparation des repas	71 %
■ Entretien des vêtements	29 %	■ Achats pour la maison	29 %
■ Jardinage, entretien extérieur	17 %		
■ Gestion (factures, programme)	11 %		
■ Café/croissant au lit, week-end	3 %		
TOTAL 100 %		TOTAL 100 %	

CODE DE LA MAISON POUR COLOCS

La colocation réunit plus souvent des jeunes, même si la volatilité des histoires amoureuses encourage certains à la choisir pour le plaisir de la compagnie. Or, les plus jeunes ont eu moins de temps pour se familiariser avec la prise en charge des tâches indispensables à la garantie d'une vie agréable en logis. Le partage des tâches et son respect demandent très souvent une période de rodage afin de désamorcer les motifs de conflits.

Facilitez-vous la vie : imprimez la liste des tâches donnée ci-dessous (p. 34 à 36) et assoyez-vous pour faire le partage de celles que vous jugez prioritaires, de même que les façons de faire. Recourez automatiquement à une aide ménagère défrayée par tous en cas de mésentente sur l'une des tâches – une aide pouvant être fournie par l'un des colocs. Les tâches du Code ne disparaissent pas parce qu'elles posent problème : elles s'accumulent, avec la rancœur en prime.

Si un membre du logis refuse de participer aux tâches ou se défile systématiquement, les autres devront se répartir ses assignations : pendant ce temps, il se cherchera un psy ou un autre toit.

LISTE DES TÂCHES

Une liste des tâches doit être adaptée selon votre milieu : est-il plus ou moins poussiéreux ? Quel est le nombre et le genre des habitants ? Quels sont vos goûts ? Révisez-la avec les autres occupants.

Diminuez de moitié votre tâche en pratiquant l'entretien continu : la saleté ne s'incrustera pas, le désordre ne dérapera pas jusqu'à représenter une montagne. Vous éviterez ainsi de ruiner vos samedis matin avec le rattrapage, en bloc, d'une montagne de tâches détestables. Réglez en priorité – à la source, et une par une – l'organisation des zones les plus criantes de désordre. Non seulement la tâche hebdomadaire diminuera radicalement, mais aussi la nécessité du nettoyage à fond, chaque printemps.

Prévoyez clairement quand affecter aux tâches, par semaine, une ou deux tranches de plus ou moins 30 à 45 minutes. Pour le plaisir d'être ensemble, certaines familles vont aimer consacrer 2 à 3 heures à un même moment du week-end pour expédier les tâches, incluant la préparation des repas pour la semaine qui suit.

CHAQUE JOUR

■ Rangez tout après usage, ne déposez rien. Complétez à la fin de la journée : vaisselle, vêtements, courrier. Pas de pitié.

■ Le corps dégage durant la nuit une humidité qui favorise la prolifération des acariens : repoussez draps et couvertures entre votre lever et le moment de faire le lit avant votre départ.

■ Passez aspirateur ou balai sur la zone à usage intense : séjour, cuisine, entrée, salle de bains.

■ Nettoyez les éviers de la cuisine et de la salle de bains après usage : d'un coup d'éponge ou de torchon.

- Changez les serviettes à main des éviers au moins tous les deux ou trois jours : elles recueillent toutes sortes de saletés.
- Nettoyez la zone des repas après usage.
- Passez l'éponge ou la raclette après usage de la baignoire ou de la douche.
- Aérez durant au moins 10 minutes le matin et à nouveau, si possible, le soir.
- Videz les paniers à ordures chaque jour.

Chaque semaine
- Époussetez avec l'époussette en laine d'agneau étagères, appareils, abat-jour et stores. Au besoin, les luminaires. Utilisez un chiffon humide pour les surfaces sur lesquelles le léger résidu laissé par l'époussette vous incommode.
- Passez l'aspirateur au moins une fois (sinon deux) par semaine : incluant fauteuils utilisés constamment, calorifères, bas de murs des passages à usage régulier, appareils électroniques et claviers, pieds et dessous de meubles. Passez un coup aux rideaux si votre environnement est particulièrement poussiéreux.
- Changez et lavez torchons et éponges d'évier deux ou trois fois par semaine.
- Nettoyez la salle de bains : y compris cuvette, miroir, tapis, étagères, accessoires. Complétez au besoin, baignoire et douche.
- Nettoyez la cuisine : y compris micro-ondes, grille-pain, poubelle. Au besoin le four et le frigo, les poignées, boiseries et supports à serviettes.
- Nettoyez les planchers.
- Lavez literie et serviettes. Au besoin, les couleurs et le nettoyage à sec.
- Portez les ordures à la rue une ou deux fois. Portez le recyclage à la rue.
- Nettoyez téléphones, interrupteurs et poignées de porte avec un chiffon savonneux durant la saison des rhumes pour prévenir la propagation des microbes : pas besoin de désinfectant. Isolez brosses à dents, serviettes et autres articles d'hygiène des personnes malades.

Chaque mois
- Époussetez avec un linge humide si vous avez utilisé une époussette en laine d'agneau les autres semaines. Les luminaires, avec l'époussette.
- Passez l'aspirateur sur les rideaux et leurs attaches, toujours du haut vers le bas.
- Passez aspirateur et époussette sur les fauteuils utilisés plus rarement, le tour des fenêtres, les boiseries, les bas de murs le long des passages à usage restreint et les luminaires.
- Retournez les matelas (bout en bout et d'un côté à l'autre) au moins tous les trois mois (quatre fois par an) pour favoriser une usure égale et l'aération. Passez l'aspirateur sur matelas et oreillers.
- Nettoyez four et frigo (au besoin), poignées, boiseries, supports à serviettes.
- Nettoyez aussi les filtres à air des systèmes de climatisation et de chauffage, les bouches d'air et les panneaux d'armoires de la cuisine.

GRAND MÉNAGE

- Époussetez les murs deux fois par an.
- Nettoyez les murs une fois par an.
- Nettoyez les vitres deux fois par an.
- Portez à la collecte des produits dangereux tous les produits d'entretien à risque ou non utilisés dans l'année écoulée – qu'ils traînent sous les éviers, dans les placards ou dans le garage. Les médicaments périmés vont à la pharmacie. Pas de répit pour les bandits.
- Deux fois par an, effectuez un entretien rapide du patio, et, tous les deux ans, un nettoyage en profondeur.
- Une ou deux fois l'an, époussetez les traverses du plafond et lavez les stores. Lavez fenêtres, luminaires, congélateur et four au moins deux fois l'an. Les moustiquaires, une fois. Les murs, une fois par an ou tous les deux ans, selon l'activité ambiante : si l'idée de repeindre vous vient, commencez par laver murs et plafonds, cela peut suffire.

Contrôlez les zones à problèmes

Le temps qui n'est pas consacré à s'organiser passe à chercher quelque chose. Exemple : éliminez 50 % de l'entretien en facilitant le rangement continu. Déposer un peu n'importe où ce qui vient de servir multiplie votre tâche. Déposer dans un rangement à portée de main n'est pas plus exigeant, quand c'est organisé. Les rangements disposés à proximité des lieux où s'accumulent les traîneries font le boulot. Pas vous.

Autre exemple : fatigué de nager dans la gélatine des barres de savon, les restes de dentifrice, les tuyaux d'aspirateur emmêlés et les chaussettes dépareillées ? Les éviers de cuisine et de salle de bains, le placard à balais et le centre de lessive peuvent ne demander qu'un minimum d'entretien grâce à quelques organisateurs muraux bien adaptés. Il en existe tout plein qui évitent d'accumuler salissures et bazar.

Avertissement : les marques proposées ne font l'objet d'aucune entente entre *Ménage vert* et les fabricants. Elles sont offertes à titre d'exemples illustrant le propos.

CHAMBRE

Deux solutions : soit les vêtements sont rangés parce qu'ils seront réutilisés, soit ils sont dirigés vers la lessive sitôt retirés. Pas d'entre-deux et de pantalons abandonnés un peu partout. Facile, lorsque les mannes pour la lessive sont disposées à proximité des lieux où vous avez l'habitude de vous dévêtir et que le rangement est facile d'accès.

- Le manque de moyens pour ranger les articles ou le manque d'espace sont deux obstacles majeurs au rangement continu. Maximisez l'espace de rangement dans la penderie en utilisant tout l'espace disponible du plancher au plafond.

  Les systèmes de rangement permettent aisément de multiplier les tablettes, en particulier dans le haut des penderies, où les experts notent que se trouve souvent l'espace perdu.

Doublez la quantité de vêtements suspendus en installant deux tringles, l'une au-dessus de l'autre (même pleine, une penderie subdivisée en sections facilite l'accès aux vêtements et un rangement minimal). Au besoin, il est possible de n'inclure qu'un seul élément de ces systèmes, comme des tablettes pour les chaussures, ou une seconde tringle sous la section des chemises pour suspendre une deuxième rangée de vêtements.

Ces systèmes très simples (grillagés, recouverts de polyéthylène ou non) requièrent peu d'entretien. Il en existe à petit prix autant que de très sophistiqués. Le grillage élimine toute accumulation de poussière, contrairement aux tablettes de planche.

⬦ **AU FAIT...**

❗ Quand je sème un peu partout des microtraîneries et salissures, à coups de micronégligences, est-ce que je peux voir à qui exactement je dédie ces embêtements ? À un compagnon ou une compagne présente ? À moi-même ? Vraiment ? Ou encore à un parent passé qui prenait le temps d'y voir pendant que j'allais conquérir le vaste monde ? Ne suis-je pas, tout bêtement, en train de doubler le temps – oui, doubler le temps – qu'il me faudra consacrer à ranger ces choses abandonnées au petit bonheur ?

Ne serait-il pas temps de commencer à m'accorder, plutôt, des micro-cadeaux – en plus de m'accorder le plaisir de vivre dans un environnement sympathique.

- Prévoyez une ample provision de cintres pour que soit suspendu tout ce qui peut l'être.
- Gardez à portée de main ce qui est d'utilisation courante, éloignez ou rangez ailleurs ce qui sert moins ou qui n'est pas de saison.
- Installez à l'endos de la porte de la penderie, voire de la porte de chambre, des crochets sur lesquels il est aisé de placer des cintres pour des articles d'utilisation plus courante ou qui doivent demeurer à disposition. Un simple crochet à jardinière offrira amplement d'espace pour plusieurs cintres.
- Mettez des séparateurs dans les tiroirs de commodes pour forcer un rangement continu des articles, qui ne pourront plus s'emmêler.
- Des range-tout en colonne accrochés à la tringle à côté des vêtements permettent de ranger les chandails, chaussettes et sous-vêtements de telle façon qu'ils ne s'emmêlent plus dans les tiroirs. Ils sont un peu plus larges que ceux qui sont conçus pour les chaussures. Il existe même des modèles de vide-poches perpendiculaires à la tringle qui offrent un rangement en hauteur idéal pour les petits espaces.
- Les mannes transparentes sur pied, avec sac escamotable en tissu synthétique permettent de repérer les articles sales et d'éviter la prolifération des odeurs. Une manne contenant l'équivalent d'une charge de lave-linge indique quand le temps du lavage est venu.

- Le fabricant Homz offre une variété de mannes ingénieuses. Les sacs des modèles simple et triple, montés sur pieds, sont semi-transparents pour trouver un article désiré, se retirent du support pour être portés au lavage et sont en nylon pour limiter les odeurs. Le modèle sur la porte et le modèle sur la tringle s'ouvrent par le fond.
- Prévoyez au moins deux mannes : blanc et couleurs se trouvent séparés automatiquement, prêts à être lavés. Au besoin, une troisième manne rassemble les articles délicats.

- Disposez les mannes dans la chambre ou dans la salle de lavage, selon ce qui vous convient. Les mannes de la chambre peuvent être plus petites et logées dans la garde-robe. Des mannes, poches ou sacs peuvent aussi être fixés à la porte de la garde-robe, si elle s'y prête, ou suspendus sur la tringle à côté des vêtements.
- Les articles destinés au nettoyage à sec sont disposés sans tarder sur un crochet près de l'entrée du logis consacré à cet effet, de sorte qu'il est tout simple de les prendre au passage quand ça convient.

CHAMBRE D'ENFANT
- Les jouets trouveront à se ranger rondement avec un coffre destiné à cet effet. Une panoplie de coffres et paniers peuvent convenir.
- Un système de rangement amusant alimente l'imaginaire de l'enfant pour faire du rangement un jeu.

ENTRÉE
Seul antidote au fouillis : un espace bien pensé et des organisateurs qui multiplient la capacité de rangement. Suspendez tout ce qui peut l'être afin d'éviter que s'empilent les couches d'un désordre croissant. Dites-vous que la pensée magique ne crée que des complications.
- Seuls les vêtements d'usage courant doivent être laissés dans le placard ou sur les crochets de l'entrée. Les seconds paleteaux, les deuxièmes bottes, les articles de sport et les vêtements des autres saisons doivent trouver une place ailleurs. Prévoir pour eux un placard d'appoint ajouté dans une pièce attenante, pour les petits logis, dans un placard plus large pas trop loin de l'entrée ou au sous-sol dans un logis plus grand.

    Des crochets dans un garage attenant ou une salle de lavage permettent de suspendre et faire sécher ces articles de sport qui ne servent qu'à l'occasion.
- Prévoyez une série de patères – tiges droites fixées au mur – pour accrocher chapeaux, parapluies et cannes avec l'espace requis pour assurer un assèchement rapide sans rien écraser. Une patère près de la porte est réservée aux vêtements destinés au nettoyage à sec.
- Les étagères en tube n'accumulent ni saleté ni poussière.

- Utilisez des cintres solides même sur les crochets pour éviter aux vêtements de se chiffonner comme ils le font quand vous les empilez sur de simples crochets. Les cintres permettent aussi de ranger plus d'articles.
- Les range-chaussures transparents en colonne offrent une solution intéressante pour ranger gants et mitaines : une version de petite dimension peut servir à répartir le courrier destiné à chaque personne du logis.
- Des patères plus longues, voire des crochets à jardinière inversés, permettent de ranger sur des cintres beaucoup plus d'articles que les crochets usuels, sans mobiliser plus d'espace. Il existe un système à patère perpendiculaire au mur, avec paravent qui augmente la capacité de rangement avec discrétion.
- Installez un range-chaussures, mural de préférence, pour éviter de porter à l'intérieur les chaussures utilisées à l'extérieur et pour limiter ainsi l'introduction de la poussière et de ses polluants.

Il doit être possible de ranger au moins une paire de chaussures d'intérieur près de l'entrée, au même endroit où seront déposées les chaussures portées à l'extérieur. Les range-chaussures en colonne s'accrochent à la tringle pour les vêtements ou sur une patère. Les modèles à tiroirs escamotables, sur deux ou trois rangées cachent les chaussures à la vue dans cette zone passante.

Poser les bottes d'hiver au sol dans ces petits bacs à rebords en plastique exige que l'on déplace les bottes lors de l'entretien, en plus de procéder au nettoyage fastidieux des bacs.

Soulever les bottes sur un range-bottes à tiges rondes, et de préférence mural, permet de les laisser s'égoutter sur un sol couvert d'une simple carpette pour retenir l'eau. Il suffit de passer un coup d'aspirateur chaque semaine sur la carpette, ou de la secouer à l'extérieur, et de la laver à la fin de l'hiver. Les tiges rondes espacées permettent à la saleté de filer au sol, où elle est facile à enlever ; elles minimisent aussi l'entretien du range-bottes lui-même.

Il n'existe pas de range-bottes mural et à tubes dans le commerce. On trouve des range-bottes sur pattes qui présentent souvent le défaut de ne pas soulever suffisamment les bottes pour faciliter l'entretien du plancher au-dessous. Bricolez-en un avec porte-tablette et gougeons. Tant qu'à faire, il n'est pas plus difficile de concevoir à même le range-bottes une petite section permettant aux personnes moins agiles de s'asseoir pour se chausser.

GARAGE

- Débarrassez une bonne fois pour toutes cet endroit des objets inutiles et brisés. Trouvez un moyen d'accrocher, suspendre et ranger dans des coffres, armoires et placards le reste de ces choses improbables mais qui vous serviront sûrement un jour.

Si le garage est rattaché à la résidence, videz-le absolument des déchets dangereux que vous conservez pour la collecte annuelle. Rangez ces produits dans un coffre ou un cabanon à l'extérieur. Sachez qu'ils sont dangereux parce qu'ils contribuent significativement à notre soupe chimique corporelle.

- Ayez prise sur la bonne tenue de cet espace avec un minimum d'organisation. Prévoyez des carpettes à l'entrée et à la sortie, de même que des paniers à rebuts solides qui se referment d'eux-mêmes.

  Appliquez un scellant sur le ciment pour limiter l'adhésion de la saleté et faciliter de beaucoup le nettoyage. Accrochez tout ce qui peut l'être et multipliez les placards, même en matériau rudimentaire et peint, plutôt que de simples étagères qui invitent au désordre et amassent la poussière. Couvrez si possible la structure des murs avec des panneaux de bois préfini peints.

  Grâce à ces mesures, l'entretien se limitera à ranger, passer l'époussette rondement en ayant à l'œil toiles d'araignées et mouches. Restera à enlever les dégâts au sol, à balayer et à passer une vadrouille à franges mouillée.

SÉJOUR

Éliminez pas moins du tiers du travail d'entretien en vous débarrassant de tout ce qui est inutile, encombrant et long à entretenir. La règle du 80-20 affirme qu'on n'utilise que 20 % de nos biens – le 80 % restant pouvant être utile, mais étant le plus souvent juste encombrant.

- Limitez à l'essentiel les petits objets décoratifs et regroupez-les en quelques emplacements restreints : ramasser la poussière autour de ces objets est impossible à moins d'y consacrer un temps dont peu d'entre vous disposez.

  Trouvez un ordre et des contenants pour le reste : coffre à jouets, boîtes de rangement pour livres, housses à vêtements.

- Le courrier que vous recevez ne sera le plus souvent traité que plus tard. Il doit tout de même être rangé immédiatement et de façon à pouvoir être retrouvé d'un coup d'œil au moment voulu.

  Placez-le tout de suite et sans exception dans un petit classeur-organisateur muni de trois ou quatre séparations pour le courrier, les factures, les publicités, les notes et rappels.

  Selon vos habitudes, ce dossier peut être disposé dans un coin de la salle de séjour, de la cuisine, de la chambre ou d'un bureau, de telle sorte que plus aucun papier ne traîne, sans qu'il en coûte un effort de plus.

  Il existe des sortes de pochettes murales qui n'encombreront pas votre comptoir. Divers modèles de classeurs plus volumineux offrent l'espace indispensable pour conserver à plus long terme ce qui doit l'être. Le classeur doit être muni d'au moins cinq séparations : pour les reçus et garanties, pour les comptes à payer, pour les publicités, pour le courrier et pour les divers autres papiers.

- Un support d'écran d'ordinateur permet de ranger le clavier sous l'écran et libère de l'espace sur le bureau.

- Un range-magazines est indispensable pour tous ces trucs à lire qui autrement s'éparpillent, se perdent et génèrent de la confusion. Notre parti pris de faciliter systématiquement l'entretien nous fait rechercher un modèle mural qui dégage le plancher et sera ainsi plus facile à entretenir.

- Prévoyez un range-magazines dans la chambre et un autre dans la salle de séjour. Autour d'un bureau, un range-chaussures en colonne peut loger des revues et dossiers. La salle de bains a également besoin du sien.
- Un range-disques mural, de préférence fermé pour éviter l'accumulation de poussière dégagera les surfaces.
- Un range-télécommandes fixé au bras du canapé ou d'un fauteuil évitera bien des recherches.
- Un vide-poches mural pourra recevoir les clés, la monnaie et autres verres fumés. Un par personne dans la chambre ; un dans les environs de l'entrée si des clés sont partagées.

ZONE DE LESSIVE

- Filets : voilà le maître mot. Il en existe de toutes sortes, mais il y a quelques essentiels. Comment avez-vous pu vivre sans les filets à séchage et lavage qui permettent de rassembler les cent mille chaussettes d'une maisonnée, de retenir les bas de nylon qui s'emmêlent à n'en plus finir, de laver ces chandails qui autrement doivent aller au nettoyeur à sec – mais ne s'y rendent jamais…

  La marque Homz continue d'offrir des solutions raffinées dans leur simplicité avec les filets de lavage et séchage, sans pourtant être la seule marque. Il y en a des petits pour un chemisier, des moyens pour un pull ou des bas de nylon, et des plus grands pour le magasin général des chaussettes de la troupe. Pour les articles fragiles, utilisez le cycle délicat et un détergent pour articles délicats : certains articles demeurent trop fragiles pour être lavés ainsi, à cause de leur teinture ou de leur fabrication.

  Un filet de séchage à plat sur pieds permet de faire sécher ces lainages qui doivent être placés dans leur forme originale pour la recouvrer sans plis inconvenants.

  Il existe un modèle de filet de séchage à plat monté sur un séchoir d'intérieur qui intègre deux éléments fort utiles.

- Un incontournable : le système de rangement pour le nécessaire à repasser permet d'accrocher au mur planche et fer à repasser, de manière à ne pas nuire.
- Un autre incontournable : un système de chasse-taches similaire à celui qui est proposé par la marque Tide pour éliminer plus de 90 % des taches sur les tissus sans autre produit chasse-taches. Essentiellement, il s'agit d'une petite brosse et d'un contenant à gicleur permettant d'appliquer une petite quantité de détergent à lessive sur les taches – façon, selon les tests, d'éliminer 90 % des taches sur les tissus sans autre produit chasse-taches.
- Mannes : des mannes qui n'accumulent pas les odeurs, dont le filet peut s'extraire du montant pour faciliter le transvidage dans le lave-linge et dont la texture transparente permet de repérer un article recherché appartiennent à ces accessoires qui facilitent grandement la vie. Il existe des modèles à simple ou triple sac pour trier à la source les éléments selon le type de lavage requis.

PLACARD À BALAIS

- Le placard à balais rend tous les accessoires faciles à utiliser si on n'y conserve que ceux qui sont réellement utiles et si on trouve à accrocher tout ce qui peut l'être aux murs et sur la porte.

  Range-fer-à-repasser et range-planche-à-repasser, range-tuyau-d'aspirateur (simple mais efficace), crochets pour torchons, vadrouille, balai, porte-poussière et autres : tout accrocher pour éviter que le désordre de ce placard ajoute à notre hantise de l'entretien.

- Videz les armoires d'éviers et autres placards de la panoplie de produits qui ne servent plus. Maintenant.

  Vieux pots de colle, de nettoyants et autres qui ne servent plus vont avec les déchets destinés à la cueillette des produits dangereux. Ne les jetez pas à l'évier, à la cuvette ou à la poubelle. Autrement, c'est vous-même que vous pénalisez. C'est votre soupe chimique corporelle que vous contribuez à alimenter : les usines de traitement des eaux ne sont pas équipées pour éliminer de l'eau courante le cocktail des substances qui y sont expédiées. Même chose pour les sirops et médicaments périmés qui doivent, eux, être retournés sans faute à la pharmacie.

  En somme, ce que nous envoyons en l'air nous retombe immanquablement sur le nez : il n'y a plus d'*ailleurs* où laisser nos restants à l'abandon. Tout doit être récupéré.

◆ ACHATS ANTIFOUILLIS : AIDE-MÉMOIRE

- Cintres en grand nombre
- Crochets à jardinière ou autres pour endos de portes
- Séparateurs à tiroirs
- Range-tout en colonne pour chandails
- 2-3 mannes pour le linge sale (ou une manne double, triple) ; petites mannes de porte ou de tringle pour la chambre – un sac fixé à la porte peut dépanner
- Patère dans l'entrée du logis pour articles de nettoyage à sec
- Patères pour l'entrée (chapeaux, parapluies, écharpes, foulards, tuques)
- Cintres solides pour manteaux
- Range-tout en colonne (gants, mitaines, courrier par personne)
- Crochets à jardinière si des crochets sont utilisés dans l'entrée ou système avec paravent
- Range-chaussures (chaussures d'intérieur)
- Range-bottes en tubes
- Coffre à jouets, boîtes de rangement (livres), housses (vêtements)
- Petit classeur à trois ou quatre séparations pour papiers courants, plus un autre classeur plus volumineux pour sauvegarder
- Range-magazines mural pour la chambre, la salle de séjour, la salle de bains
- Vide-poches qui se fixe au mur de préférence (chambre, autour de l'entrée pour les clés partagées)

43

- Placard à balais : range-fer-à-repasser et range-planche-à-repasser, range-tuyau-d'aspirateur, porte-torchons et autres crochets
- Tablettes, paniers, crochets et tringles pour l'intérieur des armoires de cuisine
- Système pour supprimer les taches : brosse et petit distributeur à gicleur pour le détergent liquide. La marque Tide offrait un système avec brosse activée à pile, qui est devenu plus difficile à trouver.
- Filets à fermeture éclair, petits et grands
- Séchoir horizontal pour lainages
- Mannes en nombre suffisant pour assurer une collecte et un tri en continu des vêtements destinés au lavage

CUISINE

Un tas de trucs peuvent faciliter l'entretien continu de cette zone de combats intenses.

- Limitez les dégâts sur le poêle en éliminant les petites casseroles qui ont la manie, tenace, d'éclabousser les alentours.
- Activez le ventilateur de la hotte chaque fois que la cuisinière est utilisée pour éviter qu'odeurs et gras se répandent par évaporation sur les murs, les plafonds et les surfaces environnantes.
- Toujours nettoyer la cuisine en dernier parce qu'on y revient souvent pour rincer éponges, vadrouilles et le reste. Commencez l'entretien en plaçant les cuvettes des ronds de cuisinière électrique à tremper dans l'évier, avec une solution d'eau chaude et de détergent pour le lave-vaisselle. Les frotter par la suite avec une brosse ou un tampon à récurer en nylon, non en acier qui les rendraient poreuses.

  Ne pas pulvériser de nettoyant sur les commandes des appareils comme le lave-vaisselle. Pulvérisez plutôt le nettoyant sur l'éponge ou le chiffon avec lequel vous procéderez au nettoyage. Le nettoyant à vitres **(p. 237)** fera briller les appareils, en utilisant un chiffon propre ou, mieux, un chiffon en microfibres.
- Les réfrigérateurs **(p. 277)** récents permettent d'épargner plus de 30 % en argent et en énergie.
- Les éléments électriques de la surface de cuisson **(p. 267)** peuvent diminuer jusqu'à 40 % le temps requis pour chauffer les aliments. Les plaques de cuisson à plat facilitent le nettoyage. Le four autonettoyant élimine le recours à l'un des trois salopards de l'entretien, le nettoyant à four commercial. Voir les explications **(p. 228)**.
- Un simple range-paperasses, mural de préférence, centralisera l'information domestique en cours d'utilisation : circulaires, listes de tâches et de commissions, factures, pense-bête.

  Une idée futée qui peut convenir à certains est l'intégration d'un espace de rangement sous les sièges des chaises de la salle à manger, qui se soulèvent grâce à des pentures. S'y rangent napperons, magazines, crayons.

44

L'ordre repose, attire l'ordre, et encourage à garder le cap sur la multitude de gestes d'entretien continu qui préviennent les dérapages du laisser-aller. L'important est de commencer, non d'en faire une religion, même si c'est on ne peut plus zen. La surprise est de réaliser à quel point cette attitude simplifie nos vies déjà bien assez complexes.

■ Malgré ses allures chaleureuses, la cuisine encombrée est un véritable enfer pour qui ne peut se consacrer à plein temps à son entretien. Tout ce qui est laissé sur les comptoirs amasse la saleté : résidus d'eau, éclaboussures de gras, de farines ou d'épices.

À l'opposé, tout ce qu'il est possible de suspendre sur des tablettes – de tubes ou de grillages – laisse écouler la saleté et ne nécessite aucun entretien : c'est votre but. Et c'est aussi l'idée qui se cache derrière les suggestions rassemblées ici, qui sauront inspirer vos propres bricolages, au gré de vos priorités.

C'est enfin un moyen de contenter aussi bien monsieur qui aime les surfaces épurées que madame, que réjouit la présence à portée de main et de regard de divers condiments et accessoires.

■ Fixez au mur attenant à l'évier des organisateurs en broche (tablettes, paniers, supports, crochets) sur lesquels il est possible de tout déposer et accrocher : ne laissez rien sur l'évier. Les organisateurs se trouvent dans les grandes surfaces ou les boutiques spécialisées en articles de décoration pour la maison – les prix varient du très économique au plus cher. Chaque élément doit être suspendu 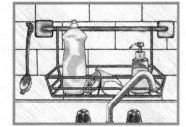 autour de l'évier ou à l'endos des portes d'armoire sous l'évier : distributeur de savon à main ou savonnette, nettoyant à vaisselle, bouchon d'évier, brosses, lavette, torchons et éponges à récurer.

La broche laisse sécher les articles et s'écouler la saleté sur les comptoirs, saleté qu'il suffit d'enlever d'un coup d'éponge humide sur la surface plane dégagée – sans besoin de nettoyants inutilement toxiques et puissants pour décoller des saletés incrustées. Sur la broche, la savonnette se trouve à sécher plutôt que de s'écouler et se gaspiller dans une mare gélatineuse.

Il existe des organisateurs avec finis brossé, nickel, chrome et plastique. Les modèles à fini chrome simple et plastique sont très bon marché ; d'autres au design plus affiné ne rouilleront pas. Les boutiques à 1 $ en offrent, les grandes surfaces du genre IKEA en font leur spécialité.

Les organisateurs peuvent être fixés avec des ventouses, mais uniquement sur des surfaces parfaitement lisses comme la tuile, la porcelaine, le verre et la fibre de verre (pas la mélamine). Ils se fixent aussi avec de la colle ou des vis – selon les types de surfaces.

Ventouses et autocollants ne peuvent supporter qu'un certain poids, autrement il faut les réinstaller à répétition et des articles en verre peuvent être abîmés. Il existe des ventouses grand format très efficaces. Afin que les ventouses adhèrent

45

solidement, il est indispensable de bien nettoyer la zone où les appliquer (avec de l'alcool). Selon l'avis d'un vieux quincaillier à la retraite, rien ne vaut l'application d'un soupçon de gelée de pétrole (vaseline) pour augmenter significativement l'adhérence – ne pas trop en appliquer afin de préserver l'effet de succion, et l'appliquer au centre de la ventouse.

En l'absence de surface lisse comme le verre, les ventouses peuvent s'apposer solidement sur un miroir fixé au mur pour l'occasion – il existe des versions autocollantes de petits miroirs – ce qui peut donner un effet visuel amusant. La surface en verre du miroir est idéale pour l'adhésion des ventouses.

- Recherchez les systèmes muraux et les étagères qui permettent de tout ranger ailleurs que sur la surface plane des comptoirs. Des marques comme Grundtal offre des arrangements très design.

- L'égouttoir à vaisselle présente un enjeu que le génie du design n'a pas encore trouvé à résoudre. On cherche un égouttoir hygiénique et facile d'entretien.

Le classique égouttoir placé à côté de l'évier présente le désavantage de retenir l'eau d'égouttement et d'accumuler des saletés. Les égouttoirs muraux n'évacuent pas l'eau. Cette solution est peu hygiénique et requiert un entretien que l'on veut éviter. Il est plus que temps que les designers inventent des solutions à un besoin aussi courant.

- Si vous préférez laver à la main et laisser s'égoutter, puis sécher la vaisselle sur place (pourquoi, pour qui se gêner?), vous pouvez opter pour un évier auquel est incorporé un égouttoir. Ce type d'évier était courant autrefois. En plus de l'égouttoir intégré, certains éviers offrent un évier de rinçage attenant plus petit.

- Toujours dans l'idée de limiter l'entretien des zones à usage intensif, le type de robinet peut faire une différence significative. Évitez les robinets contrôlés par des poignées séparées. Les robinets à contrôle intégré avec la sortie d'eau limitent l'accumulation de saletés et les recoins générateurs d'entretien.

La douchette peut être intégrée à la sortie du robinet. Certains modèles offrent même une douchette extensible arrimée à l'extrémité du robinet.

- Multipliez les crochets (pour les passoires et planches de travail), les rails aimantés (pour couteaux et ustensiles) et les barres de torchons : à l'endos des multiples portes d'armoire de cuisine aussi bien que le long du muret adjacent aux comptoirs de travail.

SALLE DE BAINS

La zone de l'évier peut ne requérir qu'un entretien minimal en l'organisant de manière à éviter tout ce qui accumule les salissures.

- L'évier lui-même peut être conçu pour faciliter les choses : un simple robinet avec contrôles intégrés retient moins les salissures et permet de nettoyer cette zone d'un seul coup d'éponge plutôt que d'avoir à faire le tour des poignées. En ce sens, les robinets muraux facilitent encore plus la vie, bien qu'ils soient plutôt offerts avec des agencements d'éviers aux designs plus élégants que faciles d'entretien.

- Comment contenter monsieur qui aime les surfaces épurées et madame que réjouit mille variétés de produits de beauté ? Avec des organisateurs en broche à clayette qui plaisent aux deux et rassemblent à portée de main et de regard ces flacons qui n'amasseront plus les salissures un peu partout. Les organisateurs se trouvent dans les grandes surfaces ou les boutiques spécialisées en articles de décoration pour la maison – les prix varient du très économique au plus cher.

  Comme dans la cuisine, fixez au mur – ou derrière le miroir à pharmacie – tous les éléments qui traînent sur l'évier et accumulent les éclaboussures : savonnette ou distributeur à savon, porte-brosses à dents et dentifrice, support pour peigne, brosses à cheveux, ciseaux et rasoirs. Utilisez des pinces à pression pour rasoirs et brosses à dents, et non ces contenants qui conserve les salissures et doivent être lavés.

  Les organisateurs muraux en broche présentent l'avantage majeur, par exemple, de permettre à la savonnette de s'assécher plutôt que de fondre en une masse spongieuse sur un porte-savon étanche – lequel doit lui-même être lavé.

  Les organisateurs muraux en broche peuvent se fixer avec des ventouses (sur des surfaces lisses) ou avec des attaches. Attention cependant, les ventouses ne supportent qu'un poids limité et il est déconseillé d'y suspendre les objets de valeur. Un soupçon de gelée de pétrole – vaseline – augmente significativement l'adhérence : l'appliquer au centre de la ventouse tel qu'expliqué pour les organisateurs de la cuisine.

  Lorsqu'une surface ne permet pas d'y fixer une ventouse, il est possible de poser au mur un miroir muni d'un autocollant, miroir sur lequel peut être apposé l'organisateur à ventouses. Les petits crochets à ventouses permettent de suspendre des éléments comme un bouchon, de façon à les conserver à portée de main sans qu'ils encombrent la surface et génèrent désordre et salissures.

  Une éponge à récurer près de l'évier et de la baignoire incite chaque utilisateur à en donner un simple coup pour éliminer les éclaboussures après usage.
- La zone de la douche et de la baignoire peut aussi bénéficier de certains organisateurs astucieux, sans oublier un système de tablettes de coin et en broche assez grand pour loger une bonne part des multiples produits de soin corporel : il y en a pour tous les goûts et à tous les prix. Miroir sans buée et crochet s'arrimant à la tringle du rideau sont utiles.
- La raclette pour enlever sur les parois l'eau et les salissures dès la fin de chaque douche est un incontournable pour avoir autre chose à faire le samedi matin que de frotter les murs de la douche.
- Une manne intégrée à un système à étagères multiples, en broche, permet d'intégrer la contribution de tout le monde au rangement continu.
- Un support de séchoir à cheveux, comme celui de la marque Homz, donnera sa place à cet article trop souvent encombrant, et pas moins nécessaire.

- La zone de la cuvette peut être organisée pour faciliter grandement le travail d'entretien. Comme exemple, des modèles de cuvette murale sont maintenant disponibles, bien que seulement à prix fort pour l'instant. Ils éliminent la nécessité des contorsions pour nettoyer l'arrière peu ragoûtant de cet accessoire.

La brosse et les magazines peuvent – doivent – être fixés au mur.

- Les étagères à tube ne requièrent pratiquement aucun entretien pour demeurer propres. Un porte-serviettes ingénieux peut offrir une capacité de charge très supérieure.

Patères et crochets disposés à des endroits judicieux permettent de tout ranger au fur et à mesure, sans effort supplémentaire. Un range-tout en colonne peut compléter à petit coût.

◆ ACHATS ANTIDÉGÂTS : AIDE-MÉMOIRE

- **!** Organisateurs en broche pour éviers de cuisine et de salle de bains, pour baignoire et douche
- **!** Crochets à pince autoadhésifs et à ventouses pour des articles comme les brosses à dents
- **!** Rangement mural dans la cuisine
- **!** Rangement mural dans la salle de bains
- **!** Douchette pour robinet
- **!** Rails aimantés pour couteaux, barres pour torchons
- **!** Raclette pour la douche
- **!** Support pour séchoir à cheveux
- **!** Brosse à cuvette murale, porte-magazines mural
- **!** Étagères à tubes ou grillage, porte-serviettes mural
- **!** Patères et crochets
- **!** Filets de lavage et séchage en pochette et à plat
- **!** Support de rangement pour le repassage
- **!** Ensemble chasse-taches
- **!** Mannes pour le linge sale, dans les chambres et le centre de lavage
- **!** Crochets pour les accessoires du placard à balais
- **!** Soda club
- **!** Peroxyde d'hydrogène (3 %)
- **!** Alcool à friction (isopropylique, 70 %)
- **!** Lubrifiant ReleasAll – se dit non toxique et non chloré, mais présente surtout l'avantage d'être présenté en pulvérisateur plutôt qu'en brumisateur. Avec la bruine, vous risquez d'inhaler des substances douteuses (Rona, Canadian Tire).
- **!** Acide oxalique ou sel de citron : facile à trouver en pharmacie.

LES TÂCHES

REVISITEZ LES TÂCHES DU QUOTIDIEN
POUR VOUS FACILITER LA VIE SANS...

LESSIVE

51

Note : Consultez la section sur les taches pour le traitement de divers dégâts **(p. 149)**.

RÉVISION POUR LES NULS

- Lisez les étiquettes sur les vêtements car les fibres composant les tissus d'aujourd'hui sont tellement variées qu'il faut absolument repérer les pièces qui requièrent une attention particulière. Respectez la température indiquée, l'usage de blanchisseur, l'intensité de l'agitateur. Parlez-en au commerçant en cas de doute.

- Autant que possible, prévoyez des mannes séparées (foncé, pâle, couleurs, délicat, très sale) dans lesquelles chacun place ses vêtements au fur et à mesure. Installez près de l'entrée un crochet pour les vêtements destinés au nettoyage à sec. Sans les mannes, la corvée du tri est décuplée.

- Autrement, faites vous-même le tri et, une fois encore, en cas de doute à propos de vêtements précieux, informez-vous. Mettez à part les vêtements vraiment plus sales : lavez-les avec la couverture de toutou, les torchons, le tissu de la vadrouille, les carpettes lavables de l'entrée et de la salle de bains. Les vêtements précieux abîmés, avec les couleurs toutes mélangées, constituent la première erreur des débutants et la principale source de frustration pour leur entourage.

- Rassemblez et lavez ensemble les tissus qui moussent beaucoup comme la flanelle et les peignoirs. Ne mélangez pas aux tissus qui moussent les tissus synthétiques et de couleur noire qui ont tendance à ramasser la mousse.

- Après avoir séparé, inspectez. Faites le tour des poches pour éviter les catastrophes à l'encre, au rouge à lèvres, à la gomme à mâcher et au papier mouchoir.

- Retirez des vêtements les accessoires, parures et épingles qui ne se lavent pas. Remontez les fermetures à glissière et attachez tout ce qui pourrait être arraché. Nouez les cordons, lacets et ceintures. Déroulez les manches. Retournez les vêtements dont l'endroit est plus fragile, tels que les jeans dont on veut protéger la couleur, les chandails et les gilets avec des imprimés.

- Placez les articles délicats dans une taie d'oreiller fermée à l'aide d'une épingle ou, mieux, dans un filet à fermeture éclair avant de les joindre aux autres, s'ils peuvent être traités au cycle normal.

- Épargnez du temps en plaçant les chaussettes dans un filet à fermeture éclair séparé pour faciliter leur récupération après les grosses brassées. Placez le filet avec les mannes dans lesquelles la tribu dépose son linge sale pour vous faciliter la tâche.

- S'il vous est difficile de distinguer les propriétaires des sous-vêtements, demandez-leur de les marquer discrètement à l'encre indélébile.

- Certains choisiront même de laver séparément les vêtements de chaque membre de la tribu d'un jour à l'autre.

- Placez les vêtements dans les laveuses à chargement sur le dessus après que le détergent s'est bien mélangé à l'eau (laissez l'eau s'agiter durant une minute) : le détergent donne alors sa pleine force et vous éviterez qu'il forme des dépôts sur les vêtements.

- En principe, ne lavez jamais les couleurs à l'eau chaude : seule la nécessité de détacher un vêtement particulier nécessite parfois le recours à l'eau chaude – voir les instructions sur les taches.

- Les couleurs éclatantes peuvent déteindre sur les couleurs pâles et aussi l'une sur l'autre. Dans un test de *Protégez-Vous* (août 2006) sur les détergents à haute efficacité (HE) pour lave-linge frontal, la majorité des détergents ne démontrent qu'une efficacité moyenne pour éviter le transfert des couleurs. Deux détergents écolo obtiennent même la cote « mauvais ».

- Lorsque l'étiquette d'un vêtement coloré indique de le laver séparément, il est bon de faire un essai en le plongeant dans l'eau tiède : si la couleur déteint, lavez-le séparément. Certaines pièces exigent d'être toujours lavées à la main pour préserver l'éclat de leurs couleurs : c'est un choix effectué dès l'achat. Parlez-en aux personnes pour lesquelles vous faites la lessive.

- Gardez en mémoire que le principal coût du lavage vient de l'eau chaude : ajustez la quantité d'eau au volume de vêtements à laver, surtout pour le lavage à l'eau chaude. Par ailleurs, la meilleure façon d'écourter le séchage est d'assurer un essorage efficace par le lave-linge.

- Après le séchage, certains préfèrent placer les débarbouillettes dans un plat sans les plier : c'est cela de moins. Chacun sa manière, pourvu que la tâche soit gérée.

EAU CHAUDE / EAU FROIDE, JAVEL, PARFUMS

Évitez de laver à l'eau chaude tant que faire se peut. À l'eau chaude, une brassée coûte 36 ¢ d'électricité ; à l'eau tiède 16 ¢ ; à l'eau froide 2 ¢ – le coût peut varier mais pas la proportion. Suivez les indications plus loin pour obtenir de bons résultats.

Assurez-vous que le linge soit bien essoré. Le facteur qui contribue le plus à l'efficacité du sèche-linge est la qualité de l'essorage effectué par le lave-linge. Au cycle normal, une brassée coûte environ 16 ¢ ; au cycle délicat, 12 ¢.

Une étude récente citée par le *Consumer Reports*[14] rapporte qu'il faut une eau très chaude (au moins 60 °C ou 140 °F) pour éliminer mites de poussière et pollen. Un lavage à l'eau simplement chaude doit être suivi d'un rinçage double de trois minutes à l'eau froide pour offrir le même résultat.

L'eau froide diminue l'efficacité de la majorité des détergents, selon les tests disponibles, mais elle suffit le plus souvent ; certains détergents destinés à l'eau froide appartiennent aujourd'hui aux plus efficaces. Certains préféreront laver serviettes et literie à l'eau chaude pour limiter la formation de moisissures et d'odeurs ; d'autres s'en passent sans problème. L'eau de Javel est rarement nécessaire (voir explications **(p. 210)**) ; les cristaux de soude (décrits plus loin) suffisent largement et les personnes les utilisant délaissent peu à peu l'eau de Javel. Mieux encore, un mélange de blanchisseur pour les couleurs et de cristaux de soude est maintenant disponible (marques Bio-Vert et Brio Magic).

Limitez autant que possible l'utilisation de l'eau de Javel : elle use et jaunit les tissus. En outre, elle dégage des substances à risque lorsqu'elle est éliminée dans l'environnement et gêne le fonctionnement des usines d'épuration. Les détergents avec blanchisseurs javellisant gagnent pareillement à être évités. Les javellisants dits bons pour les couleurs ne contiennent pas de Javel et ne posent pas de problèmes.

La propreté a son propre parfum rafraîchissant. Les parfums synthétiques présents dans les détergents sont déconseillés par les spécialistes de l'innocuité des substances. Si vous souhaitez ajouter une fragrance, appliquez 5-6 gouttes d'huile essentielle naturelle (lavande, menthe poivrée, rose ou autre) sur une petite débarbouillette placée dans le sèche-linge avec la brassée. Conservez le chiffon pour le réutiliser selon votre goût. Un peu plus cher qu'un assouplissant en feuille : moins qu'un assouplissant liquide. De loin plus agréable.

DÉTERGENT

Ce qui est recherché, c'est un détergent à la fois efficace et sécuritaire, qui fasse le travail sans contribuer à la contamination de votre milieu et de votre corps.

Un détergent efficace permet d'enlever 90 % de la saleté et des taches sans avoir besoin d'ajouter un chasse-taches en pulvérisateur et un additif comme les blanchisseurs – avec ou sans javellisant.

S'il est sécuritaire, un détergent ne diffuse pas (ou peu) de substances toxiques et douteuses susceptibles d'aboutir dans votre corps, directement ou par la contamination de votre milieu. Les critères de sécurité sont nombreux et complexes, d'où l'importance de l'Éco-Logo, ci-contre, établissant la certification d'un produit par le programme Choix environnemental. Il ne fait en effet aucun sens de demander au consommateur de comprendre les enjeux multiples liés aux substances présentes dans les détergents : NTA, silice, NPEs et éther butylique de l'éthylène glycol, sulfate sodique de lauryle, azurants optiques, chlore et enzymes actifs ou non.

En tout, 54 kilotonnes de nettoyants et détergents sont utilisées au Canada par an. Il faut savoir qu'il est souvent possible et même souhaitable de diminuer du tiers, voire de la moitié, la quantité de détergent suggérée par les marques conventionnelles. On constate qu'il en reste toujours trop sur les vêtements après le lavage (plus la saleté que le détergent est supposé soulever). D'autant plus lorsque les vêtements ne sont pas très sales et que les brassées sont petites.

Commencez par diminuer du tiers et même de moitié la quantité de détergent suggérée par les marques conventionnelles. Si le résultat n'est pas à votre goût, ajoutez plutôt ce mélange : 75 ml (1/3 t) de cristaux de soude (*SI NET* de Arm & Hammer : 22 ¢ / brassée) ou d'un mélange de cristaux de soude et de peroxyde d'hydrogène (Brio Magic ou Bio-Vert, 14 ¢ / brassée) dilués préalablement dans l'eau chaude. Vous pourrez vous rendre compte du pouvoir nettoyant (pH de 11) de cette préparation. La même quantité de bicarbonate de soude (19 ¢ / brassée ; pH de 8,4) peut être suffisante, mais moins efficace. Sauf si vous utilisez un lave-linge à chargement frontal, laissez toujours agiter eau, détergent et additif durant une minute avant d'incorporer les vêtements, pour optimiser l'efficacité des produits et éviter les dépôts sur les vêtements.

Les cristaux de soude apparaissent dans les listes d'ingrédients sous l'appellation de carbonate de soude. C'est un produit de la même famille que le bicarbonate de soude, lui-même un peu moins alcalin.

Au moment de la rédaction du présent guide, deux détergents pour laveuse à chargement frontal et certifiés par le programme Choix environnemental (Éco-Logo) avaient fait l'objet de tests comparatifs par *Protégez-Vous*[15].

La marque Bio-Vert HE (29 ¢ / brassée) a reçu une note légèrement supérieure à celle du Nature Clean (27 ¢ / brassée), et une note bonne, lorsque additionnée de bicarbonate. Le résultat serait encore meilleur avec les cristaux de soude ou le mélange cristaux de soude et blanchisseur (coût total de 40 à 50 ¢). À vous d'essayer pour trouver lequel de ces détergents portant l'Éco-Logo convient aux goûts et particularités de votre maisonnée.

Parmi les marques conventionnelles courantes, évitez à tout le moins celles qui contiennent du javellisant et préférez celles qui sont dépourvues de colorant et de parfum – même à base d'huile essentielle non naturelle. Ces versions sont souvent dites «Nature». Le javellisant dit «bon pour les couleurs» est différent du simple javellisant : c'est un autre type de produit (du peroxyde), sans danger pour la santé et l'environnement.

Une de ces solutions de compromis, à prix économique, est le Détergent à lessive avec Action enzymatique, sans colorant, parfum ni phosphate, Le Choix du Président (Provigo, Loblaws, Maxi : 22 ¢ / brassée, moins le tiers, 14 ¢). Une brassée avec la moitié de la quantité de détergent (11 ¢) additionnée de cristaux de soude (22 ¢) revient à 33 ¢.

Autre solution de compromis, de prime abord étonnante : il s'agit de Tide *Eau froide* (33 ¢ / brassée) qui s'est classé premier lors des tests d'efficacité de *Consumer Reports*[16]. À noter : il est possible de diminuer la quantité de détergent du tiers (ce qui revient à 22 ¢ / brassée) ou de la moitié avec les cristaux de soude (16 ¢ / brassée, plus les cristaux de soude : 38 ¢). Ce genre de détergent conventionnel peut contenir une panoplie de substances douteuses et toxiques (à base d'ingrédients pétrochimiques, de l'éthanol, du napthalène, du phénol, des alcools éthoxylés mêlés de 1,4-dioxanne cancérogène, comme l'énumère le Guide des produits les moins toxiques de la EHANS). Mais d'un autre côté, l'utilisation d'un détergent efficace à l'eau froide permet d'économiser l'électricité. Or, la production d'électricité en Amérique du Nord, par les centrales au charbon (voir l'encadré), est la plus haute émettrice de ce même mercure qui contamine les poissons comme le thon. Détergent ⟶ énergie ⟶ thon contaminé.

⊕ CHARBON

‼ Les centrales électriques au charbon sont la principale source d'émissions atmosphériques nocives en Amérique du Nord, concluait un rapport de l'ALENA en 2005.

‼ Elles constituent la principale source (70 %) de pollution au mercure (la même que l'on retrouve dans les poissons comme le thon). Les seules émissions de l'Est et du Midwest des États-Unis, conjuguées à celles de l'Ontario, constituent plus de 60 % du smog, durant l'été, à Montréal.

! Réduire, au Québec, nos besoins en hydroélectricité permet à d'autres régions de profiter de cette énergie plus propre ; la pollution de l'air et des aliments s'en trouve réduite, aussi bien dans ces régions qu'au Québec – incluant les aliments importés de ces mêmes régions.

••

Proportionnellement, une brassée lavée à l'eau chaude coûte 36 ¢ d'électricité, à l'eau tiède 16 ¢, à l'eau froide 2 ¢.

Ainsi, un détergent conventionnel comme le Tide *Eau froide* peut contribuer significativement à diminuer la contamination de l'environnement et de nos corps. De plus, le Tide ordinaire ne contient aucune des substances à risques prioritaires déconseillées par le très respecté Labour Environmental Alliance Society.

Il est difficile ici de tirer une conclusion claire, sinon qu'un détergent certifié avec l'Éco-Logo et efficace à l'eau froide serait l'idéal.

La marque Le Choix du Président a coutume d'offrir des formules de détergent d'une efficacité *très bonne*, comparée à l'efficacité *excellente* démontrée par Tide. Le Choix du Président Eau froide coûte 27 ¢ / brassée.

Lors des tests de *Consumer Reports*, deux détergents HE très économiques, pour laveuse à chargement frontal, se sont aussi signalés pour leur efficacité. Il y a Signature Ultra HE, de Kirkland, chez Costco (14 ¢ / brassée). L'autre contient de l'assouplissant : inutile de le nommer. Si vous préférez une telle marque, diminuez systématiquement de moitié la quantité utilisée, en compensant avec les cristaux de soude.

SÉCHAGE

Une sécheuse avec un senseur pour l'humidité permet d'interrompre le cycle au degré exact de séchage désiré. Souvent, il n'y a qu'un senseur pour la chaleur. Un bon essorage est l'élément qui réduit le plus le temps de séchage.

Utilisez le réglage automatique plutôt que le réglage chronométré ; le placer à *moyen*, plutôt qu'à *surcroît de séchage*, et le déplacer vers *en plus* ou *en moins* au besoin. L'habitude du réglage continuel à *surcroît de séchage* est inutile, dispendieuse et néfaste pour les tissus. La sécheuse opérant durant 52 minutes au cycle normal coûte 15 ¢ en électricité, et au cycle délicat, 12 ¢. Le réglage automatique inclut une phase sans chaleur, à la fin, qui évite que les tissus chauds se chiffonnent au fond de la sécheuse.

Surchauffer les tissus ou les sécher trop longtemps les abîme. À l'achat, choisissez un modèle avec un senseur pour l'humidité qui laissera les tissus juste assez humides pour le repassage ou prêts à porter – même certains modèles économiques en sont dotés. Le senseur rend plus précis le réglage automatique. Vérifiez clairement si le senseur évalue l'humidité ou la chaleur, puisque c'est le premier qui est utile.

Ne lavez plus et ne séchez plus sans filets à fermeture éclair. On y insère les chaussettes pour ne plus avoir à les chercher en cas de grande maisonnée. On y insère aussi les bas de nylon et autres articles en longueur pour qu'ils ne s'emmêlent plus, en plus d'y insérer de nombreux vêtements délicats pour les laver au cycle délicat de la machine sans qu'ils se fassent triturer.

Limitez le repassage : sortez les vêtements de la sécheuse dès la fin du cycle pour limiter chiffonnage et repassage. Laisser les vêtements qui requièrent peu ou pas de repassage se *repasser eux-mêmes*, en les laissant finir de sécher sur des cintres. Privilégier ce genre de vêtements à l'achat. Limitez le repassage à ce qui le requiert absolument.

EFFICACITÉ DU LAVE-LINGE

Si des taches de rouille apparaissent sur les vêtements après le lavage, c'est sans doute que le panier de lavage est rouillé. Il est possible de le remplacer sans avoir à acheter un nouvel appareil.

Le rendement du lave-linge peut être sérieusement diminué par les résidus d'eau dure, de détergent et d'adoucisseur dans les tuyaux, le panier de lavage ou le distributeur (le godet) d'adoucisseur.

Versez 250 ml (1 t) de vinaigre blanc chaud dans le godet pour l'adoucisseur. Lancez le lave-linge au cycle long, avec sa pleine capacité d'eau chaude dans laquelle 4 l de vinaigre blanc ont été ajoutés. Versez une partie du vinaigre dans le godet à Javel et nettoyez ses parties amovibles.

Si l'eau de votre logis est une eau dure, répétez l'opération tous les trois ou six mois.

EFFICACITÉ DU SÈCHE-LINGE

Parcourez au moins une fois le manuel d'instruction du sèche-linge pour les consignes particulières.

Videz avec soin le filtre à charpie après chaque séchage afin de ne pas en diminuer l'efficacité. Rincez le filtre avec de l'eau deux à trois fois par année ou le brosser délicatement, s'il tend à garder l'humidité. Passez l'aspirateur dans la zone environnant le filtre à l'occasion.

Nettoyez le tuyau de raccord entre le sèche-linge et l'extérieur du logis une fois l'an pour une efficacité maximale – plus en cas d'usage intensif. Le décrocher et le secouer soigneusement, passer l'aspirateur dans la zone environnante et replacer solidement le tuyau. Vérifiez que la sortie d'air n'est pas obstruée du côté du mur extérieur.

Habituellement situé sur le rebord avant de la cuve, le senseur d'humidité doit être nettoyé deux à trois fois par an avec de l'alcool à friction et un tampon d'ouate.

TRUCS

Lisez attentivement les indications sur la température de séchage, certaines fibres synthétiques requérant souvent une température moindre. Attention, certains matériaux ne supportent pas du tout la chaleur et peuvent même brûler, comme les tissus plastifiés, le plastique et le vinyle.

Essayez de faire sécher en même temps ce qui prend le même temps de séchage : évitez de mettre en même temps draps et pantalons, par exemple.

Prévoyez un support ou une corde à sécher, accompagnés de cintres pour suspendre les vêtements en partie séchés dans la salle de lavage. Vous limiterez ainsi le repassage pour la majorité des articles qui ne sont pas de pur coton.

Le surcroît d'électricité statique peut être réduit à l'aide d'un léger jet d'eau en pulvérisateur. Un assouplissant en feuilles fait aussi la besogne : préférez les marques de ceux qui sont sans colorant ni parfum.

Les articles délicats, surtout en laine, se déposent à plat sur une serviette ou, mieux, sur un filet de séchage sur pieds **(p. 269)**. Disposez les articles selon leur forme originale, autrement ils risqueraient de se déformer.

Notez que les experts en économie d'énergie déconseillent en général de faire sécher la lessive à l'intérieur, sur des séchoirs. Ils conseillent l'utilisation d'un sèche-linge qui expulse l'humidité vers l'extérieur. L'humidité contribue à hausser les coûts de chauffage, ce qui est très significatif dans les contrées nordiques.

EFFICACITÉ DU FER À REPASSER

Videz le fer de son eau pendant qu'il est encore chaud pour que la chaleur aide à éliminer le restant d'eau, et rangez-le debout pour favoriser la fin de l'assèchement.

Ne faites jamais tremper un fer dans une solution liquide pour le nettoyer. Appliquez plutôt la solution à l'aide de chiffons, d'éponges à récurer ou autres.

DÉTACHER LE FER

TRACES DE POLYESTER ET DE PLASTIQUE SUR LA SEMELLE

Chauffer le fer au minimum et le passer sur un vieux morceau de tissu de telle sorte que la saleté se transfère sur le tissu. Ne jamais gratter la semelle avec autre chose qu'une spatule de bois. Un peu de bicarbonate de soude, mélangé avec de l'eau pour en faire une pâte, peut être frotté délicatement pour extraire les résidus de saleté.

DÉPÔTS DE CALCAIRE DANS LES SORTIES DE VAPEUR

Emplir le réservoir d'une solution de 15 ml (1 c à s) de vinaigre blanc et de 45 ml (3 c à s) d'eau, puis élever la température du fer au maximum. Le placer à l'horizontale dans l'évier sur un support de métal (genre sous-plat de cuisine) pour lui permettre de se vider.

NETTOYER LE FER

SEMELLE DE FER SANS TÉFLON

Se nettoie avec une pâte de bicarbonate de soude ou une pâte dentifrice (non du gel) et un chiffon humide. Nettoyer ensuite avec le chiffon rincé. Emplir le fer d'eau, faire chauffer à pleine capacité et repasser de vieux tissus pour dégager les conduits de vapeur.

SEMELLE DE FER AVEC TÉFLON

Se nettoie délicatement avec un tampon à récurer en nylon doux, imbibé d'eau et de nettoyant liquide à vaisselle, ou imbibé de chasse-taches à lessive. Rincer ensuite avec un chiffon humide. Emplir le fer d'eau, faire chauffer au maximum et repasser de vieux tissus pour dégager les conduits de vapeur.

Trucs

- La première loi du repassage est de laisser tous les vêtements qui requièrent peu ou pas de repassage se *repasser eux-mêmes*, en les laissant finir de sécher sur des cintres. Privilégier ce genre de vêtements lors des achats.
- La deuxième loi du repassage est de limiter le repassage à ce qui le requiert absolument.
- S'assurer que le fer et la planche à repasser sont propres.
- Ajuster la température du fer à la hausse pour les toiles et cotons, à la baisse pour les tissus synthétiques et la soie.
- Humecter les vêtements plus épais et froissés avec de l'eau en pulvérisateur de manière à faciliter l'opération.
- Repasser à l'endos les tissus qui ont tendance à user et devenir luisants.
- Repasser rabats, cols, manches et autres garnitures avant le reste afin d'éviter de créer des plis sur les surfaces déjà repassées.
- Tout comme on a évité de passer au sèche-linge les vêtements tachés, il ne faut pas exposer les taches à la chaleur en les repassant.
- Il se fabrique aujourd'hui des vêtements en nylon et polyester qui *respirent* plus que leurs ancêtres. Ne jamais appliquer le fer chaud sur ces tissus. Tester la résistance à la chaleur basse sur un petit coin caché ou utiliser un chiffon humide entre le fer et le tissu.

NETTOYAGE À SEC

Limitez le recours au nettoyage à sec ; demandez au teinturier de laver à l'eau ce qui peut l'être. Faites aérer les vêtements qui en reviennent durant toute une nuit pour éliminer l'odeur indiquant que le nettoyant – le perchloréthylène – imprègne toujours le tissu. Plus l'odeur est forte chez le teinturier, moins ses machines sont récentes ; les machines qui datent de moins d'une dizaine d'années peuvent récupérer la presque totalité de ce solvant toxique. Ne pas tarder à porter les vêtements tachés au teinturier et prendre soin de préciser où se trouvent les dégâts.

Par mesure de précaution, évitez les ensembles de nettoyage à sec maison, les sèche-linge n'étant pas conçus pour nous protéger des solvants. Faites affaire avec un teinturier membre d'une association comme le Bureau d'éthique commerciale, cela vous permettra de recourir à la médiation de cet organisme en cas de litige sur la qualité du service ou les accidents. Il est possible de laver facilement à la maison de nombreux articles délicats censés nécessiter le nettoyage à sec, mais encore faut-il vérifier comment auprès des personnes qui s'y connaissent.

Un filet de séchage à plat permet de faire sécher les lainages qui doivent être placés dans leur forme originale pour la recouvrer sans plis inconvenants en séchant. Il existe un modèle monté sur un séchoir d'intérieur qui intègre deux éléments fort utiles (proposé chez IKEA).

LAVER À LA MAISON CERTAINS ARTICLES DÉLICATS

Il est possible de laver à la maison de nombreux articles qui sont censés passer par le nettoyage à sec. C'est souvent uniquement pour se protéger contre les recours que les manufacturiers désignent leur vêtements comme destinés au nettoyage à sec. Les teinturiers font de même en relayant cette information. Les indications données ici doivent être lues au complet et utilisées avec précaution. S'informer auprès du teinturier en cas de doute.

- Ne pas laver à la maison les vêtements de laine qui demandent beaucoup de repassage et peuvent être déformés, comme les vestes et pantalons.
- Ne pas laver les vêtements contenant bourre, renforts et doublures qui peuvent être altérés. Les parures décoratives trop délicates peuvent évidemment être endommagées.
- Il est moins facile de déloger la saleté sur la laine mohair et d'angora.
- Toujours retourner les vêtements délicats pour les laver afin de limiter les risques d'altérer leur endroit.
- Laver les couleurs pâles séparément des couleurs foncées. Laver le rouge séparément.
- Ne jamais laver uniquement une tache sur un tissu délicat, car il peut se former une auréole après le séchage. Toujours laver après avoir tenté de détacher, et ce, avant que le traitement ne sèche. Mieux, détacher en frottant délicatement le dégât pendant que vous lavez le vêtement à la main.

Pour laver à la main

Emplir l'évier avec une eau tiède ou fraîche, selon les indications de l'étiquette, que l'on rend savonneuse avec un simple jet de nettoyant liquide à vaisselle translucide *doux* (pH équilibré) ou de détergent *doux*. Le pH d'un détergent ordinaire s'abaisse pour devenir équilibré et doux en ajoutant 15 ml (1 c à s) de vinaigre blanc. Placer le vêtement dans l'eau et agiter doucement.

Laisser reposer de 10 à 20 minutes, mais seulement 1 ou 2 minutes si la coloration s'écoule dans l'eau. Serrer le vêtement délicatement pour évacuer l'eau ; ne pas le tordre. Rincer dans l'eau froide jusqu'à éliminer tout le détergent, ce qui peut demander deux ou trois rinçages. Serrer à nouveau avant d'enrouler le vêtement dans une serviette pour absorber l'humidité.

Pour sécher, disposer l'article à plat sur une serviette ou, mieux, sur un filet de séchage à plat, sur pieds **(p. 269)**. Placer les articles en laine en les disposant bien à plat selon leur forme originale, la même qu'ils adopteront en séchant, sinon c'est la déformation assurée.

Repasser laine, soie et rayonne à température moyenne, en utilisant la vapeur et un linge humide pour la laine. Repasser le lin à haute température.

Aidez à éliminer les résidus de détergent en ajoutant à l'eau de rinçage quelques cuillerées à soupe de vinaigre blanc. Exceptions : ne pas rincer lin et rayonne avec du vinaigre.

Il est bon de fixer la couleur d'un tissu dont la coloration s'écoule. Après l'étape du rinçage, faire tremper le vêtement pendant une heure dans une eau froide additionnée de 250 ml (1 t) de sel : agiter l'eau suffisamment pour que le sel soit dissous – une vingtaine de secondes. Essorer comme il a été expliqué plus haut.

Pour laver à la machine

Convient aux pièces moins délicates – dont la couleur, la forme et la confection risquent moins l'altération.

L'opération consiste essentiellement à utiliser la cuve du lave-linge comme un bassin pour faire tremper et essorer les articles, avec le cycle délicat.

L'agitation doit être éliminée à moins d'utiliser un filet à fermeture éclair **(p. 269)** dans lequel est inséré chaque article. Sans filet, un article en laine sera trituré et endommagé. Avec le filet, selon la fragilité du tissu, il est possible de laisser fonctionner l'agitateur trois ou quatre minutes, un peu comme on fait à la main dans l'évier.

Commencer par emplir la cuve avec la quantité d'eau tiède ou fraîche nécessaire pour les articles à laver. Ajouter un détergent pour articles délicats (au pH équilibré) et laisser fonctionner l'agitateur durant une minute pour le dissoudre. Intégrer les articles et laisser tremper 10 à 20 minutes pour laisser à la salissure le temps de se dissoudre. Lancer ensuite directement le cycle d'essorage. Puis laisser remplir avec l'eau de rinçage. Laisser tremper encore de 10 à 20 minutes puis lancer le cycle d'essorage. S'il semble rester des résidus de détergent, c'est sans doute que la quantité de détergent était trop importante ; reprendre l'opération de rinçage.

Sécher et repasser comme pour le lavage à la main.

Les tissus de lin peuvent être lavés avec un détergent normal, à l'eau tiède et au cycle délicat. Ne jamais les rincer avec une eau additionnée de vinaigre. Suspendre autant que possible après le repassage pour contrer la tendance au froissement.

ARTICLES ET PROBLÈMES PARTICULIERS

Note : une rubrique spécifique est réservée aux taches sur les vêtements **(p. 149)**. La liste des articles abordés ci-dessous est donnée au début de la section sur la lessive.

Bas de nylon

Faire geler les bas humidifiés et placés dans un sac de plastique préviendrait l'effilochage en échelles. Utiliser un pain de savon *doux* comme chasse-taches au besoin.

Laver à la main ou à la machine, jamais à l'eau chaude. Insérer les bas dans un de ces filets à fermeture éclair **(p. 269)** qui éliminera totalement le problème d'emmêlement : un incontournable qui coûte deux fois rien. Utiliser le cycle délicat ou de pressage permanent. Ne jamais tordre pour essorer, enrouler les bas dans une serviette propre. Étendre ou sécher au sèche-linge à faible température.

CAMPING, ARTICLES EN DUVET
Voir *Duvet, articles de camping*

COUCHES
Dissoudre 60 ml ($^1/_4$ t) de cristaux de soude dans de l'eau chaude puis ajouter à un seau d'eau froide où les couches sont mises à tremper est réputé efficace.

Autrement, 125 ml ($^1/_2$ t) de borax (un peu moins puissant que les cristaux de soude et un peu plus cher) est un additif aussi réputé efficace.

COULEURS, COMMENT LES FIXER
Il importe de fixer les couleurs sur des vêtements neufs à teinture fragile. Faire tremper le vêtement durant une heure dans une eau froide additionnée de 250 ml (1 t) de sel : agiter l'eau durant 15 à 25 secondes pour bien dissoudre le sel avant d'ajouter le vêtement.

Laver ensuite délicatement à la main. Il est possible de faire mieux en rinçant ensuite avec une eau froide additionnée de 125 ml ($^1/_2$ t) de vinaigre blanc, sauf pour le lin et la rayonne qui ne doivent pas être exposés à ce qui est acide.

COUVERTURES, COUVRE-LITS, OREILLERS
COUVERTURES
Certaines sont lavables à la machine si l'on prend soin de lire l'étiquette et d'éviter le rétrécissement ou l'étirement avec les consignes suivantes.

Les machines à culbutage et chargement frontal, disponibles au besoin dans les buandrettes et utilisées par les teinturiers, éliminent l'étirement des articles. Utiliser généralement une eau fraîche, un détergent *doux* et le cycle *délicat*.

Sécher au sèche-linge sans chaleur ou sur les deux fils de la corde à linge pour éviter les déformations. Éviter l'exposition au soleil pour éviter décoloration et rétrécissement. On peut ensuite lui redonner du volume en la plaçant dans le sèche-linge, sans chaleur.

COUVERTURES ÉLECTRIQUES
Se lavent à la machine mais lire attentivement les instructions du manufacturier. Pour éviter les déformations, placer la couverture avec soin dans le lave-linge et utiliser l'eau fraîche. Les machines à culbutage et chargement frontal, disponibles au besoin dans les buandrettes et utilisées par les teinturiers, éliminent l'étirement des articles.

Ne sécher qu'en partie (une dizaine de minutes à température moyenne) dans le sèche-linge et terminer sur une corde solide en lui redonnant sa forme à la main au besoin.

COUVRE-LITS

Ils se lavent souvent à la machine en suivant les indications de l'étiquette et en vérifiant que les coutures ne sont pas endommagées au point de laisser sortir la bourre.

Ils sont souvent trop gros pour la machine de la maison. Les machines à culbutage et chargement frontal, disponibles au besoin dans les buandrettes et utilisées par les teinturiers, éliminent l'étirement des articles.

OREILLERS

Le corps y laisse une quantité impressionnante de résidus (squames, peau morte), de sorte qu'il est conseillé de les nettoyer au moins deux fois l'an et de les protéger avec une enveloppe à fermeture éclair qui les garde propres plus longtemps et peut, elle, être lavée facilement. Remplacer les oreillers tous les deux ou trois ans.

Ne pas laver à sec les oreillers avec les ensembles de nettoyage à sec pour la sécheuse parce qu'il restera trop de résidu du produit nettoyant dans l'oreiller, produit qui est nocif pour la santé.

Les oreillers de duvet peuvent être débarrassés d'une grande partie des dépôts du corps en les passant au sèche-linge durant une dizaine de minutes à température douce.

Les autres types d'oreillers peuvent être rafraîchis en les laissant au sèche-linge une trentaine de minutes, à température douce toujours. Ajouter quelques serviettes humides de couleur pâle pour équilibrer la charge.

Les divers types d'oreillers se lavent le plus souvent à la machine, mais bien vérifier sur l'étiquette que tel est le cas ainsi que la façon de le faire. Se rappeler que c'est par prudence que les manufacturiers d'oreillers en duvet recommandent le nettoyage à sec. Les spécialistes de plein air disent tous que les articles de duvet, comme sacs de couchage et manteaux, se lavent à l'eau, avec un simple détergent *doux*.

Balancer la charge en lavant plus d'un oreiller à la fois ou en ajoutant de grosses serviettes. Les oreillers de mousse doivent être placés dans des filets à fermeture éclair (p. 269) assez grands pour y entrer ou dans une taie d'oreiller fermée avec plusieurs épingles pour éviter que la mousse s'échappe et fasse des dégâts.

Les lave-linge à charge frontale sont beaucoup plus efficaces et simples à utiliser pour laver oreillers et couvre-lits. Ils valent le déplacement à la buandrette.

Laver à l'eau fraîche, avec un détergent *doux*, et au cycle *délicat*. Rincer à l'eau fraîche deux ou trois fois pour bien extraire le savon. Si on ne peut faire autrement que d'utiliser un lave-linge à chargement sur le dessus, pousser les oreillers vers le fond pour qu'ils s'imprègnent bien d'eau, et les retourner à la moitié du cycle. Attention aux éclaboussures. Essorer à deux reprises si possible pour diminuer le désagrément majeur de cette opération qu'est la longueur du temps de séchage.

Sécher à fond soit au sèche-linge, à température douce et avec des balles de tennis, soit sur un support à sécher avec l'aide d'un ventilateur, soit sur la corde à l'abri du soleil. Prendre le temps qu'il faut. Attention: la chaleur élevée peut faire sortir des résidus d'huile avec les oreillers en duvet et elle peut mettre le feu aux oreillers de mousse.

CRAVATES

Elles ne se lavent pas parce que la doublure s'abîme, mais elles se détachent avec le chasse-taches approprié à chaque tache – voir la section du traitement des taches sur les vêtements **(p. 149)**.

Pour détacher, insérer un tampon d'essuie-tout par l'ouverture à l'arrière de la cravate. Appliquer le nettoyant sur un chiffon, non directement sur la cravate, et éponger tant qu'il y a progrès. Replacer un tampon d'essuie-tout propre à l'intérieur de la cravate quand celui qui y a déjà été installé semble saturé de nettoyant et de salissure. Toujours assécher la zone humectée avec un sèche-cheveux après que la tache a disparu pour éviter la formation d'une auréole. Presser à plat, à la vapeur, en disposant la cravate sous une serviette puis la suspendre pour la laisser finir de sécher.

CUIR ET SUÈDE

Ne se lave généralement pas à la maison, à moins d'indication spécifique sur l'étiquette. Essayer d'éponger délicatement les taches sur le suède avec un chiffon trempé de vinaigre blanc.

DUVET, ARTICLES DE CAMPING

Sacs de couchage, douillettes et vestes se lavent au cycle délicat du lave-linge avec un détergent à lessive *doux*. Les savons et détergents conçus spécifiquement pour le duvet, et vendus à prix exorbitant, ne sont pas utilisés par les connaisseurs.

Rincer à deux reprises si possible.

Attention : la chaleur excessive lors du séchage fait sortir l'huile des plumes. Sécher à chaleur douce ou moyenne, en plaçant une espadrille enveloppée d'un tissu de coton ou encore six balles de tennis. Une opération bruyante mais qui redonne son volume et ses propriétés isolantes initiaux à l'article.

Les commerces de nettoyage à sec peuvent aussi laver le duvet au savon et non au produit de nettoyage à sec qui resterait imprégné. Bien le spécifier.

64   EAU DURE ET ADOUCISSEUR

On sait que l'eau est dure lorsque détergents, shampooings et savons à main ne moussent pas, et lorsque que les vêtements demeurent ternes après le lavage. La dureté peut nous être confirmée par la ville qui fournit l'eau ou une analyse de notre source. Parfois il faudra installer un filtre mécanique à l'entrée d'eau de la maison. Voir les adoucisseurs **(p. 180)** proposés.

GORE-TEX

Les articles dits de Gore-Tex (terme qui est en réalité une marque commerciale) sont réputés imperméables tout en laissant circuler l'air. Le parti pris de précaution du présent guide invite à limiter l'achat de ce genre d'articles enduits d'un type de substance, les CPF, similaire à celle qui constitue les protège-tissus, les casseroles en Téflon et les emballages d'aliments gras (voir les explications **(p. 246)**).

Ne pas nettoyer ce tissu à sec, ne pas le laver avec du blanchisseur javellisant, ne pas l'exposer à une chaleur directe intense comme celle d'un fer à repasser et ne pas le ranger lorsqu'il est encore mouillé.

Fermer les fermetures Velcro avant de laver pour éviter qu'elles ne ramassent la charpie. Fermer les fermetures éclair pour éviter les bris.

Le Gore-Tex se lave à la machine au cycle délicat, en eau froide. Utiliser une petite quantité de détergent *doux* et rincer à deux reprises. Sécher à température basse ou moyenne au sèche-linge plutôt qu'à l'air libre est réputé aider l'imperméabilité. Repasser à basse température aussi, car la haute température peut ruiner le tissu.

Pour préserver l'imperméabilité du tissu, il est nécessaire de donner un traitement hydrofuge chaque année si le vêtement subit un usage intensif. Le présent guide déconseille clairement ce traitement pour les raisons expliquées plus haut. À défaut de cet entretien, le tissu s'imbibe au lieu de faire perler l'eau.

Les commerces spécialisés fournissent le produit dit *déperlant* pour effectuer le traitement, produit onéreux en plus de contribuer à la soupe chimique environnementale et corporelle. Si vous désirez malgré tout appliquer ce produit, utilisez à tout le moins le format pulvérisateur, jamais l'aérosol.

Jeans et denim

Laver les nouveaux vêtements avec les anciens pour redonner un peu de couleur à ces derniers. Séchés à haute température, les jeans rétrécissent. Ils se repasseront mieux s'ils ne sont pas entièrement séchés.

«Porte ton jeans au moins trois fois, lave-le à froid, sèche-le à l'air, oublie le fer : c'est cinq fois moins d'énergie consommée!» Voilà la devise proposée aux jeunes par les Nations Unies, en mars 2008, pour économiser l'énergie et comprendre l'importance des gestes simples.

Laine

Il est possible de laver à la maison de nombreux articles qui sont censés être nettoyés à sec. Voir la rubrique *Laver à la maison certains articles délicats* **(p. 60)** pour savoir comment procéder, autant pour les laver à la main que pour les laver parfois à la machine. Permet de laver ces articles plus régulièrement, à moindre coût, en évitant le déplacement chez le teinturier et sans recours au perchloréthylène – le solvant utilisé pour le nettoyage à sec. Ne jamais utiliser de détergent avec enzymes pour la laine.

Consumer Reports (janvier 2002, p. 6) a testé la nouvelle génération de laine conçue pour être lavée à la machine. Lavés à la machine, ces articles sentent meilleur et sont plus doux que s'ils sont nettoyés à sec. Par contre, il faut les sécher à plat, et non pas au sèche-linge, qui tend à les abîmer. Lors du test, les articles de laine ordinaire lavés normalement se sont abîmés, mais ceux qui furent lavés selon les consignes pour articles délicats s'en sont très bien tirés.

LAINE POLAIRE (POLAR)

Laver ces articles à part, car ils collectent la charpie avec une efficacité désespérante. Si vous pensez faire vite en lavant tout en même temps, c'est un mauvais calcul. À base de polyester, la laine polaire se lave en eau tiède ou froide. Sécher à température moyenne ou faible.

Les vêtements en laine polaire sont appréciés parce qu'ils sont légers, chauds et qu'ils sèchent vite, comparés à la laine.

LESSIVE TERNE

Voir la rubrique *Eau dure et adoucisseur* **(p. 64)**.

MAILLOTS DE BAIN

Toujours rincer les maillots qui viennent d'être portés dans l'eau chlorée pour réduire le tort causé au tissu par le chlore. Idéalement, les laisser tremper un quart d'heure dans une eau froide augmentée d'un jet de vinaigre blanc, avant de les rincer.

ODEUR DE PIEDS

Faire tremper pendant 30 minutes les chaussettes qui viennent d'être lavées, dans une solution de 60 ml ($1/4$ t) de bicarbonate de soude et de 4 l d'eau. Ne pas rincer. Essorer à la main ou à la machine. Sécher.

Des souliers malodorants peuvent être saupoudrés de bicarbonate de soude, placés dans un sac de plastique et rangés au congélateur pour une nuit ou deux. Les secouer afin d'enlever la poudre juste avant de les porter.

OREILLERS

Voir la rubrique *Couvertures, couvre-lits, oreillers* **(p. 62)**.

POLAR

Voir la rubrique *Laine polaire* plus haut.

RAYONNE

Voici une fibre naturelle reconstituée qui est fragile. Comme la soie, la rayonne se lave à la main, dans l'eau fraîche. Agiter délicatement le vêtement dans l'eau de l'évier. L'essorer en l'enroulant dans une serviette sèche et en le pressant. Ne foulera pas et ne s'abîmera pas. Voir *Laver à la maison certains articles délicats* **(p. 60)** pour des explications détaillées.

SALETÉ ABONDANTE (VASE, VÊTEMENTS DE TRAVAIL)

Laver les articles très sales à part des autres. Les faire tremper durant une trentaine de minutes dans de l'eau mêlée de détergent, dans l'évier ou grâce au cycle du lave-linge prévu à cet effet. Rincer et essorer. Lancer le cycle normal de lavage.

Au besoin, ajouter 125 ml ($^1/_2$ t) de cristaux de soude par brassée.

Au besoin, traiter les vêtements avec le cycle de prélavage en ajoutant à l'eau chaude 125 ml ($^1/_2$ t) de cristaux de soude ou de borax (plus onéreux). Laver ensuite normalement.

SERVIETTES

L'eau chaude est nécessaire pour combattre les moisissures et leurs odeurs désagréables sur les serviettes. Celles-ci profiteront de l'addition à l'eau de lavage de 75 ml ($^1/_3$ t) de cristaux de soude ou 125 ml ($^1/_2$ t) de borax : vous ne voudrez plus utiliser d'eau de Javel (blanchisseur javellisant).

Prélaver les serviettes très sales ou malodorantes dans l'eau chaude additionnée de l'un de ces additifs. Les mettre après le début de l'agitation pour qu'elles profitent pleinement du surcroît de pouvoir nettoyant.

Par ailleurs, 125 ml ($^1/_2$ t) de vinaigre blanc dans l'eau de rinçage fait un bon adoucisseur pour les serviettes, sans laisser aucune odeur, et le vinaigre aide à débarrasser les serviettes des résidus de détergent.

SPANDEX

Les vêtements de sport contenant du Spandex devraient être lavés après chaque usage, puisque les huiles corporelles sont susceptibles de les endommager. Utiliser le cycle *délicat*, sans blanchisseur javellisant. Ne pas sécher au sèche-linge ni repasser. Suivre les indications de séchage données sur l'étiquette.

Consumer Reports a noté lors d'un test que les taches de gras sur les vêtements de coton contenant jusqu'à 5 % de Spandex étaient beaucoup plus difficiles à éliminer que les mêmes taches sur des tissus de simple coton. Au sortir du sèche-linge, ces vêtements avaient tendance à être trop froissés pour être portés sans repassage, contrairement aux vêtements de coton.

SOIE

Comme la rayonne, la soie se lave à la main, dans l'eau fraîche. Agiter délicatement le vêtement dans l'eau de l'évier. L'essorer en l'enroulant dans une serviette sèche et en le pressant. Ne foulera pas et ne s'abîmera pas. Voir *Laver à la maison certains articles délicats* (p. 60) pour des explications détaillées.

SUÈDE

Voir la rubrique *Cuir et suède* (p. 64).

TRANSPIRATION SURABONDANTE OU MALODORANTE

Ne pas négliger ces taches parce qu'elles abîment les tissus et attirent les mites. Lorsque l'on est affecté par ce problème, éviter de porter un même vêtement deux jours d'affilée. Au besoin, porter des coussinets de protection pour sous-bras.

Voir comment traiter les taches sur les vêtements (p. 149).

VELOURS CÔTELÉ, PANTALONS

Laver après les avoir retournés, l'intérieur à l'extérieur. Retirer du sèche-linge avant qu'ils ne soient complètement secs. Replacer poches, garnitures et pli. Sécher sur un cintre. Repasser l'article retourné, l'intérieur à l'extérieur. Idem pour les autres velours, tout en traitant les fibres délicates comme elles doivent l'être.

VÊTEMENTS DE TRAVAIL

Voir la rubrique *Saleté abondante* (p. 66).

Planchers

COMMENT FAIRE

À peine 125 ml ($^1/_2$ t) de vinaigre blanc dans un seau d'eau suffisent pour laver la majorité des planchers, excepté les planchers cirés qui en souffriraient : mais vous ne cirez pas vos planchers si vous avez autre chose à faire et s'ils sont vernis. Le vinaigre ajoute un léger surcroît de pouvoir nettoyant à l'eau. Ce qui importe, c'est de laver avec une eau propre, sans détremper le revêtement et en minimisant à la fin les résidus d'eau.

L'effet d'érosion infime conféré par le pH légèrement acide de cette solution n'aura pas le temps de ternir vos planchers avant qu'il ne soit temps de les revernir ou de les recouvrir.

N'utilisez jamais une poudre à récurer qui éraflera le fini, accélérant l'accumulation de la saleté. Réservez les nettoyants domestiques à plancher ou tout usage au nettoyage à fond occasionnel. Ils laissent sur le plancher une fine pellicule savonneuse qui attire la saleté. Cette pellicule doit donc être rincée avec le mélange d'eau et de vinaigre. Les planchers vernis n'ont pas besoin de cire ni de produits commerciaux compliqués : seuls les fabricants ont intérêt à dire le contraire.

Nettoyez les traces de talon avec un peu de bicarbonate de soude sur un chiffon mouillé ou une éponge à récurer. Balayez ou passez l'aspirateur avant de laver. Évitez de noyer les planchers en essorant bien la vadrouille après l'avoir trempée.

Pour nettoyer un plancher en profondeur, vous pouvez utiliser le nettoyant à plancher dégraisseur maison suivant.

- Verser un peu d'eau très chaude sur 60 ml ($^1/_4$ t) de cristaux de soude dans une chaudière et agiter pour bien dissoudre.
- Ajouter 8 l d'eau chaude puis 15 ml (1 c à s) de nettoyant à vaisselle liquide ou de savon/détergent liquide ménager : le savon se rince plus facilement.

Il importe de rincer le plancher, après avoir utilisé ce nettoyant. En toute logique, un bon nettoyage requiert une chaudière pour le nettoyant et une autre pour rincer la vadrouille : pensez-y bien, c'est la seule façon d'éviter que l'eau de rinçage de plus en plus concentrée en saleté ne retourne ternir le plancher. C'est d'autant plus vrai si la surface à nettoyer est grande. Mettez l'eau de rinçage dans la chaudière et remplissez l'évier avec l'eau additionnée de vinaigre : cette dernière demeure non concentrée en saletés, ce qui convient mieux à un évier de cuisine. Cette façon de faire n'est pas beaucoup plus compliquée et n'exige pas vraiment plus de temps : ses résultats ne peuvent manquer d'être de loin supérieurs à la méthode consistant à retourner sur le plancher la saleté que l'on vient d'enlever.

Vous pouvez aussi appliquer directement sur le plancher le mélange d'eau et de vinaigre placé dans un contenant à pulvérisateur (en mode gicleur) et réserver la chaudière pour le rinçage. La marque Vileda offre un modèle de vadrouilles tout en un pour faciliter l'entretien des planchers : des chiffons de recharge réutilisables sont vendus pour aider à limiter nos rejets.

Ne laissez pas d'excès d'eau après avoir lavé, pour éviter les traces. Au besoin, essuyez en dernier avec la vadrouille rincée et bien essorée pour éliminer les traces d'eau plus apparentes sur un plancher vernis.

Le vinaigre ne laisse aucune odeur résiduelle dans la pièce : garanti.

TYPES DE VADROUILLES

La série de vadrouilles produites par la marque Vileda illustre les principales solutions offertes sur le marché. Cette série inclut des essoreurs à même la chaudière qui sont adoptés avec enthousiasme par toutes les personnes qui les ont essayés.

La vadrouille tout en un (20 $) permet de pulvériser un simple nettoyant maison fait d'eau vinaigrée, plutôt qu'un nettoyant commercial. Vous pouvez rincer le chiffon au besoin ou utiliser des recharges que vous placez à laver après usage. Rien ne vous oblige à utiliser les nettoyants vendus par les fabricants de ces accessoires. Vileda offre des chiffons de recharge réutilisables, contrairement aux autres marques qui n'offrent que des recharges jetables. Vous pouvez aussi utiliser vos propres chiffons.

La vadrouille à tête plate se vend 20 $, avec une recharge lavable à 12 $. Elle vient avec une essoreuse fixée sur la chaudière qui permet d'essorer sans se mouiller les mains. Le chiffon absorbant en ratine lave plus et mieux que les chiffons minces et plats du modèle précédent. À la fin, rincez le chiffon à fond ou mettez-le à laver : avoir un chiffon de recharge est utile en ce sens. C'est un équipement un peu plus onéreux (20 $ pour la chaudière munie de l'essoreuse), mais très fonctionnel selon ses adeptes, qui ne s'en passeraient plus.

La vadrouille à lanières en microfibres (10 $, avec recharge à 7 $) est plus légère et facile à essorer pour les petites mains que la traditionnelle vadrouille à franges en coton, tout en étant assez efficace pour l'entretien normal. Lavable à la machine.

La vadrouille à franges de coton (5 $) dispose de recharges (8 oz à 3 $ et 12 oz à prix inconnu).

Les seaux à essoreuse intégrée pour vadrouilles à franges (10-12 $) permettent aussi d'éviter de se mouiller les mains.

NETTOYANTS À PLANCHER COMMERCIAUX

Les nettoyants à plancher commerciaux peuvent être soit des détergents à base d'eau, soit des détergents à base de solvants et d'extraits dérivés du pétrole.

Si vous tenez à utiliser ces produits qui sont la plupart du temps inutilement puissants, créant plus de problèmes qu'ils n'en résolvent, il est fortement suggéré d'utiliser les détergents à base d'eau. Les solutions maison sont plus simples, efficaces et économiques, aux dires même des professionnels de l'entretien.

Les nettoyants ménagers courants sont susceptibles de laisser une fine pellicule savonneuse qui attirera la saleté plus rapidement, à moins d'être rincés. Ils ne sont guère utiles : mieux vaut utiliser la technique des deux seaux, ou sa variante avec le nettoyant en pulvérisateur, pour avoir une eau toujours propre, comme expliqué plus haut.

Une variante de nettoyant ménager de la marque *Pine-Sol* est censée maintenir la saleté au fond du seau pour éviter qu'on ne l'étende sur le plancher. Selon une analyse de *Consumer Reports* (octobre 2003, p. 9), l'eau de surface n'est pas tout à fait propre et il est presque impossible de ne pas agiter la saleté en introduisant la vadrouille dans l'eau. Encore une fois, la technique des deux seaux, ou sa variante avec le nettoyant en pulvérisateur, ne peut que donner de meilleurs résultats.

SOINS SELON LES TYPES DE PLANCHERS

BOIS VERNIS

Grâce à leur fini d'allure plastifiée, terminées les applications fastidieuses de la cire. Les planchers vernis se nettoient simplement avec le nettoyant maison constitué de 125 ml ($^1/_2$ t) de vinaigre dans 4 l d'eau.

Il n'est pas nécessaire d'utiliser un nettoyant ménager commercial qui a le défaut de laisser une fine pellicule savonneuse et nécessite d'être rincée, à défaut de quoi elle attire la saleté plus rapidement. Procéder selon la manière expliquée plus haut ; au besoin, utiliser le nettoyant dégraisseur proposé.

L'ajout d'un fini est inutile. Les finis contiennent habituellement une part de cire, qui comme l'application de la cire elle-même, fera que ces planchers ne pourront être vernis à nouveau sans un fastidieux décapage.

Un plancher bien entretenu ne nécessite pas de fini ni de polissage. Cependant, le mieux à faire pour préserver le poli est de ramasser la saleté granuleuse qui érafle le poli.

Toujours bien essorer la vadrouille ou le balai-éponge après les avoir trempés dans la solution et éviter les accumulations. Ne pas rincer la vadrouille dans la chaudière contenant le nettoyant. Frotter les taches rebelles avec une éponge à récurer et du bicarbonate de soude.

Après avoir nettoyé une section, il est préférable de l'essuyer avec un chiffon sec. Ceci peut sembler une étape fastidieuse et superflue quand le temps nous manque. Mais si on a le temps ou si l'on recherche un meilleur résultat, assécher permet réellement de ramasser une bonne part de la saleté qui reste en surface après le premier passage.

Avec les années, ce type de plancher peut perdre son lustre même s'il est encore très sain. Une couche d'entretien de vernis peut alors être appliquée.

À l'occasion, ajouter au nettoyant un litre d'eau bouillie avec deux ou trois sachets de thé pour masquer les défauts.

Les crayons de cire de diverses nuances de couleurs que l'on trouve en quincaillerie pour corriger les éraflures sont efficaces, mais vous obligeront à les décaper avant le prochain vernissage.

Le vernis peut jaunir avec les années et on n'y peut rien : la rouille fait partie de la beauté de l'âge... disent les plus jeunes.

Bois à fini pénétrant

On les reconnaît à leur éclat satiné et leur grain peut être senti lorsque l'on y passe la main. Quand un simple polissage avec un chiffon doux propre ne suffit pas à leur redonner leur éclat, appliquer une fine couche de nettoyant polisseur, apposée sans laisser de dépôts. La laisser sécher une vingtaine de minutes pour enfin la polir au chiffon et enlever le résidu.

Ce revêtement n'a pas besoin d'être ciré plus d'une fois ou deux chaque année, bien que certaines zones plus utilisées puissent requérir une application occasionnelle.

Bois peint

Ils ont souvent besoin du nettoyant au détergent suivant. Eau tiède additionnée d'un jet de nettoyant liquide à vaisselle ou de 30 ml (2 c à s) de nettoyant liquide tout usage.

Il est nécessaire de rincer pour éliminer la pellicule savonneuse que laisse le nettoyant et qui accumule la saleté plus rapidement. Pour rincer, utiliser le nettoyant constitué de 125 ml ($\frac{1}{2}$ t) de vinaigre dans 4 l d'eau.

Procéder par sections et essorer l'applicateur soigneusement après l'avoir trempé. Assécher avec un chiffon propre.

Linoléum et vinyle

Les laver avec le nettoyant maison en chaudière ou en gicleur (p. 173). Ne pas utiliser d'abrasifs ou de savons puissants qui endommageraient rapidement la surface.

Les nouveaux vinyles ne requièrent pas de cire à cause de leur revêtement de polyuréthane.

Faire reluire un vinyle ancien est de la grosse besogne, qui en plus demande à être répétée fréquemment. Selon nos priorités, ou nos besoins occasionnels au gré d'une visite par exemple, on vivra avec un plancher propre mais moins luisant ou alors on procédera comme suit.

Appliquer deux couches de cire sans polissage à base d'eau, en laissant sécher entre les applications. Utiliser une éponge à récurer sur les taches résistantes avec au besoin un peu de cire.

TUILES EN CÉRAMIQUE

Les laver par sections avec le nettoyant maison en chaudière ou en gicleur (p. 173). Au besoin utiliser le nettoyant fait d'eau tiède additionnée d'un jet de nettoyant liquide à vaisselle ou de nettoyant liquide tout usage.

Ne jamais utiliser de vinaigre pur qui abîme les jointements à l'usage. La plupart de ces planchers ne requièrent pas de cire mais peuvent à l'usage demander l'application d'un scellant.

Les joints sont sales quand ils sont devenus poreux. Ils nécessitent un nettoyage avec une brosse à joints et un nettoyant à joints de tuiles (p. 226) dont une version maison est excellente :

- 250 ml (1 t) de bicarbonate de soude
- 125 ml ($^1/_2$ t) de borax ou de cristaux de soude
- et 125 ml ($^1/_2$ t) d'eau chaude.

MARBRE

Ne pas s'acharner à vouloir les faire briller quand ils ont été usés par une utilisation intensive. Appliquer plutôt ce fini scellant qui se vend exprès, sans quoi la seule alternative après usure deviendra un polissage onéreux de la pierre.

Les experts suggèrent de laver avec le nettoyant au détergent – une eau tiède additionnée d'un jet de nettoyant liquide à vaisselle ou de nettoyant liquide tout usage.

Au besoin, ne pas utiliser d'abrasif rugueux mais plutôt du bicarbonate de soude ou la poudre à récurer maison (p. 174) pour ne pas érafler la surface.

Le marbre peut être détaché avec la technique du cataplasme, une préparation pâteuse appliquée durant un certain temps comme suit.

Un dégât d'huile se recouvre d'une pâte à la texture d'un onguent, faite d'un peu d'eau chaude, d'un jet de nettoyant liquide à vaisselle et de 125 ml ($^1/_2$ t) de farine blanchie. Appliquer. Couvrir d'un plastique retenu par du ruban adhésif. Laisser agir durant une nuit. Retirer le plastique. Laisser sécher. Gratter délicatement.

Pour les dégâts à base d'aliments, utiliser du peroxyde d'hydrogène (3 %) au lieu du nettoyant à vaisselle. Le vernis à ongles et l'encre se détachent avec le nettoyant pour vernis à ongles imbibé sur un tampon d'ouate.

POUSSIÈRE

Évitez de porter à l'intérieur de la maison les souliers utilisés à l'extérieur : c'est l'un des gestes qui contribuent le plus à la diffusion des polluants dans nos logis. Laisser les chaussures à l'entrée diminue en plus considérablement la quantité de poussière qui va s'incruster partout dans la maison. Posez un tapis-brosse à poils longs devant les entrées **(p. 279)** afin de compenser lorsque les chaussures ne sont pas enlevées. Enfin, limitez autant que possible la présence de tapis à l'intérieur.

La scientifique *chercheuse de poussière* Hannah Holmes (*The Secret Life of Dust*) rapporte que le passage normal de l'aspirateur n'enlève pas la poussière profonde contenue dans les tapis. Il ne fait que ramener la poussière profonde à la surface, avec ses composés toxiques – là où un enfant à quatre pattes la ramassera avec ses mains humides. La qualité de l'aspirateur n'y peut rien. C'est la présence du tapis qui est en cause : par mesure de précaution, limitez autant que possible le nombre de tapis dans vos logis.

UTILISEZ UNE ÉPOUSSETTE EN LAINE D'AGNEAU

Procédez toujours de haut en bas, de sorte que la poussière ne tombe pas sur les zones déjà nettoyées. Évitez les *plumeaux* synthétiques sans recharge qui ne font que déplacer et agiter la poussière.

Les époussettes à recharge fonctionnent très bien sans humidité. Elles sont versatiles et assez délicates pour les bibelots. Il faut compter une recharge pour effectuer l'époussetage d'un logis de dimension moyenne. Le remplacement hebdomadaire, quand l'époussette prend la couleur de la saleté, vous coûtera environ 1 $, un coût significatif. De plus, la recharge ne peut être recyclée après usage. Enfin, cette époussette retient la poussière grâce à un effet d'électricité statique qui est transféré à la surface époussetée – ce qui attire ensuite plus rapidement la poussière. Bref, mieux vaut la réserver aux tâches plus délicates.

Pour le reste de l'époussetage, les époussettes en laine d'agneau (entre 12 et 15 $ dans les magasins grandes surfaces) durent des années, permettent un époussetage rapide, ne requièrent pas d'enduit ramasse-poussière et rejoignent les zones plus éloignées. Elles sont moins souples pour épousseter les objets délicats comme les bibelots. Mais elles rendent rapide un époussetage général qui autrement paraît sans fin. Elles n'éliminent pourtant pas la nécessité d'épousseter à fond avec un linge humide de temps à autre. Certains spécialistes recommandent d'utiliser l'aspirateur avec un embout en brosse à poils longs.

Pour un époussetage mensuel plus en profondeur, utilisez un chiffon plutôt doux que vous mouillez, rincez et essorez au fur et à mesure – un chiffon de microfibres fonctionne très bien. Évitez l'utilisation des ramasse-poussière commerciaux, qui sont inutiles, laissent un film graisseux attirant la poussière et contiennent beaucoup de parfum de synthèse. La propreté a son propre parfum, très satisfaisant.

UTILISEZ LA VADROUILLE HUMIDE

Passez une vadrouille humide ou l'aspirateur, plutôt que le balai ou une vadrouille sèche pour l'époussetage du plancher en profondeur.

Les contaminants chimiques pénètrent dans votre corps par l'ingestion, la respiration et le contact cutané. Les contaminants dans la poussière pénètrent en vous plus précisément par la respiration et les mains portées à la bouche chez les tout-petits.

Des experts évaluent qu'un enfant absorbe de la moitié à deux tiers de tasse de poussière fine chargée de contaminants avant six ans. À soixante-dix ans, un adulte en aura absorbé deux tasses et demie. Ces poussières ne sont pas anodines, comme on l'a vu. Plusieurs sont persistantes.

Selon Hannah Holmes, passer le balai soulève la poussière fine dans les airs, à la hauteur de nos poumons. La vadrouille sèche ne fait guère mieux: non seulement elle déplace la poussière, mais elle la repousse dans les fissures.

Pour éviter de soulever la poussière, passez donc l'aspirateur lors de l'époussetage hebdomadaire en profondeur. Réservez le balai à l'époussetage d'appoint autour de zones comme la table à manger: plus commode, utilisez brièvement un aspirateur rechargeable ou un balai mécanique. La marque Vileda offre aussi un balai muni d'une éponge pouvant être humidifiée: une ingénieuse combinaison. Les essoreuses montées sur chaudière de la même marque, pour vadrouilles à franges ou à chiffon de ratine, facilitent beaucoup l'époussetage humide.

Aérez durant le ramassage de la poussière pour éviter de baigner dans un halo de poussières en suspension. On fait au mieux sans se prendre la tête.

PROCUREZ-VOUS UN BON ASPIRATEUR

Aspirateurs, contaminants et allergènes peuvent s'allier pour contribuer à la contamination de votre corps. L'idéal est un aspirateur central qui évacue l'air à l'extérieur. Mais il existe d'autres aspirateurs efficaces et mieux conçus pour vous protéger contre les contaminants présents dans la poussière ambiante. Les contaminants pénètrent dans le corps par inhalation, entre autres après avoir été propulsés dans l'air par un aspirateur de faible qualité. Protégez-vous en aérant l'espace lorsque vous passez l'aspirateur.

Et portez un masque si vous nettoyez de grandes surfaces de tapis avec un aspirateur peu étanche, comme le suggère la Société canadienne d'hypothèques et de logement (SCHL). Vous risquez en effet d'inhaler la poussière que l'aspirateur pulvérise dans l'air, ce qui peut contribuer, entre autres, à l'asthme et à l'irritation des voies respiratoires. Pour prévenir ces inconvénients, la SCHL recommande d'utiliser un aspirateur central.

N'utilisez pas les masques jetables conçus uniquement pour la protection contre le pollen et les poussières non toxiques : ils ne filtrent que les poussières de plus de 6 microns, alors que les poussières de contaminants nocifs sont souvent inférieures à 2,5 microns (les poussières de pesticides peuvent mesurer 0,5 micron).

Choisissez plutôt les masques jetables correspondant à la norme N95 : ils protègent des poussières fines mesurant 0,3 micron. On trouve en quincaillerie des masques de ce type, de la marque DEGIL, à environ 3 $ l'unité.

Assurez-vous que le masque adhère bien à votre visage lorsque vous l'enfilez. Après usage, placez le masque dans un sac si vous comptez le réutiliser et lavez-vous les mains.

LIMITEZ MOISISSURES ET ACARIENS

Les principaux composés naturels de la poussière qui peuvent se révéler nuisibles sont les moisissures, les mites de poussières et les rejets minéraux. Voici, en résumé, comment les traiter.

Contrôlez les moisissures directement reliées aux sinusites chroniques en nettoyant les dégâts d'eau et en déshumidifiant les espaces (comme le sous-sol) qui affichent un taux d'humidité supérieur à 50 %. Et contrôlez les mites de poussière, qui contribuent à l'asthme et surtout aux allergies, en les privant des moisissures et des squames de peau par le passage régulier d'un aspirateur à faible émission – voir plus haut les indications sur le choix d'un tel aspirateur.

De plus, selon la SCHL, les acariens ont besoin d'un taux d'humidité supérieur à 55 % pour se reproduire. Abaisser le taux d'humidité de la maison jusqu'à 45 % est selon la SCHL le moyen le plus efficace pour enrayer leur prolifération.

Les personnes plus sensibles peuvent avoir besoin de housses de protection efficaces pour matelas, sommiers et oreillers ; il en existe en coton-polyester à tissage ultrafin – avec des trous au diamètre inférieur à 6 microns, pour bloquer la poussière. Il ne s'agit pas de la même chose que les tissus en microfibres. Matelas et oreillers en latex sont aussi efficaces mais onéreux. Les recouvrements de canapés en tissu laissent pénétrer poussière, squames de peau et acariens. Il n'existe malheureusement pas encore de recouvrements à tissage ultrafin : il faut les demander.

PRÉVENEZ LES REJETS DE L'HUMIDIFICATEUR

Des rejets minéraux considérables peuvent être dispersés par l'humidificateur dans un logis dont l'eau courante est hautement minéralisée. La poussière domestique peut alors excéder les normes états-uniennes pour l'air extérieur. Elle laisse sur son chemin une légère poussière blanchâtre sur le mobilier, qui permet de l'identifier. C'est donc à la source que se contrôle ce polluant naturel.

Les micro-organismes que peut relâcher l'humidificateur ne peuvent être éliminés, pour leur part, qu'en nettoyant à fond le réservoir «comme s'il était la baignoire personnelle du diable», commentait une auteure romantique.

AUTRES TRUCS ET FRÉQUENCES

Aérez durant l'époussetage, et jusqu'à 10 minutes après, de façon à évacuer les poussières indésirables soulevées dans l'air, surtout celles qui sont propulsées par un aspirateur dont les émissions sont élevées. La Direction de la santé publique du Québec recommande d'aérer au moins une ou deux fois par jour, durant 10 minutes.

Videz les sacs d'aspirateur sans attendre qu'ils soient pleins; vous ajouterez à l'efficacité de l'appareil et diminuerez les rejets de poussières propulsés dans l'air. Une dizaine de gouttes d'huile essentielle naturelle au choix (menthe poivrée, lavande, mélaleuca) versées sur l'extérieur du sac embaumeront l'espace lorsque vous actionnez l'appareil ainsi transformé en diffuseur de parfum sain.

La nouvelle poussière s'attache à l'ancienne et s'accumule de plus en plus vite. La ramasser avec régularité diminue votre tâche.

Selon l'usage plus ou moins intensif des zones de votre logis, selon aussi la quantité de poussière ambiante, passez l'aspirateur une fois la semaine sur les tapis, fauteuils et canapés, sur les matelas et oreillers, sur les appareils électroniques et unités de chauffage, afin de contrôler les problèmes de santé et de détérioration.

Le changement des draps et taies d'oreillers est évidemment le meilleur moment pour passer l'aspirateur sur les matelas et oreillers.

La petite buse à poils de l'aspirateur permet de déloger la poussière infiltrée dans les interstices des claviers, boutons et sorties d'aération des appareils électroniques : certaines marques d'aspirateur ont une buse souple exprès pour l'époussetage.

Mettre les oreillers au sèche-linge à température douce ou ambiante durant 10 minutes donne aussi un bon résultat.

Parmi les gestes préventifs qui valent le coup...

- Achetez des couvre-lits et des oreillers qui peuvent être lavés régulièrement.
- Lavez les oreillers une fois l'an, ou faites-les laver dans une buandrette ou chez le teinturier si vous ne disposez pas d'un lave-linge à chargement frontal, beaucoup plus efficace. Les remplacer tous les deux ou trois ans.
- Évitez les rideaux trop lourds qui accumulent la poussière et les odeurs, à défaut de pouvoir être lavés une fois l'an et même plus au besoin. Les rideaux lourds peuvent être suspendus sur la corde à l'extérieur et secoués légèrement.

- Réduisez les surfaces de tapis qui emprisonnent la poussière et maintenez le taux d'humidité entre 30 et 50 % pour limiter la prolifération des acariens.
- Couvrez la place préférée de Toutou avec un tissu qui sera lavé à l'eau très chaude, chaque semaine, en même temps que les articles plus sales comme les torchons, la recharge de la vadrouille, les petites carpettes lavables (entrée, salle de bains).
- Idéalement chaque mois, glisser dans un sac en plastique les jouets de peluche et les placer au congélateur – ou dehors au gel – durant une nuit. Il est aussi possible de les laver à l'eau chaude.

✦ ACHATS ANTIPOUSSIÈRES

- ❗ Tapis-brosse pour les entrées
- ❗ Époussette en laine d'agneau
- ❗ Brosse à poils longs pour aspirateur
- ❗ Aspirateur central avec rejets à l'extérieur ou aspirateur sur pied avec faibles émissions
- ❗ Masques jetables de type N95
- ❗ Housses en coton-polyester à tissage ultrafin pour les personnes plus sensibles

Vaisselle

Les chiffres sont imparables. Les deux secondes qu'il faut pour rincer un plat après usage se transforment en minutes de récurage fastidieux si on les reporte.

ALIMENTS COLLÉS AU FOND

Ils se nettoient en faisant bouillir de l'eau additionnée d'un petit jet de nettoyant liquide à vaisselle. Faire bouillir le temps que la nourriture se décolle.

On peut aussi couvrir le fond d'eau chaude avec 15-30 ml (1 à 2 c à s) de bicarbonate de soude. Laisser tremper durant quelques heures ou toute la nuit. La même quantité de cristaux de soude offre encore plus de puissance nettoyante.

LAVER À LA MACHINE

Deux règles qui donnent des résultats optimaux lors des tests indépendants : utiliser un détergent à base d'enzymes et ranger adéquatement les plats dans le lave-vaisselle.

Lavez des charges pleines. Vous économiserez eau, énergie et argent : jusqu'à 187,80 $ chaque année. Grattez les plats sans les rincer avant de les déposer au lave-vaisselle (économie de 124,80 $). Choisissez un lave-vaisselle à faible utilisation d'eau (économie de 50 $) et à cycles courts (économie de 6,50 $). Laissez sécher à l'air libre, vous épargnerez encore 6,50 $.

Étonnant : laver au lave-vaisselle avec des charges pleines, plutôt que laver à la main, épargne eau, énergie et jusqu'à 104 $ par année.

Essentiel : tout geste qui réduit notre consommation d'énergie, en Amérique du Nord, abaisse la demande que doivent combler les centrales thermiques au charbon de l'Ontario et du Midwest états-unien. Lesquelles, s'est-il avéré, alimentent le smog à Montréal et constituent la principale source de pollution par le mercure.Le mercure est une substance neurotoxique liée aux pertes de mémoire, qui aboutit dans la chaîne alimentaire (surtout le poisson), puis dans nos corps.

CONSIGNES

Ne rincez plus la vaisselle avant de la placer dans la machine à laver et épargnez jusqu'à 124,80 $ par année (sur la base de 96 ¢ / 200 l [Hydro-Québec, janvier 2004]), en plus de sauvegarder eau et énergie.

Pour les amateurs de calcul : le rinçage de la vaisselle s'est révélé une opération inutile, selon les tests. Gratter et jeter les restants avant de placer les plats au lave-vaisselle suffisent pour obtenir les meilleurs résultats. On épargne ainsi environ 80 l d'eau (20 gallons) par charge, soit 26 000 l (6 500 gallons) en moyenne par année, dans une maisonnée lavant un peu moins d'une fois par jour (325 charges annuelles). Si vous désirez tout de même rincer la vaisselle, utilisez le cycle Prérinçage/Pause qui n'utilise que 8 l d'eau.

Laver des charges pleines épargne eau, électricité et argent. Choisir un modèle de lave-vaisselle **(p. 272)** à faible utilisation d'eau fait aussi épargner, comme il est expliqué à cette rubrique.

Regardez au moins une fois la vignette fournie par le fabricant du lave-vaisselle et qui illustre comment disposer la vaisselle. Une bonne disposition permet à elle seule d'obtenir un résultat optimal – c'est plus important que les accessoires onéreux.

Les articles larges comme les plaques à biscuits se chargent au fond ou sur les côtés, non pas à l'avant où ils empêcheront le jet d'eau d'atteindre les distributeurs à détergent sur la porte.

Évitez d'utiliser l'eau chaude (bain, douche et lessive) en même temps que le lave-vaisselle. La réduction de la pression de l'eau et de sa chaleur diminue l'efficacité du lave-vaisselle.

Protégez-Vous suggère pour obtenir de bons résultats de régler le chauffe-eau entre 49 et 60 °C (de 120 à 140 °F). Plusieurs fabricants de détergent suggèrent plutôt une température entre 60 et 70 °C (de 140 à 160 °F).

Consumer Reports conseille fermement de ne pas laver à la machine le cuivre, le bronze, la fonte, le plastique jetable (comme les pellicules de plastique), les plats de couleur or, la porcelaine à feuilles dorées, les couteaux à manches creux, l'étain, le fer-blanc, et quoi que ce soit en bois (y compris les poignées).

Porcelaine, cristal et articles délicats ne doivent pas toucher aux autres articles pour ne pas être ébréchés. S'assurer qu'ils ne puissent bouger et s'entrechoquer. Utiliser (s'il existe) le cycle délicat.

Diriger le côté sale des objets vers le centre d'où vient le jet d'eau. Tasses et verres se placent dans le support du haut, face en bas. Bien fixer les objets petits et légers de façon qu'ils ne se retrouvent pas au fond du lave-vaisselle, à bloquer le gicleur.

Spatules et autres ustensiles en long se placent à plat dans le panier du haut pour éviter qu'ils ne se déplacent et bloquent le gicleur du bas. Objets et ustensiles en acier inoxydable ne doivent pas toucher ceux qui sont en argent, sinon ils les feront ternir.

Laisser sécher la vaisselle à l'air libre épargne 2 ¢ par charge, soit 6,50 $ par année (325 charges), ce qui illustre bien que c'est plutôt du côté de la dépense d'eau chaude que vont les coûts. Si vous séchez à l'air libre, n'oubliez pas la consigne de David Suzuki. Ne pas ouvrir la porte du lave-vaisselle avant que la vapeur d'eau ne se soit dissipée pour éviter d'être exposé aux vapeurs de chlore.

Étonnant : utiliser un lave-vaisselle plutôt que laver à la main peut faire épargner jusqu'à 104 $ par an en électricité.

Pour les amateurs de calcul : laver à la main l'équivalent d'une charge de lave-vaisselle coûte 38 ¢ et utilise environ 80 l d'eau pour une maisonnée moyenne (au coût de 0,48 ¢ pour chauffer 1 litre d'eau – sur la base de 96 ¢ / 200 l [Hydro-Québec, janvier 2004]). Les lave-vaisselle les plus économes utilisent 12 l d'eau qui coûtent 6 ¢ à chauffer. Les 68 l d'eau chaude qui peuvent être épargnés avec le lave-vaisselle représentent 32 ¢ par charge, et 104 $ par année (325 charges). Il s'agit d'un montant qui dépasse largement l'amortissement annuel d'un lave-vaisselle. Un calcul étonnant. Remarquez par contre que les lave-vaisselle utilisent en moyenne un peu plus de 20 l d'eau et font épargner un peu moins.

Un petit truc : placer la casquette à visière de fiston ou de monsieur sur l'étage du haut du lave-vaisselle : elle sera nettoyée sans être définitivement abîmée. Attention aux couleurs fragiles.

DÉTERGENT

L'utilisation d'un détergent contenant des enzymes était l'une des deux règles de base pour un résultat optimal lors des tests indépendants – l'autre règle étant le rangement des plats selon les indications du fabricant.

Voir les suggestions dans la section des produits, à la rubrique *Détergent à lave-vaisselle* (p. 201). Tel qu'expliqué, on peut diminuer significativement la quantité de détergent utilisée.

LAVER À LA MAIN

Quelques règles à respecter afin de faciliter le nettoyage à la main : restreindre le nombre de contenants en plastique dans lesquels on conserve des sauces avec tomates, lesquelles ont tendance à s'incruster.

Faire tremper chaudrons et contenants dans l'évier empli d'eau chaude savonneuse pendant que l'on cuisine. La saleté sera ainsi désincrustée lorsque viendra le temps de laver. Faire tremper dans l'eau froide les plats avec des résidus d'œuf et de lait (l'eau chaude les durcit), mais dans l'eau chaude les plats avec des restes graisseux ou sucrés.

Pour limiter significativement les dépenses d'eau et d'électricité, il vaut mieux gratter plutôt que de rincer les plats. En outre, enlever les surplus de saleté et de gras avant de procéder au lavage évite de saturer l'eau de lavage trop rapidement.

Emplir les vases à fleurs vides avec de l'eau chaude et du vinaigre, et les laisser tremper avant de les laver et rincer avec soin.

Utiliser l'eau la plus chaude que vous pouvez supporter et enfiler des gants.

Commencer par laver les verres et les ustensiles qui sont d'habitude moins sales. Laver ensuite, dans l'ordre, les bols et assiettes, puis les plats de service, et enfin chaudrons et autres pots.

Ne pas utiliser de tampons abrasifs qui endommagent la surface des articles.

Remplacer l'eau quand la mousse disparaît, et quand l'eau est froide ou trop graisseuse.

Rincer à l'eau chaude, dans un autre évier ou un bac avant de laisser sécher – à moins de n'avoir rien d'autre à faire que d'essuyer la vaisselle.

Recherchez une marque de nettoyant à vaisselle dite douce ou pour peaux sensibles, donc avec un pH équilibré, sans colorant (translucide), sans parfum et qui ne se dit pas antibactérienne. Évitez aussi les marques qui portent mention, en petits caractères, de ne pas mélanger ce nettoyant avec un blanchisseur javellisant (eau de Javel), ce qui signifie qu'elles contiennent de l'ammoniaque.

Recherchez un produit d'usage aussi courant, et par définition mis en contact avec la vaisselle et nos aliments, une certification Choix environnemental (Éco-Logo ci-contre) confirmant que sa conception respecte les règles de précaution requises pour limiter la pollution chimique de nos corps. Les marques Bio-Vert, Nature Clean et Attitude sont certifiées.

Un test de *Consumer Reports* (août 2002, p. 32-33) révélait que la plupart des nettoyants soulèvent assez bien la graisse. Pour ce qui est de déloger les salissures incrustées, le bras mécanique prenait de 184 à 402 frottements selon la marque utilisée. Ce sont des marques très économiques qui exigeaient deux fois plus d'efforts, même s'il se trouve des marques à bon prix amplement efficaces. Palmolive Peau sensible avec aloès se situe dans les meilleurs, avec un prix intéressant.

Voir d'autres informations sur le choix du nettoyant à vaisselle (p. 235).

Notez qu'utiliser un lave-vaisselle plutôt que de laver à la main peut faire épargner jusqu'à 104 $ l'an en électricité, tel qu'il est expliqué à la rubrique précédente sur le lave-vaisselle.

TOUTES LES AUTRES TÂCHES

85

86

DÉTACHANTS UTILES

Acide oxalique ou sel de citron : très efficace contre les traces de rouille, facile à trouver en pharmacie, économique et sécuritaire.

Alcool à friction (isopropylique, 70 %) : en vente partout en pharmacie, il agit comme solvant les quelques fois où vous avez besoin de ce type de produit sans avoir à utiliser de produits trop puissants.

Gomme à effacer et bicarbonate de soude : enlevez aisément de nombreuses taches sur les murs en utilisant une simple gomme à effacer brune pour crayons à mine. Enlevez des taches plus résistantes en frottant délicatement avec un peu de bicarbonate de soude sur un bout de chiffon mouillé.

Lubrifiant ReleasAll : se dit non toxique et non chloré, mais présente surtout l'avantage d'être présenté en pulvérisateur plutôt qu'en aérosol. Avec la bruine, vous risquez d'inhaler plus facilement les substances douteuses (Rona, Canadian Tire).

ANIMAUX – DÉGÂTS

Poils

Ne pas les tolérer sur les fauteuils parce que, comme les cheveux, ils servent de nourriture aux acariens. Ramassez les poils avec l'aspirateur. Il existe des rouleaux adhésifs pour les retirer sur les vêtements. Les petits aspirateurs portatifs dépannent sur les vêtements et les tissus de fauteuils. Le ruban gommé peut aussi dépanner.

Odeurs d'urine et d'excréments

DANS LA LITIÈRE

Placer une couche de bicarbonate de soude dans le bac, sous la litière, pour aider à absorber les odeurs.

SUR LES TAPIS

Ne cherchez pas à les masquer. Cherchez plutôt à éradiquer les odeurs dégagées par les dégâts d'urine sur les tapis à la source et dès leur apparition. Autrement, elles pénètrent dans le tapis, elles invitent l'animal à recommencer, elles attirent d'autres animaux et accélèrent la prolifération des germes.

Les chasse-odeurs commerciaux contiennent diverses substances contre lesquelles nous mettent en garde les experts de la soupe chimique corporelle.

Arm & Hammer, Désodorisant pour tapis et pièces, Pour chats et chiens et autres appartient à la palette de produits développés à partir du bicarbonate de soude par le premier producteur de bicarbonate qu'est Arm & Hammer. Le bicarbonate est sécuritaire tant pour la santé que pour l'environnement. Il est regrettable que le fabricant ajoute des parfums synthétiques intenses et douteux – et qui sait quoi d'autre – à un produit très efficace.

Les chasse-odeurs à base d'enzymes vendus dans les animaleries peuvent aussi être intéressants s'ils ne sont pas parfumés à l'excès. La marque Bio-Vert a mis récemment sur le marché un Nettoyant détachant à tapis et tissus de fauteuils qui a de plus la qualité de servir comme chasse-odeurs. Il s'attaque à la source même des odeurs en «digérant» les résidus de matières organiques. Voir les explications à la rubrique *Chasse-odeurs pour usages variés* **(p. 189)**.

Voyez comment régler les dégâts avec des produits maison à la section *Taches sur les tapis*, la rubrique sur les dégâts des *Animaux* **(p. 142)** (vomi, urine et crotte).

Avec un chasse-odeurs, grattez et épongez les résidus du dégât. Couvrez le dégât avec le produit en assez grande quantité pour qu'il se rende partout et aussi profondément que le dégât lui-même. Recouvrez avec un plastique non coloré, pressez avec un livre lourd et laissez reposer durant au moins un jour, sinon deux. Découvrez et laissez sécher durant une semaine au minimum, l'idéal étant une dizaine de jours.

S'il reste un résidu d'odeur après ce temps, recommencez le traitement.

Si l'odeur est éliminée, terminez en supprimant tous les résidus de la zone en suivant les indications de la rubrique *Taches sur les tapis* **(p. 139)**.

SUR LES MATELAS

Avec un chasse-odeurs commercial, à base d'enzymes ou de bicarbonate de soude, procédez comme sur le tapis, mais appuyez le matelas au mur pour l'aider à sécher et saupoudrez du borax ou des cristaux de soude après avoir retiré le plastique. Passez l'aspirateur avant d'appliquer le détachant.

Si vous n'avez pas de chasse-odeurs, épongez le liquide avec un chiffon épais. Humectez avec un chiffon trempé dans le détachant pour tapis puissant maison : 15 ml (1 c à s) de bicarbonate de soude ajouté à 250 ml (1 t) de savon liquide à vaisselle translucide. Laissez reposer deux à trois minutes. Épongez avec le chiffon rincé et essoré.

Imbibez ensuite avec le chiffon trempé dans un mélange de deux parts d'eau pour une part de vinaigre blanc. Appuyez le matelas au mur et laissez sécher.

SUR LES TISSUS DE RECOUVREMENT DES FAUTEUILS

88

Les tissus marqués du symbole **S** sur leur étiquette, et qui se nettoient donc avec un solvant, doivent être traités par un professionnel.

Les tissus marqués du symbole **W** se nettoient de la façon indiquée un peu plus loin, dans la section *Fauteuils, canapés* **(p. 98)**. Le Nettoyant détachant à tapis et tissus de fauteuils récemment commercialisé par la marque Bio-Vert peut s'attaquer à la source même des odeurs d'animaux en «digérant» les matières organiques. Voir les explications à la rubrique *Chasse-odeurs pour usages variés* **(p. 189)**.

VOMI

Ramasser les morceaux mais ne pas éponger ou gratter afin d'éviter de faire pénétrer la vomissure plus avant. Saupoudrer avec une bonne quantité de bicarbonate de soude. Laisser la poudre sécher et assécher la zone. La ramasser avec l'aspirateur. Continuer avec la procédure pour le traitement des taches spécifiques **(p. 166)**.

AÉRATION

Consultez *Rappels importants* **(p. 27)**.

ARGENTERIE

Toujours laver l'argenterie dès que possible après usage pour éviter la formation de taches qui ternissent. Ne jamais laver côte à côte au lave-vaisselle l'argenterie et l'acier inoxydable, ce dernier pouvant tacher l'argenterie.

Une pâte dentifrice, et non un gel, peut éliminer les petites taches noires.

Il existe un nettoyant à argenterie et métal commercial présentant peu de risques, selon la bible de la consommation sécuritaire[17] (Hagerty & Sons *Silversmith's Polish*, en lotion). Évitez le format aérosol, choisissez le format en lotion. La bruine de l'aérosol nous expose à l'inhalation des fines particules du produit, raison pour laquelle un format en pulvérisateur serait préférable.

Utilisez plus simplement un nettoyant à argenterie maison simple qui consiste à polir les pièces avec un chiffon humide sur lequel on pose du bicarbonate de soude.

Utilisez au besoin un nettoyant à argenterie maison plus puissant **(p. 223)**. Attention tout de même, car certains experts affirment qu'il finit par dépolir les surfaces et abîmer les finis antiques.

Il est donc préférable de protéger l'argenterie avec de petits sacs protecteurs conçus à cette fin pour ne pas avoir à répéter l'opération souvent. Prudence.

Une variante de cette recette permet de nettoyer les bijoux en argent : voir les explications **(p. 223)**.

BAIGNOIRE ET DOUCHE – PAROIS, PLANCHERS

L'entretien des parois sera réduit au plus simple si une raclette est laissée à la disposition des utilisateurs pour enlever les résidus d'eau, savon et salissures sitôt les ablutions terminées.

Entretien normal

Nettoyer les parois avec le nettoyant à salle de bains en commençant par le haut pour éviter la formation de traînées difficiles à éliminer. Les traînées de liquide sale partant du haut ont tendance à créer des marques sur les zones non encore lavées du bas.

Frotter les taches résistantes avec l'éponge à récurer en laissant au nettoyant le temps de dissoudre la tache au besoin. Éviter absolument les carpettes antidérapantes en caoutchouc qui accumulent immanquablement les moisissures autour des ventouses. L'entretien qu'elles exigent pour éviter le développement des moisissures implique de laver le tapis chaque jour et de les faire sécher soigneusement : une impossibilité qui fait que dans la majorité des cas ces tapis deviennent tout à fait rebutants.

De même, oubliez les empreintes de formes fantaisistes qui se fixent au plancher et qui sont antidérapantes et adhésives. Utilisez plutôt des empreintes en forme de lignes droites moins portées à accumuler la saleté et l'humidité, en plus d'être beaucoup plus faciles à nettoyer.

Les planchers de la douche et du bain se nettoieront avec un simple nettoyant à salle de bains en pulvérisateur **(p. 218)**, nettoyant conçu avec un pH plutôt acide pour attaquer les taches minérales laissées par l'eau. Éviter les nettoyants dits désinfectants pour les raisons données à la section sur les nettoyants ménagers **(p. 167)**.

Dépôts minéraux et savonneux

Au besoin, enlever les traces importantes de rouille, même incrustée depuis des années, en saupoudrant de l'acide oxalique (sel de citron) **(p. 255)** après avoir humecté les parois. Laisser reposer entre 5 et 10 minutes et la rouille se sera volatilisée. Au besoin, frotter légèrement, avec une brosse à dents saupoudrée de sel de citron, les zones plus difficiles à rejoindre. Le sel de citron est économique et facile à obtenir en pharmacie, en le demandant. Ne déloge pas la rouille elle-même sur le métal, mais ses traces.

Pour nettoyer les dépôts majeurs de savon et de minéraux dans la baignoire, la douche et l'évier en fibre de verre, pulvériser du vinaigre réchauffé une vingtaine de secondes au micro-ondes. Laisser reposer 10 minutes, frotter avec une éponge à récurer trempée dans le vinaigre. Sécher avec un chiffon. Au besoin, recommencer.

Les traces de tartre peuvent être ramollies en appliquant un gras quelconque – beurre, huile. Enlever ensuite les résidus graisseux avec un simple nettoyant et rincer.

BARBECUE (GRILAUVENT), GRIL

Nettoyez le gril après usage en laissant brûler la flamme quelques minutes ou en laissant le gril chauffer sur les charbons.

À l'occasion, retournez les briquettes permanentes, fermez le couvercle et laissez chauffer au maximum pendant 15 minutes.

Lorsque les grilles sont encroûtées, couvrez-les, de même que leurs contours, d'une double feuille d'aluminium. Fermez le couvercle et chauffez à chaleur maximale durant 30 minutes au plus, ou jusqu'à ce qu'il ne se dégage plus de fumée. La saleté tombera en enlevant les feuilles d'aluminium.

Les brosses en laiton abîment la surface du gril et le rendent poreux, il se salit donc plus vite et se nettoie moins facilement. Pour nettoyer à la main, les magasins spécialisés recommandent d'utiliser plutôt une brosse à poils de nylon sur les grilles refroidies pour enlever le surplus. Puis utilisez de l'eau savonneuse pour compléter.

Les nettoyants commerciaux courants pour grilauvents sont à base de soude caustique (pH 14). Selon *Protégez-Vous* (juillet 1997, p. 33), ils peuvent abîmer les pierres volcaniques et la surface sur laquelle on dépose les grilles pour les laver ; il faut se protéger de leurs émanations en les lavant dans un endroit aéré, et bien les rincer après les avoir lavées. Appliquez plutôt une pâte de cristaux de soude **(p. 195)** et d'eau chaude, laissez reposer durant la nuit, puis rincez en brossant : vous obtiendrez un résultat similaire à peu de frais et sans danger.

Si vous tenez à utiliser un nettoyant commercial, il existe un nettoyant à barbecue commercial certifié Choix environnemental, ce qui n'est par ailleurs pas un gage d'efficacité : Barbecue Genius Grill Cleaner. Marque canadienne qu'il suffit de demander si votre commerce conventionnel ou sécuritaire ne l'a pas.

BOIS TRAITÉ ACC

Attention à vos aménagements en bois traité s'ils ont été achetés jusqu'aux premiers mois de 2004. En effet, jusqu'à cette date, le bois était massivement traité à l'arséniate de cuivre chromaté (ACC) et il a pu se vendre par la suite jusqu'à épuisement des stocks. Le bois ACC contient deux agents cancérogènes connus, soit l'arsenic et le chrome. L'arsenic adhère aux mains des enfants : il est absorbé par la peau et reste sur les doigts qui, eux-mêmes, sont portés à la bouche.

Ne comptez pas sur les années pour que le bois ACC soit rendu moins toxique. Une étude du Environmental Working Group (EWG) a établi que les équipements traités à l'ACC âgés de 7 à 15 ans continuent d'exposer leurs utilisateurs aux mêmes taux de contaminants que les équipements qui ont moins d'un an. De plus, l'étude dévoilait que les taux d'arsenic dans le sol provenant de deux arrière-cours ou parcs sur cinq excèdent les limites établies par la Environmental Protection Agency des États-Unis (EPA)[18]. Par ailleurs, l'étude établissait que les scellants commerciaux pour le bois perdent leur capacité de retenir l'arsenic après six mois seulement, n'offrant dès lors plus aucune protection.

Remplacez vos équipements en bois ACC si possible. Autrement, faites au mieux pour observer les consignes proposées par l'EWG lors de la présentation de son étude en 2003[19].

- Scellez le bois au moins tous les six mois avec les traitements standards pour patios.
- Remplacez les sections à degré d'exposition élevé comme les mains courantes, les marches ou les planches de patio par des alternatives sans arsenic.
- Lavez vos mains et celles des enfants après chaque contact avec le bois traité à l'ACC, particulièrement avant de manger.
- Gardez les animaux de compagnie et les enfants à l'écart des sols sous les équipements en bois traité à l'ACC ou tout près d'eux.
- Recouvrez les tables à pique-nique traitées à l'ACC avec une nappe.
- N'utilisez pas un nettoyeur à pression sur les surfaces en bois traité à l'ACC. Utilisez plutôt un mélange d'eau et de savon, avec des chiffons et autres accessoires jetables. La pression disperse les particules contaminées par l'arsenic dans votre cour.
- Ne permettez pas aux enfants de jouer sur des surfaces non sablées. Les échardes de bois traité à l'ACC peuvent être dangereuses.
- Ne sablez jamais du bois déjà traité à l'ACC. Si le bois est assez mou pour qu'il n'y ait pas d'échardes, évitez de sabler un patio comme traitement avant la pose du scellant. Nettoyez plutôt avec un simple mélange d'eau et de savon. La poussière de bois créée par le sablage contient de l'arsenic qui est facilement ingéré par un enfant, ou qui peut se détacher de la surface pour aller contaminer le sol attenant.

- Ne rangez pas de jouets ou d'outils sous un patio. L'arsenic sort du bois quand il pleut et peut recouvrir les objets qui y sont laissés.
- N'utilisez pas de «nettoyants à patio» commerciaux. Ces nettoyants peuvent transformer les substances chimiques du bois en substances encore plus toxiques.
- Conseil de la Fondation québécoise en environnement : évitez de brûler le bois traité, car sa combustion, tout comme celle du bois peint, génère des polluants toxiques comme les dioxines et les furannes. Placez plutôt ces types de bois aux ordures ou dans les centres de récupération.

BUREAU, ORDINATEUR, TÉLÉPHONE

Il y a des virus qui ne vivent que quelques secondes hors du corps, alors que d'autres peuvent survivre durant des jours. Le microbiologiste Charles Gerba a découvert qu'il y a quatre fois plus de germes par centimètre carré sur un bureau que sur une toilette, parce qu'on ne le nettoie pas aussi régulièrement. Lors des tests, c'est le combiné du téléphone qui transmettait le plus de germes, suivi de la poignée de porte.

Le chercheur semble dire que, bien que la plupart des germes soient inoffensifs, on soupçonne que leur simple quantité peut accroître les risques de maladies. On craindra surtout, à raison, les germes de grippe et les matières fécales. Le plus souvent, on hésite à nettoyer écran et clavier d'ordinateur parce qu'on a peur de les abîmer.

Les consignes des chercheurs : se laver les mains régulièrement durant la journée ; nettoyer le bureau avec des chiffons préhumectés contenant un nettoyant à base d'alcool ; nettoyer l'ordinateur avec des chiffons et tampons sans charpie ni électricité statique ; déloger les grenailles du clavier avec une canette d'air comprimé ; ne pas aller au bureau avec un mal de gorge.

Épousseter les appareils électroniques deux à trois fois durant la semaine. Nettoyer les écrans qui le permettent – voir les consignes du fabricant – avec un chiffon humecté de nettoyant à vitres ou avec un chiffon en microfibres humide : ne jamais pulvériser de nettoyant directement sur l'écran.

Laisser en permanence dans la pièce les chiffons nécessaires, avec le nettoyant tout usage en pulvérisateur (p. 219), le nettoyant à vitres (p. 236) et un chiffon pour épousseter dans un panier pour le bureau (p. 276).

CAFETIÈRE À FILTRE

La nettoyer environ une fois par mois, selon l'intensité de son utilisation. Placez un filtre et emplissez le réservoir de vinaigre blanc. Lancez la cafetière et laissez couler la moitié du vinaigre. Laissez reposer 30 minutes. Faites couler le reste du vinaigre. Frottez le pot avec une éponge à récurer et un peu de bicarbonate de soude. Rincez bien.

Emplissez le réservoir d'eau fraîche à deux reprises et faites couler. Échangez le bac à café d'une cafetière blanche pour un bac de couleur sombre. La couleur du café sur le bac n'est pas une salissure en soi, si le bac est entretenu normalement.

Laissez tremper le bac de couleur foncée dans une solution de nettoyant liquide à vaisselle et de vinaigre blanc pendant 30 minutes, avant de rincer à fond.

CASSEROLES, MARMITES

Vous ne pouvez supporter une casserole qui ne brille pas? Vous voulez nettoyer une marmite qui en a vraiment besoin? Voici des trucs efficaces et sécuritaires qui diminuent le recours aux solutions commerciales assez douteuses pour ne pas mériter l'Éco-Logo de la certification Choix environnemental.

Rappel: la pâte dentifrice blanche (et non le gel) peut éliminer une part des taches noires sur le cuivre et l'argenterie. Faites-la pénétrer sur la tache, puis brossez-la. Rincez.

Les aliments collés au fond des casseroles s'éliminent en faisant bouillir de l'eau additionnée d'un petit jet de nettoyant liquide à vaisselle. Faites bouillir le temps de décoller la nourriture.

Vous pouvez aussi couvrir le fond avec de l'eau chaude additionnée de 15 à 30 ml (1 à 2 c à s) de bicarbonate de soude. Laissez tremper durant quelques heures ou une nuit. La même quantité de cristaux de soude offre encore plus de puissance nettoyante.

ACIER INOXYDABLE

Frotter avec du jus de citron ou du vinaigre aide à enlever les taches de chaleur et la décoloration.

Un peu de bicarbonate de soude avec une éponge à récurer douce fera briller votre bouilloire ou votre évier. Bien rincer.

ALUMINIUM

Il redevient brillant en faisant bouillir 1 l d'eau additionnée de 10 ml (2 c à c) de jus de citron durant une dizaine de minutes. Les résidus minéraux se nettoient en récurant avec une laine d'acier après avoir fait bouillir une solution moitié/moitié de vinaigre et d'eau. Laissez reposer la solution durant quelques heures avant de récurer.

ARGENTERIE

Voir la rubrique *Argenterie* **(p. 89)**. Une pâte dentifrice (et non un gel) peut éliminer des petites taches noires.

CUIVRE

Frotter avec un peu de sel et de vinaigre (ou de jus de citron ou de lime). Ou encore avec une pâte de sel, de farine et de vinaigre. Rincez. Séchez. Une pâte dentifrice (et non un gel) peut éliminer des petites taches noires.

ÉMAIL

Fragile, il se récure uniquement avec des tampons de nylon en utilisant du bicarbonate de soude comme récurant doux. Au besoin, faire tremper à l'eau chaude additionnée de nettoyant liquide à vaisselle.

FONTE

Lavez à l'eau chaude savonneuse, avec les tampons en nylon et non avec la laine d'acier. Rincez, séchez – très important – et remisez sans poser le couvercle, pour éviter condensation et rouille.

Pour décoller les restes brûlés, ajoutez 10 ml (2 c à c) de bicarbonate de soude par litre d'eau et faites bouillir. N'utilisez la laine d'acier que pour enlever, à sec, la rouille accumulée. Lavez, rincez et séchez.

On peut facilement prévenir l'apparition disgratieuse de rouille en enduisant la fonte propre d'un peu d'huile végétale et en la plaçant ensuite durant une demi-heure dans un four chauffé à 100-130 °C. Après refroidissement, enlevez le gras excédent à l'aide d'un essuie-tout.

COLLE (RÉSIDUS D'AUTOCOLLANTS)

Un lubrifiant antirouille élimine les résidus en frottant avec un tampon à récurer en nylon. Préférez la marque ReleasAll en pulvérisateur **(p. 87)**.

CONGÉLATEUR

Ne laissez pas la glace couvrant les parois excéder 5 mm d'épaisseur pour ne pas nuire au fonctionnement du compresseur.

Avant de nettoyer, sortez et protégez les produits congelés en les enrobant de papier journal pour ralentir le dégel.

Placez le thermostat sur *dégivrage* et attendez que le givre ait disparu. Un plat d'eau chaude placé à l'intérieur du congélateur facilitera le dégel. Vous risquez de briser les parois si vous défaites le givre avec un objet dur. Retirez l'eau au gré de la fonte du givre.

Nettoyez les parois avec la même solution que pour le réfrigérateur : 1 l d'eau additionnée de 30 ml (2 c à s) de bicarbonate de soude dissous dans de l'eau chaude. Rincez. Séchez complètement avant de remettre les aliments en place et de relancer la congélation.

CRAYON DE CIRE

Vous pouvez éliminer ces taches en appliquant du bicarbonate de soude et de l'eau avec une éponge à récurer. Un lubrifiant antirouille est un peu plus efficace, mais demande à être lavé avec un jet de nettoyant liquide à vaisselle dans de l'eau chaude : n'utilisez pas le lubrifiant sur le papier peint, seulement sur les murs peints. Attention de ne pas agrandir la tache en utilisant trop de solution.

CUIR, FAUTEUILS – TRAITEMENT

Voyez comment appliquer un traitement régénérateur maison pour fauteuils en cuir à la rubrique du même nom **(p. 257)**.

CUISINIÈRE ÉLECTRIQUE

FOUR

Lorsqu'un débordement se produit en cours de cuisson dans le four, saupoudrez une bonne épaisseur de sel sur le dégât et poursuivez la cuisson. La fumée cessera immédiatement et il suffira de ramasser le résidu avec une spatule le lendemain.

FOUR AUTONETTOYANT

C'est la meilleure solution parce qu'il ne requiert aucun des nettoyants toxiques offerts sur le marché. Le débarrasser des résidus pouvant provoquer de la fumée avec un chiffon humide. Nettoyer le contour de la porte avec une éponge à récurer et de l'eau chaude savonneuse.

FOUR CONVENTIONNEL

Le nettoyer une ou deux fois l'an si on n'en fait pas un usage intensif ou si on en prend soin au fur et à mesure. Ne pas le laisser s'encrasser.

Posez au fond une de ces plaques d'aluminium vendues en épicerie pour limiter l'entretien au nettoyage des parois et des grilles sans avoir recours aux nettoyants corrosifs et puissants. Grattez la plaque, enlever le surplus de gras avec le nettoyant tout usage et une poudre à récurer dégraissante maison **(p. 250)** avant de la placer à la récupération quand elle est abîmée.

ÉVITER LA LAINE D'ACIER

Ne jamais récurer les parois avec la laine d'acier pour éviter de les rendre poreuses et perméables à la saleté à venir. Ne jamais appliquer de nettoyant sur des parois chauffées ou sur l'ampoule, la veilleuse du four à gaz et l'élément chauffant.

Si la saleté est trop incrustée sur la fenêtre du four, utilisez une lame ou un grattoir à verre, jamais la laine d'acier qui l'éraflerait.

NETTOYANTS À FOUR COMMERCIAUX

La plupart sont inutilement corrosifs et toxiques, surtout si l'on a placé une plaque d'aluminium au fond du four. Ce nettoyant est désigné comme l'un des trois salopards de l'entretien, les produits les plus toxiques et nocifs.

- Easy-Off Nettoyant pour le four, Sans vapeurs (en pompe) est désigné comme un produit acceptable à défaut d'un produit certifié Choix environnemental : facile à trouver.
- Nature Clean Produit à nettoyer fours et Bar-B-Q, Sans émanations toxiques (dans les commerces de produits naturels et chez Loblaws) est plus cher. Il n'y a pas d'analyses d'efficacité pour l'un ou l'autre.

NETTOYANTS À FOUR MAISON

NETTOYANT À FOUR AU BICARBONATE DE SOUDE

Une solution économique, facile et sécuritaire. Couvrez le fond du four d'un filet d'eau, saupoudrez du bicarbonate de soude, rajoutez un filet d'eau pour couvrir. Fermez la porte et laissez reposer durant une nuit. Le lendemain, essuyez le résidu graisseux. Passez une éponge savonneuse partout. Rincez.

Plaques et grilles sont mises à tremper dans l'eau chaude avec un peu de nettoyant à vaisselle pendant 30 minutes. Frottez avec un tampon à récurer de plastique sur lequel est saupoudré du bicarbonate ou une poudre à récurer comme la poudre à récurer dégraissante maison **(p. 250)**.

NETTOYANT À FOUR À L'AMMONIAQUE

Ce guide offre consciemment toutes sortes d'alternatives à l'utilisation de l'ammoniaque **(p. 181)**. Les émanations de ce produit sont nocives pour la santé. Il est aussi dangereux de mélanger l'ammoniaque par inadvertance à d'autres produits comme le chlore – l'eau de Javel – qui la rendent encore plus toxique.

Or, l'ammoniaque est un produit efficace et moins toxique que les décape-four commerciaux conventionnels.

Le nettoyant au bicarbonate suffit généralement, en plus d'être simple d'emploi. Celui à l'ammoniaque, un peu plus compliqué, offre un autre choix à condition de bien suivre les consignes pour se protéger des émanations. Enfiler de bons gants, aérer en ouvrant portes et fenêtres et éviter d'inhaler les émanations. Si le four fonctionne au gaz, éteindre la veilleuse.

Déposer un bol contenant 250 ml (1 t) d'ammoniaque sur la grille du haut, et 500 ml (2 t) d'eau bouillante dans un plat sur la grille du bas. Fermer la porte du four avec soin. Laisser reposer durant la nuit.

Au moment d'ouvrir la porte le lendemain, aérer à nouveau la pièce et ne pas inhaler les effluves. Jeter l'eau.

Dans un seau, mélanger l'ammoniaque avec 250 ml (1 t) de vinaigre et 125 ml ($1/2$ t) de bicarbonate de soude. Appliquer sur les parois, la fenêtre, les plaques et les grilles. Frotter avec une éponge à récurer après avoir laissé reposer 15 minutes. Rincer avec une eau additionnée d'un peu de vinaigre, puis à l'eau claire.

DESSUS DE LA CUISINIÈRE

Ne jamais utiliser d'abrasifs, ne pas utiliser un chiffon sale et ne jamais nettoyer quand la surface est chaude. Grattez les dépôts encroûtés avec une lame pour éviter les éraflures.

Un coup de chiffon humide avec un jet de nettoyant liquide à vaisselle peut suffire. Pour déloger une saleté plus tenace, utilisez un chiffon et la poudre à récurer dégraissante maison **(p. 250)** ou une simple pâte à récurer faite d'un peu de bicarbonate de soude mélangé à de l'eau. Lavez ensuite avec le nettoyant liquide à vaisselle et le chiffon humide. Rincez. Séchez.

Mettre à tremper les cuvettes de ronds électriques dans l'évier avec une solution d'eau chaude et de détergent pour lave-vaisselle avant de les récurer, par la suite, avec une brosse ou un tampon à récurer en nylon, et non en acier qui les rendraient poreuses.

Attention: nettoyez immédiatement les dépôts que laissent les casseroles de cuivre ou d'aluminium sur les plaques de cuisson, sans quoi ils s'incrustent à la chaleur. Mieux vaut se faciliter la vie en choisissant d'autres types de casseroles **(p. 276)**.

DÉSINFECTER ÉPONGES ET TORCHONS

Les chercheurs Bitton, Melker et Kyoo Park de l'Université de la Floride ont constaté qu'il faut deux minutes au micro-ondes, à pleine puissance, pour éliminer plus de 99 % des bactéries sur les éponges et brosses en plastique mouillées. Ils suggèrent de stériliser ces objets tous les deux jours[20].

ENCRE

Épongez avec un chiffon imbibé d'alcool à friction **(p. 87)** tant qu'il y a transfert de saleté sur le chiffon. Attention de ne pas agrandir la tache en utilisant trop de solution.

ÉPOUSSETAGE

Consultez la rubrique *Poussière* **(p. 75)**.

ÉVIER DE LA CUISINE

Récurez la base de la robinetterie ainsi que le pourtour de l'évier et du broyeur à déchets avec une brosse à dents. Utilisez le nettoyant à broyeur maison suivant, facile d'usage.

Emplissez l'évier de 5 cm d'eau chaude additionnée de 250 ml (1 t) de bicarbonate de soude. Évacuez en lançant le broyeur. L'évier peut avoir besoin d'être récuré avec l'abrasif inoffensif qu'est le bicarbonate de soude mélangé à un peu d'eau pour faire une pâte. Bien rincer. Le blanchisseur javellisant ajouté aux poudres à récurer commerciales est inutilement puissant et corrosif pour les tâches usuelles.

Éliminez certaines traces de rouille en appliquant du vinaigre blanc avec une éponge à récurer. Le jus de citron ou de lime additionné de sel est encore plus puissant: laissez agir un peu avant de brosser.

Plus simple et polyvalent encore, le sel de citron – aussi appelé acide oxalique – appliqué sur les taches de rouille humidifiées les fait disparaître après 5 à 10 minutes. Économique et facile à trouver en pharmacie en le demandant: sert aussi pour enlever les taches de rouille sur les tissus dont la couleur n'est pas fragile.

Le renvoi de la cuisine est souvent obstrué par les graisses solidifiées et les restes de légumes. Installez un capteur à résidus et ne versez pas de graisse dans le renvoi pour limiter les problèmes. Intervenez dès que l'écoulement de l'évier ralentit, puisque les renvois se bouchent rarement sans prévenir. Vous éviterez ainsi les embêtements considérables posés par les vrais bouchons **(p. 124)**.

Tant qu'il y a écoulement, il suffit le plus souvent d'utiliser l'un des nettoyants à tuyau préventif maison **(p. 233-235)**. Selon l'intensité de l'utilisation des installations, il peut être indiqué d'en verser une fois par mois ou plus. Plus simple encore, le nettoyant à broyeur maison décrit plus haut peut convenir à votre maisonnée. Continuez de vous fier à l'analyse des nettoyants à tuyau effectuée par *Consumer Reports* et qui indiquait qu'il vaut mieux éviter les nettoyants et débouche-tuyaux chimiques. Ils sont peu efficaces, et dangereux. La précaution chimique nous invite aussi à ne pas utiliser ces produits qui se trouvent par la suite rejetés dans l'environnement et peuvent venir ajouter à la pollution de nos corps.

Notez qu'il est toujours déconseillé d'utiliser un fichoir (furet de dégorgement) pour déloger un bouchon dans un évier équipé d'un broyeur à déchets.

EXTÉRIEUR, ENTRETIEN

La Société canadienne du cancer encourage fortement à éviter herbicides et pesticides pour l'entretien de votre terrain – même en secret. C'est une question de santé, autant pour vous et vos enfants que pour Toutou. Un léger changement de point de vue et des gestes simples font des merveilles, comme ne pas ramasser les restes d'herbe coupée et laisser l'herbe à au moins 7,5 cm de haut. Consultez sur Internet le document offert par la Ville de Montréal : *Maison propre et jardin vert*[21].

FAUTEUILS, CANAPÉS – TISSU ET CUIR

Passer l'aspirateur une fois par semaine sur les tissus de recouvrement des fauteuils utilisés couramment. En effet, ils amassent autant de saleté que les autres surfaces même si elle est moins apparente.

Les tissus s'usent prématurément de par l'effet abrasif de la poussière. Poussière et humidité sont de plus un milieu idéal pour la prolifération des acariens.

Passer l'aspirateur une fois par mois sur les fauteuils rarement utilisés. Procéder de manière exhaustive en n'oubliant rien : le fond sous les coussins, l'arrière, le dos et les côtés, les deux côtés des coussins. Dans une maisonnée bourdonnante, des couvre-tissus sur les accoudoirs peuvent faciliter l'entretien. Opérer la rotation régulière des coussins comme celle des roues d'une voiture.

Codes – les comprendre, les suivre

Des codes très importants apparaissent sur les étiquettes attachées aux coussins ou cachées sur l'armature des fauteuils, sous les coussins. Ils sont utilisés par l'industrie pour nous indiquer le type de nettoyant à utiliser.

Un **W** indique que l'eau (*Water*) peut être utilisée comme nettoyant. Ce type de fauteuils est le plus résistant et le plus facile d'entretien. Il supporte donc les usages les plus intensifs.

Un **S** indique qu'un nettoyant à sec à base de solvant est requis, ce qui exclut le recours à l'eau ou aux nettoyants à base d'eau. Destiné à être nettoyé par des spécialistes, ce type de fauteuils se détacherait donc normalement avec un chasse-taches instantané pour tissus non lavables **(p. 191)**. Mais ce genre de produit est peu efficace, selon les tests indépendants. Séchez avec un sèche-cheveux pour éviter la formation d'une auréole.

Un **WS**, plus rare, indique que l'eau et le nettoyant à sec doivent être combinés. Complexe, cette procédure gagne à être laissée aux soins des spécialistes. Ne passez que l'aspirateur.

Le principal danger posé par l'utilisation d'un nettoyant est la décoloration irréparable du tissu. Ne tentez pas votre chance et testez le nettoyant sur un coin caché en l'appliquant avec un chiffon blanc. Si la couleur du tissu apparaît sur le chiffon, consultez un professionnel.

DÉTACHER UN RECOUVREMENT EN TISSU

Lors d'un dégât, épongez immédiatement, même si le tissu a une protection antitache. Sur les coussins, ouvrez la fermeture éclair, insérez des essuie-tout ou un chiffon, puis procédez comme pour les autres endroits du fauteuil.

Apposez le chiffon humecté de détachant sans frotter. Repliez-le dans tous les sens jusqu'à ce qu'il ne récupère plus de traces du dégât. Consultez la section des *Taches sur les fauteuils* **(p. 131)** pour le traitement des taches particulières.

Les détachants commerciaux sont à base de solvants dérivés du pétrole et généralement jugés nocifs pour la santé et l'environnement. N'utilisez surtout pas le format aérosol à cause des substances toxiques qu'il est facile d'inhaler par leur bruine. Et ne nettoyez jamais un fauteuil entier avec un chasse-taches détachant pour éviter de vous exposer à ses émanations.

Un détachant pour tissu de recouvrement maison **(p. 233)** très simple peut faire beaucoup pour les taches légères non graisseuses : 45 ml (3 c à s) d'eau dans 60 ml (4 c à s) de savon à vaisselle liquide translucide. Faites mousser en brassant ou en fouettant. Appliquez en apposant sans frotter. Épongez. Ne pas détremper le tissu et la bourre.

NETTOYER UN RECOUVREMENT EN TISSU

Laissez de préférence aux professionnels la tâche délicate de nettoyer un recouvrement de tissu en profondeur. La bourre est faite de matériaux très variables qui peuvent faire apparaître des marques sur le tissus. Des défauts peuvent aussi se manifester.

Pour procéder par vous-même, prélevez avec soin les dégâts de nourriture séchée avant de nettoyer le reste du recouvrement.

Les petits coussins peuvent être nettoyés selon les indications données sur leur étiquette ou selon les indications pour les oreillers **(p. 62)** si le tissu le permet.

Ne lavez pas les enveloppes de coussin après les avoir retirées, même si la présence de fermeture éclair y invite. Elles peuvent rétrécir au point d'être trop petites, et ce d'autant plus si les fibres du tissu sont naturelles. Les fermetures éclair sont là afin de pouvoir remplacer la bourre, et non pour laver les housses séparément.

Parce que le principal danger posé par l'utilisation d'un nettoyant est la décoloration irréparable du tissu, effectuez un test sur un coin caché du tissu en l'appliquant avec un chiffon blanc. Si de la couleur apparaît sur le chiffon, consultez un professionnel. Sinon, laissez ensuite reposer de 5 à 10 minutes et vérifiez s'il y a altération de la couleur sur le tissu avant de continuer.

Des appareils à vapeur sont offerts en location pour le nettoyage à l'eau chaude. Vérifiez l'innocuité du détergent offert avec l'appareil comme indiqué plus haut. Procédez sans trop appliquer d'eau pour minimiser les risques de dégâts. Une journée devrait suffire pour le séchage si vous ouvrez les fenêtres et recourez à des ventilateurs, quand il y en a. Il est aussi possible de procéder avec un nettoyant en shampooing.

Après tout nettoyage, une fois la zone asséchée, passez l'aspirateur pour extraire les résidus de taches et de détergent.

Les marques de détergent et shampooing suivantes se présentent comme plus sécuritaires. Ce type de produit offre vraiment très peu de choix quand on en recherche un plus sécuritaire.

- Nature Clean Nettoyeur pour tapis et meubles rembourrés (5,74 $ le format de 500 ml). Malheureusement, pas d'analyses d'efficacité indépendantes.
- Bissel Nettoyant à capitonnage (5,79 $ le format de 340 g). La même marque offre le nettoyant à tapis en shampooing jugé plus sécuritaire : on se contente ici d'espérer que le nettoyant à capitonnage est similaire. Pas d'analyses d'efficacité indépendantes non plus.

Un nettoyant de type shampooing est simple à confectionner à la maison. Il fera une bonne partie du travail. Vérifiez toujours la résistance des couleurs comme indiqué plus haut.

- Ajoutez un jet – 3 ml ($1/2$ c à c) – de savon à vaisselle liquide translucide dans 250 ml (1 t) d'eau. Faites mousser en brassant ou en fouettant. Appliquez avec une brosse douce ou une éponge en frottant très légèrement dans le sens du droit-fil du tissu. Ne détrempez pas le tissu et allez-y par petites sections.
- Rincez à l'eau avec une éponge de façon à éliminer tout à fait le savon, sinon la saleté adhérera plus vite au tissu par la suite.

La marque Bio-Vert a commercialisé récemment un Nettoyant détachant à tapis et tissus de fauteuils qui s'attaque à la source même des odeurs en « digérant » les matières organiques. Voir les explications à la rubrique *Chasse-odeurs pour usages variés* (p. 189).

NETTOYER UN RECOUVREMENT EN CUIR
Évitez l'exposition directe du cuir au soleil, qui l'assèche. Époussetez régulièrement avec l'aspirateur muni d'une buse douce.

Lisez le mode d'emploi du manufacturier avant de laver. Habituellement le cuir se nettoie avec un chiffon humide passé sur un savon régénérant pour le visage ou à base de glycérine. Utilisez une brosse à dents douce pour les replis et asséchez. Utilisez aussi peu d'eau que possible.

Selon l'intensité de l'usage, appliquez un traitement régénérateur une ou deux fois par an: 250 ml (1 t) d'huile de lin pour 125 ml (½ t) de vinaigre blanc. Agitez bien. Appliquez avec un chiffon, polissez soigneusement avec un autre; changez de chiffon au besoin. Laissez reposer et polissez à nouveau le lendemain avant de réutiliser le fauteuil.

FENÊTRES ET VITRES EXTÉRIEURES

Nettoyer l'extérieur des vitres double la clarté qui pénètre dans un logis. Il faut savoir s'y prendre pour limiter pareillement la lourdeur de la tâche.

PROCÉDÉ

Ne nettoyez que lorsque la saleté est suffisamment apparente pour être incommodante ou disgracieuse, ce qui peut survenir une à deux fois par an selon les conditions de l'environnement extérieur.

Puisque le côté extérieur des fenêtres ne peut être lavé sans enlever les moustiquaires, profitez de l'occasion pour les nettoyer elles aussi: voyez comment vous y prendre **(p. 111)**. Débarrassez d'abord les cadres de la saleté. Époussetez-les avec l'aspirateur puis lavez-les avec une solution d'eau chaude et de nettoyant à vaisselle liquide. Délogez les traces prononcées de dépôts minéraux sur les vitres en frottant délicatement avec un chiffon mouillé saupoudré de bicarbonate de soude. Les taches tenaces sur le pare-brise des automobiles se traitent de la même façon. Lavez et rincez.

Quand vient le temps de faire les vitres, attention de ne pas tout simplement étendre la saleté avec des chiffons et une eau sales. Le travail se trouve alors multiplié et les résultats… divisés! Évitez de vous atteler à la tâche par soleil trop intense, sinon la saleté séchera avant de pouvoir être enlevée.

Prévoyez deux chaudières, une pour le nettoyant, l'autre pour rincer l'éponge servant à appliquer le nettoyant constitué de 60 ml (¼ t) de vinaigre dans un sceau d'eau chaude. Pour des surfaces moindres, vous pouvez utiliser un mélange moitié moitié d'eau et de vinaigre, qui sera très efficace.

Appliquez le nettoyant et frottez légèrement pour soulever la saleté. Rincez l'éponge dans la seconde chaudière servant à accumuler la saleté. Ce procédé peut étonner mais il permet de ne pas se retrouver à barbouiller les vitres avec un nettoyant de plus en plus souillé – surtout si la surface à nettoyer est considérable.

Avec la raclette, faites un premier trait horizontal dans le haut puis nettoyez du haut vers le bas, en croisant les passages et en arrêtant avant de toucher le bas. Faites un dernier trait horizontal au bas. Si la lame de la raclette est de moindre qualité, elle adhérera moins bien et de façon irrégulière. Ses extrémités seront trop fragiles pour appuyer sur la vitre et laisseront une traînée de liquide le long des bords. Utilisez un chiffon humide pour essuyer les surplus de nettoyant sur la raclette sans l'assécher, ce qui diminuerait son adhérence. Essorez l'éponge après l'avoir trempée dans la solution afin d'avoir juste la quantité nécessaire de nettoyant et pour limiter les dégoulinements. Essuyez gouttes et écoulements sur le cadre. Une efface à tableau noir aidera à enlever les stries résiduelles sur le verre.

ACCESSOIRES

Il est parfois nécessaire d'aller dans les quincailleries à grande surface pour trouver un outillage de qualité suffisante. L'investissement se justifie selon l'ampleur des fenêtres à laver.

RACLETTE

Une raclette qui adhère bien à la vitre – donc d'assez bonne qualité – fait l'unanimité, chez les spécialistes, pour assécher les vitres quand elles sont assez larges pour en permettre l'utilisation. Elle fait épargner bien du temps quand il faut laver des vitres abondantes. Une raclette de moindre qualité essuie inégalement et laisse des traînées.Le papier journal a le défaut de créer de l'électricité statique qui accélère l'accumulation de la poussière, en plus de laisser des marques d'encre sur le pourtour. La possibilité d'ajouter une rallonge à la raclette est utile pour les fenêtres haut perchées. Une raclette de 25-35 cm de largeur est idéale, selon le genre des fenêtres de la maison. Il vaut la peine de s'en procurer une de meilleure qualité que celles qui servent d'habitude pour les voitures.

CHIFFON À ÉPOUSSETER (GENRE FLANELLE)

Légèrement humide et rincé au fur et à mesure, ce type de chiffon doux, genre flanelle, fait du bon travail pour ramasser la poussière un peu partout autour des fenêtres.

CHIFFONS À VITRES

Les chiffons à microfibres sont très appréciés et limitent au minimum la quantité de nettoyant requise. Par ailleurs, les chiffons en coton sont beaucoup plus absorbants que les chiffons en fibres synthétiques non faits de microfibres.

Les chiffons laissent invariablement un peu de charpie, raison pour laquelle certains préfèrent utiliser une petite raclette et compléter avec quelques morceaux d'essuie-tout. De vieilles serviettes en ratine recyclées font l'affaire.

102

NETTOYANTS À VITRES

Recourez au nettoyant à vitres pour toutes les surfaces de verre comme les miroirs. Préférez, comme les professionnels, des nettoyants tout simples de fabrication maison. Voyez à la rubrique *Nettoyants à vitres maison* (p. 237) les nettoyants les plus souvent recommandés par les experts pour l'usage du commun des mortels. Faites votre choix selon ce que vous avez sous la main et la tâche à accomplir.

Certaines marques de nettoyant à vitres contiennent de la cire. Éliminez-la avec de l'alcool à friction sur les surfaces qui ont été nettoyées avec ces produits, sinon le nettoyant maison donnera l'impression de ne pas fonctionner. La cire s'enlève aussi avec le nettoyant tout usage, en appliquant un peu de bicarbonate de soude aux pires endroits ; rincez avec une solution de vinaigre et d'eau. C'est un peu fastidieux mais définitif.

GRATTOIR

Les grattoirs à peinture sont très utiles pour enlever les dépôts divers sur les vitres. Les tampons de laine d'acier avec savon, pour la cuisine, endommagent le verre. Un tampon de laine d'acier doux ou moyen peut servir, mais jamais sur le verre teinté.

ÉPONGE À RÉCURER

Large, épaisse et douce, l'éponge à récurer (p. 268) sert à appliquer la solution.

CHAUDIÈRES

Deux chaudières solides et qui ne verseront pas sont nécessaires : l'une pour la solution nettoyante, l'autre pour extraire la saleté de l'éponge. Toutes deux doivent être assez larges, donc rectangulaires, pour laisser pénétrer la raclette utilisée.

EFFACE À TABLEAU

Aide à donner un fini étincelant et à éliminer les stries occasionnelles.

FLEURS ARTIFICIELLES

Les fleurs artificielles peuvent être nettoyées en les secouant dans un sac avec une bonne quantité de sel, durant deux ou trois minutes, ou plus au besoin. Enlevez le sel ensuite en secouant délicatement dehors. Les fleurs de soie peuvent être placées dans un filet à fermeture éclair (p. 269) ou une taie d'oreiller, et passées au cycle sans chaleur du sèche-linge durant un quart d'heure.

FOUR À MICRO-ONDES

Pour un nettoyage léger, chauffez un chiffon humide placé au centre du plateau pendant deux minutes. Secouez le chiffon pour ne pas vous brûler et profitez de l'humidité produite dans le micro-ondes pour le nettoyer. Le chiffon se trouve en même temps désinfecté. Des dépôts plus considérables peuvent requérir de chauffer la moitié d'un bol d'eau durant trois minutes. Épongez ensuite la saleté détachée par la vapeur. Une solution de 15 ml (1 c à s) de bicarbonate de soude et 250 ml d'eau chaude appliquée avec un chiffon chassera les odeurs. Rincez. Séchez.

Chauffer dans le four 4 tranches de citron ou 30 ml (2 c à s) de jus de citron dans un bol, pendant une minute, élimine aussi la majeure partie des odeurs. Il faut deux minutes au micro-ondes, à pleine puissance, pour éliminer plus de 99 % des bactéries sur éponges, brosses en plastique et torchon mouillés.

FRUITS ET LÉGUMES

Lavez vos fruits et légumes à l'eau chaude, mais non brûlante, pour réduire la quantité de pesticides, éliminer les saletés et vous protéger contre les intoxications alimentaires reliées à la contamination bactérienne survenant lors de la manipulation des aliments. Mais sachez que vous n'éliminerez pas tous les pesticides, certains se trouvant dans l'aliment lui-même.

Des nouvelles concernant la contamination des légumes par la bactérie *E. coli* font régulièrement l'actualité. Avant de les manger, il est recommandé de laver avec soin, sous l'eau courante, même les fruits et légumes prélavés et à triple lavage.

Ne lavez pas vos fruits et légumes trop longtemps avant de les consommer ; des bactéries auraient le temps de se développer. Rincez-les au moment de les manger, et évitez de les laver avec du savon, qui peut laisser des résidus. Dès votre retour du marché, faites tremper les fruits et légumes que vous mangez sans préparation : laissez-les tremper durant une minute, puis rincez-les et mettez-les à égoutter.

GARAGE

Lorsque votre garage est pris en main, tel que suggéré à la rubrique sur les zones de à problèmes, au début du livre, l'entretien se limite à ranger, passer l'époussette rondement en ayant à l'œil toiles d'araignées et mouches. On prendra soin d'enlever les dégâts au sol, de balayer et passer une vadrouille à franges mouillée.

L'entrée de garage se nettoie aisément avec un compresseur à eau **(p. 265)** qui s'achète ou se loue à peu de frais. En cas de dégât d'huile ou autre, saupoudrez de la litière à chat que vous écrasez du pied. Laissez reposer. Ramassez. Répétez au besoin.

Appliquez sur la tache résiduelle – et d'autres –, une pâte d'eau chaude et de détergent à lave-vaisselle ou de détergent à lessive. Faites pénétrer en brossant. Laissez reposer toute la nuit si la tache est importante. Rincez en profondeur.

Utilisez au besoin une autre solution plus puissante. Saupoudrez du phosphate trisodique (PTS) **(p. 248)** et ajoutez juste assez d'eau chaude pour constituer une mince pâte. Frottez vigoureusement. Laissez reposer 30 minutes. Rincez. Répétez au besoin. Utilisez des gants imperméables.

GAZON

Voir *Extérieur, entretien* **(p. 98)**.

GRAS SUR PAPIER PEINT

Le gras sur un mur avec papier peint non lavable peut parfois être récupéré en appliquant une pâte de fécule de maïs et d'eau sur le dégât. Laissez sécher, puis ramassez à l'aspirateur.

Autre solution : appliquer le fer à repasser sur un chiffon épais et non coloré (ou sur plusieurs épaisseurs d'essuie-tout) lui-même placé sur le dégât. Répéter tant qu'il y a progrès. Sur les autres murs moins fragiles, le gras s'éponge puis se nettoie avec le nettoyant tout usage que vous laissez reposer quelques secondes avant de rincer et d'essuyer. En cas d'incertitude, testez le nettoyant sur un coin caché. Au besoin, essayez ensuite d'appliquer la pâte de fécule de maïs et d'eau. Laissez sécher, passez l'aspirateur.

GRIFFONNAGES SUR LES MURS

Sur les murs revêtus de papier peint lavable, frottez délicatement avec une éponge à récurer humide et un peu de bicarbonate de soude et d'eau.

Sur les murs peints, appliquez un peu de lubrifiant antirouille sur les dessins et essuyez avec des essuie-tout. Nettoyez le résidu avec du nettoyant à vaisselle.

HOTTE DE CUISINE

L'entretien régulier permet à la hotte d'accumuler en une année jusqu'à 30 kg de gras, avec un usage normal. Il s'agit de 30 kg de graisse mélangée à de la poussière, qu'il faudra enlever autrement sur toutes les surfaces environnantes.

Bruit de fonctionnement et difficulté d'entretien sont les deux motifs pour lesquels la hotte n'est pas utilisée et nettoyée autant qu'il le faut pour diminuer l'entretien du logis et sa dégradation par l'humidité. Voyez le résumé des recommandations issues du test sur les hottes **(p. 270)** effectué par *Protégez-Vous*[22].

L'entretien d'une hotte bien conçue se fait en un tournemain, tandis que certains modèles sont pleins de recoins sous les filtres. Nettoyez le gras des parois avec une éponge savonneuse. Lavez le filtre à graisse métallique avec la vaisselle.

Changez le filtre au charbon qui s'ajoute au filtre métallique, sur les hottes sans conduit d'aération vers l'extérieur, de une à quatre fois l'an selon l'utilisation.

Lavez les hottes avec conduit vers l'extérieur un mois sur deux comme suit. Faites tremper les pièces détachables comme le filtre dans un évier d'eau chaude savonnée avec 2-3 jets de nettoyant liquide à vaisselle. Récurez avec un tampon en nylon, jamais en acier. Passez une éponge savonneuse sur les composants restés en place.

HUMIDIFICATEUR

Un humidificateur doit être entretenu régulièrement sinon bactéries, champignons et moisissures vont proliférer, se diffuser et vous rendre malade. Suivez les instructions particulières du manuel et maintenez le taux d'humidité du logis entre 30 et 50 %.

L'entretien inclut un changement quotidien de l'eau : videz entièrement le réservoir, passez une éponge à récurer humide sur les parois, rincez.

Détartrez l'élément chauffant des humidificateurs à air chaud régulièrement pour éviter toute surchauffe. Utilisez du simple vinaigre de préférence, car les nettoyants proposés par les fabricants sont habituellement toxiques. Enlevez les joints d'étanchéité et nettoyez-les avec un nettoyant à vaisselle translucide. Toujours bien rincer le tout.

Un trempage dans une eau très vinaigrée suffit à désencrasser le filtre à mèche des résidus qu'il a pour fonction de retenir.

Toutes les deux semaines, minimum, il est recommandé de désinfecter le réservoir de tous les types d'humidificateurs. Le vider puis y laisser reposer le nettoyant à humidificateur suivant : 4 l d'eau et 5 ml (1 c à c) d'eau de Javel. Laisser reposer 20 minutes. Rincer. Voilà une rare occasion d'utiliser votre restant de blanchisseur javellisant (eau de Javel), mais en quantité minimale.

Certains experts déconseillent tout à fait l'utilisation du blanchisseur javellisant : le risque est d'inhaler ses résidus propulsés dans l'air par l'humidificateur. Ces experts proposent un nettoyant à base de vinaigre. Mais le problème avec le vinaigre est qu'il n'élimine pas certaines bactéries. Est-il suffisant pour l'humidificateur ? Il existe ici une zone d'ombre. Une instance officielle comme la SCHL déconseille maintenant l'utilisation de désinfectant javellisant pour éliminer les moisissures sur les murs. Elle recommande un bon nettoyage suivi d'un bon asséchage. Une stratégie similaire convient-elle pour l'humidificateur ?

Il est possible d'essayer ce qui suit pour voir si l'on s'en porte bien. Laissez reposer de l'eau avec une bonne quantité de vinaigre dans le réservoir – à moins que le fabricant ne donne des indications plus claires.

Il existe cependant une alternative au blanchisseur javellisant (l'eau de Javel) et au vinaigre, alternative qui possède les mêmes propriétés désinfectantes. Bien que supérieur à celui du blanchisseur javellisant, le coût de ce concentré demeure minime. Ajoutez aux 4 l d'eau 15 gouttes de concentré liquide d'extrait de pépins de pamplemousse standardisé (Citricidal à 33 % avec glycérine végétale alimentaire). Le contenant de 60 ml de Citricidal est assez onéreux, mais il permet de nettoyer l'humidificateur près de 80 fois.

L'eau de Javel pose des problèmes de corrosivité, de santé et d'environnement. Elle abîme prématurément tissus et surfaces. Elle cause des irritations et des démangeaisons. Elle s'allie à d'autres substances dans les eaux de rejet pour former un composé nocif pour l'environnement. C'est une solution limite que l'on réservera à un usage le plus restreint possible.

JARDINAGE

Voir *Extérieur, entretien* **(p. 98).**

JOUETS, HOCHETS

N'utilisez pas un nettoyant désinfectant sur les parties de gros jouets souvent touchées par l'enfant et sur ce qui entre souvent en contact avec sa bouche. Utilisez un simple nettoyant tout usage. Asséchez ensuite avec soin.

Lavez les hochets et autres petits jouets de plastique dans un panier du lave-vaisselle. Les animaux de peluche peuvent être imprégnés de bicarbonate de soude, laissés dans un sac de plastique pendant 8 ou 10 heures, puis brossés vigoureusement – à l'extérieur de préférence pour limiter les dégâts.

JOINTEMENTS DE TUILES, SALLE DE BAINS

Le ciment des jointements entre les tuiles est le plus souvent très friable et peut être récuré avec une simple brosse à dents ou l'équivalent.

Pour un nettoyage en profondeur, tremper la brosse dans un mélange de 125 ml ($1/2$ t) de bicarbonate de soude, 60 ml ($1/4$ t) de cristaux de soude et 60 ml ($1/4$ t) d'eau chaude – la chaleur aide à dissoudre les deux premiers. Le mélange est plus efficace avec les cristaux de soude, mais fonctionne aussi sans, grâce à la nature abrasive du bicarbonate. Porter des gants parce que la soude dissout aussi l'huile naturelle de la peau. Rincer à fond. Un peu de bicarbonate sera suffisant par la suite pour éliminer les taches occasionnelles.

Éviter les nettoyants puissants habituellement vendus qui sont souvent peu efficaces, contiennent parfois du javellisant inutile et rendent les jointements poreux, donc plus prompts à accumuler la saleté. Cette façon de faire n'a aucun sens.

Ne comptez pas sur les protège-jointements liquides commerciaux pour éviter l'adhérence de la saleté. Après requête, un fournisseur typique d'une grande marque évoquait une note, inscrite en petits caractères sur le contenant, note qui spécifie que le produit ne protège que contre les taches d'eau et les moisissures : pas contre la saleté courante. Il ne connaît pas de produit évitant l'accumulation des taches.

LAVE-VAISSELLE

On n'a qu'à considérer comme le débit d'une pomme de douche peut être diminué par les dépôts minéraux pour comprendre l'importance de l'entretien du lave-vaisselle.

Éliminez facilement les dépôts d'eau dure sur les parois avec le nettoyant à dépôts minéraux pour lave-vaisselle maison suivant : videz le lave-vaisselle, placez sur l'étage du haut un bol propre contenant 125 ml ($^1/_2$ t) de vinaigre blanc.

Lancez le cycle régulier sans ajouter de détergent. Au besoin, répétez et augmentez la quantité de vinaigre.

MEUBLES DE JARDIN

Utilisez le compresseur à eau **(p. 265)** pour tout nettoyer – murs de brique, tables, chaises. Même pas besoin de nettoyants. Seul inconvénient : l'appareil se vend un peu plus de 200 $ et ne sert que deux fois par an (facilitez-vous la vie en empruntant celui de votre gentil voisin ou en louant l'appareil).

COUSSINS DE FAUTEUILS

Sur des coussins imperméables, pulvérisez un nettoyant tout usage **(p. 219)**. Laissez reposer 15 minutes. Arrosez avec le tuyau d'arrosage pour déloger saleté et nettoyant. Laissez sécher à l'ombre. N'appliquez pas de protège-tissus **(p. 251)**. Toutes les marques sont déconseillées pour des raisons de pollution permanente de l'environnement, de toxicité et d'apparition dans la soupe chimique corporelle d'une majorité de gens… à travers le monde.

ARMATURE D'ALUMINIUM

Simplement les frotter avec une éponge à récurer en nylon trempée dans une eau additionnée de nettoyant liquide à vaisselle.

Éviter les tampons en laine d'acier qui éraflent et rendent les surfaces poreuses, donc portées à accumuler la saleté. Éviter aussi l'emploi de bicarbonate de soude, d'ammoniaque et de phosphate trisodique (PTS) sur l'aluminium.

Une solution moitié-moitié de vinaigre et d'eau peut aider à enlever des résidus et redonner de l'éclat.

MEUBLES DE PLASTIQUE

Ils se nettoient à l'eau additionnée d'un bon nettoyant tout usage en pulvérisateur **(p. 221)**. Rincez. Asséchez. Les nettoyants conçus expressément pour ces meubles ne sont d'aucune utilité, selon divers experts.

Tout abrasif, nettoyant ou tampon à récurer autre qu'en nylon abîmera le poli des surfaces surtout lorsqu'elles sont neuves.

Les meubles anciens devenus très poreux auront besoin d'abrasifs pour redevenir réellement propres, mais ils accumuleront la saleté à nouveau dans le temps de le dire, à cause de leur porosité accrue par notre action. Il leur faudrait un scellant appliqué juste après le nettoyage, mais il n'en existe pas spécifiquement pour cela. En parler à votre quincaillier.

Sur le plastique blanc (une mauvaise idée : préférez le plastique vert), pulvérisez directement le nettoyant. Laissez reposer pendant 15 minutes avant de rincer. Si vous utilisez un compresseur à eau **(p. 265)**, attention de ne pas endommager le fini et de le rendre poreux avec une pression trop forte.

Sur une saleté incrustée, appliquer avec une éponge à récurer et des gants une solution de 60 ml (4 c à s) de détachant en poudre de la marque Bio-Vert ou Brio Magic dissous dans un fond d'eau chaude, additionné de 4 l d'eau tiède. Laisser reposer 3 minutes, frotter au besoin, rincer.

MEUBLES – ENTRETIEN DU BOIS

Bien identifier le type de fini du bois des meubles avant d'utiliser une solution. Et favoriser les solutions maison réputées plus simples, efficaces et économiques.

SALETÉ

Quand il ne s'agit pas de polir mais bien de nettoyer, la saleté s'enlève avec un simple chiffon humide, et non détrempé, qui a été plongé dans une solution de 1 l d'eau additionné de 3 ou 4 gouttes de nettoyant à vaisselle liquide translucide. Rincer. Sécher en polissant.

ÉGRATIGNURES

Se masquent avec les crayons de cire que l'on trouve en quincaillerie, de couleur semblable à celle du meuble. Sécher au sèche-cheveux et polir.

LES POLIS À MEUBLES

Les produits commerciaux sont toujours déconseillés en format aérosol à cause du danger d'inhalation de leur bruine chargée de substances toxiques. Il existe des polis à meubles commerciaux non aérosol, comme le Pledge Poli à meubles, Pulvérisateur, mais leur utilité n'est pas du tout évidente – voir les explications **(p. 249)**.

Appliquer et polir sont deux opérations différentes qui nécessitent deux chiffons doux différents. Voici des solutions maison sécuritaires tout à fait efficaces, simples et économiques.

MEUBLES DE BOIS VERNI

Passer une fois par semaine un chiffon doux trempé dans le poli suivant. Noter que l'essence d'un poli étant d'être constitué d'un corps gras qui revitalise le bois, il est contradictoire de vouloir appliquer un poli sur un bois scellé par un vernis. Mais c'est une habitude tellement ancrée chez certaines personnes qu'il vaut mieux proposer la solution suivante qui a le mérite d'être entièrement sécuritaire. Mélanger dans un contenant à pulvérisateur 10 ml (2 c à c) d'huile d'olive, 60 ml (4 c à s) de vinaigre blanc et 500 ml (2 t) d'eau chaude, additionnée de 20 gouttes d'huile essentielle naturelle au citron pour le plaisir. Agiter et appliquer directement ou sur un chiffon doux. Essuyer immédiatement.

MEUBLES DE BOIS NON VERNI

Nettoyer régulièrement avec un chiffon à peine humide. À l'occasion, utiliser le poli à meuble suivant. Emplir un contenant à bec gicleur – pour éviter le blocage – de 250 ml (1 t) avec une solution de 75 % (190 ml) d'huile d'olive et 25 % (60 ml) de vinaigre blanc. Parfumer avec au plus une dizaine de gouttes d'huile essentielle naturelle au citron, pour le plaisir. Agiter assez pour bien mélanger avant utilisation. Appliquer sur un chiffon doux ou directement. Polir à fond.

MEUBLES DE BAMBOU

Frotter avec un chiffon doux trempé dans une solution d'eau chaude salée. Le sel aide à préserver la couleur d'origine.

MICROBES – DANS LA CUISINE

Maintenez la température du réfrigérateur à moins de 5 °C (40 °F) pour limiter la prolifération bactérienne, en ajustant le contrôle d'après un thermomètre placé dans le réfrigérateur. Bonne nouvelle : laisser sécher la vaisselle à l'air libre plutôt que de l'essuyer limite les risques d'exposition à un linge à vaisselle contaminé. Avec la salle de bains, la cuisine est la principale source de prolifération des germes et bactéries potentiellement dommageables pour la santé. Et c'est par les mains que se transmettent le plus souvent les agents pathogènes.

Pour se protéger, il suffit de se laver les mains à l'eau chaude savonneuse, durant 17 à 20 secondes, le temps de réciter l'alphabet. Bien rincer. Répéter surtout après être allé à la toilette, avoir touché des viandes, volailles et poissons crus, ou avoir toussé ou touché quelqu'un qui a la grippe. On fait au mieux.

SAVONS À MAINS ANTIBACTÉRIENS

Résistez à l'idée d'utiliser un savon qui désinfecte (les savons à mains dits antimicrobiens). C'est une mauvaise idée. À base de triclosan, ils sont inutiles, puisqu'ils n'éliminent pas les bactéries (*E. coli*, salmonelle) et les virus (grippe) qui nous rendent malades. Pire, on les soupçonne de renforcer les bactéries. Voir la rubrique sur les lotions à mains désinfectantes (p. 213) et sur la désinfection (p. 29) pour des explications détaillées. Bien comprendre qu'il faut enlever la saleté sur les mains avant de pouvoir les désinfecter avec la lotion. Se frotter les mains durant 15 secondes avec la lotion pour qu'elle fasse effet.

ÉPONGES, SERVIETTES

Jeter vos éponges d'usage courant chaque mois : c'est l'objet contenant le plus de micro-organismes, cuisine et salle de bains comprises.

Lorsqu'elles sentent mauvais, les mouiller et les mettre durant deux minutes au micro-ondes à puissance maximale ou les passer au lave-vaisselle. Le faire idéalement chaque jour mais au moins de temps à autre. Un chiffon humide sera désinfecté pareillement : après deux minutes, utilisez la vapeur qui a fait décoller la saleté pour nettoyer le four avec le chiffon. Attention, c'est très chaud.

Remplacez les linges à vaisselle et serviettes à mains souvent, puisque, à défaut de se laver les mains durant une vingtaine de secondes régulièrement, ce sont eux qui récoltent toutes les merveilles de la vie microbienne.

Utilisez les essuie-tout en papier pour ramasser les jus de viande. Mettre leurs emballages de plastique *tout de suite* à la poubelle.

Faites passer les viandes directement de leur emballage au contenant de cuisson. Sinon, utilisez une planche de travail remisée immédiatement au lave-vaisselle après usage ou lavée à l'eau chaude et au nettoyant. L'eau très chaude et savonneuse du lave-vaisselle désinfecte ce que l'on y dépose. Conservez et manipulez viandes, volailles et poissons sur des espaces séparés de ceux qui servent pour les autres aliments. Désinfectez au besoin seulement.

Le tiers des empoisonnements vient de la contamination croisée d'aliments sains par des résidus sur une planche de travail contaminée : ne pas utiliser la même planche de travail et les mêmes couteaux et accessoires pour volaille, viande et poisson que pour les autres aliments. Poignées du robinet et du réfrigérateur sont aussi susceptibles d'être touchées par des mains contaminées.

Quand viandes et jus de viandes viennent en contact par inadvertance avec le comptoir, durant leur transfert entre l'emballage et le contenant de cuisson, ou avec une planche de travail qui ne va pas au lave-vaisselle, il peut être prudent de les désinfecter.

Notez que des analyses montrent que, la plupart du temps, le simple fait de nettoyer le comptoir à l'eau chaude et au nettoyant est suffisant pour le débarrasser de ce qui peut nous rendre malade.

Bien humecter les surfaces contaminées avec un linge trempé dans une solution désinfectante (p. 198) – 3 ml d'eau de Javel dans 1 l d'eau. Le temps de séchage est le même qui est requis pour que la solution exerce son pouvoir désinfectant. Il ne reste aucun résidu toxique. Inutile de mettre plus d'eau de Javel. Laissez reposer cinq minutes sur la planche le temps que la solution sèche. Ou laissez tremper les ustensiles dans la solution et les laisser égoutter pour un temps similaire.

Pour qui désire éliminer tout recours à l'eau de Javel, 30 gouttes de Citricidal (à 33 % avec glycérine végétale alimentaire) dans l'eau où sont mis à tremper des ustensiles

les désinfectent. Une vingtaine de gouttes sur la planche de travail étendues avec une éponge humide et laissées à reposer 30 minutes désinfectent aussi. Il importe de nettoyer avant d'appliquer un désinfectant.

Ne pas laisser traîner la vaisselle sale pour limiter la prolifération bactérienne. Sortez les ordures régulièrement et ne les laissez pas s'accumuler à découvert.

Ces nouveautés que sont les planches de travail et autres produits dits antibactériens – habituellement imprégnés de triclosan – ne protègent qu'eux-mêmes. Ils ne désinfectent même pas leur surface d'où risque de se propager la contamination. Un gadget inutile.

MIROIRS

Évitez de pulvériser le nettoyant à vitres directement sur le miroir, l'appliquer plutôt sur le chiffon. Les taches noires sur les bords de miroirs sont souvent causées par l'humidité infiltrée entre le cadre et le verre par le pulvérisateur. Mieux encore, éliminez le recours aux nettoyants en utilisant un chiffon à micro-fibres avec de l'eau. Voir la rubrique *Vitres intérieures, miroirs et céramique* (p. 127) pour d'autres informations. Procédez de la même façon pour les cadres : humectez le chiffon et nettoyez.

MOUSTIQUAIRES

Profiter du moment où on lave les fenêtres pour nettoyer aussi les moustiquaires, qui doivent alors de toute façon être enlevées pour laver le côté extérieur des vitres.

NETTOYAGE EXPÉDITIF

Il existe une solution expéditive mais ingénieuse pour assurer un nettoyage minimal régulier de la face externe des moustiquaires. C'est sur cette surface que se ramasse la majeure partie de la saleté.

Il s'agit de fermer les fenêtres et d'arroser au tuyau d'arrosage. Mieux encore, utilisez un compresseur à eau (p. 265) ou l'un de ces pistolets à pression avec réservoirs qui se fixent sur le tuyau d'arrosage pour nettoyer (certains servent aussi à pulvériser divers produits dans le jardin). Ajoutez un jet de nettoyant liquide à vaisselle dans le réservoir. Arrosez les moustiquaires et laissez agir quelques minutes. Rincez ensuite avec soin. Le compresseur à eau donnera un meilleur résultat, mais attention à la puissance du jet pour ne pas endommager les vitres.

NETTOYAGE À FOND

Pour un nettoyage exhaustif, commencez par passer l'aspirateur avec la buse à poils pour éliminer une part substantielle de la saleté, tant sur la moustiquaire que sur le cadre, une fois celui-ci retiré. Inscrivez un numéro caché dans un coin des fenêtres et sur le coin attenant des moustiquaires avant de les retirer : un moyen efficace pour s'y retrouver au moment de les replacer.

Portez les moustiquaires à l'extérieur et appuyez-les contre un mur. Mouillez-les des deux côtés avec le tuyau d'arrosage ou une éponge pour décoller la saleté. Récurez-les ensuite des deux côtés avec une brosse trempée dans une solution faite d'eau chaude et de nettoyant liquide pour la vaisselle. Rincez avec le tuyau d'arrosage ou l'éponge et secouez-les pour éliminer le surplus d'eau. Essuyez ou asséchez avant de réinstaller.

MURS

Le lavage des murs interrompt la dégradation de leur fini et leur redonne de l'éclat sans qu'on ait à supporter les désagréments et les coûts nécessaires pour les repeindre. La saleté attire toujours la saleté, et de plus en plus vite. Le travail que l'on s'épargne en ne nettoyant pas les murs au besoin ne disparaît pas. La saleté contient aussi des moisissures, comme la poussière, dont on finit par inhaler les émanations. Elle participe à la fragilisation de notre santé.

Laver les murs est une opération plutôt simple, une fois connues quelques consignes. L'utilisation d'un balai à tête amovible et flexible diminue la tâche de moitié : les voisins en ont peut-être un.

Lors de rénovations, évitez les finis mats qui se lavent moins facilement que les finis brillants et semi-brillants. Réservez-les aux espaces où il y a moins d'activité. Contentez-vous de nettoyer couramment les taches dans les pièces moins utilisées, jusqu'à la prochaine opération peinture. Lavez les murs tous les deux ans, là où il y a plus de circulation et d'activité. Ceux de la cuisine peuvent requérir de l'être chaque année, si le ventilateur de la hotte n'est pas assez utilisé et entretenu.

La plupart des papiers peints d'aujourd'hui sont couverts d'une couche de vinyle permettant de les nettoyer avec la même solution que les autres murs. Avant de commencer, époussetez-les avec l'aspirateur ou une époussette en laine d'agneau **(p. 268)**. Testez la solution nettoyante dans un coin caché. Utilisez aussi peu d'eau que possible.

TACHES

Plusieurs taches s'enlèvent aisément avec ces gommes à effacer **(p. 270)** brunes qui s'émiettent facilement. Un peu de bicarbonate de soude sur un bout de chiffon mouillé viendra à bout de bien des taches plus résistantes en frottant délicatement.

Un lubrifiant antirouille **(p. 214)** est un peu plus efficace pour le crayon de cire, mais demande d'être ensuite lavé avec un jet de nettoyant liquide à vaisselle dans de l'eau chaude.

L'encre peut se nettoyer en l'épongeant avec un chiffon imbibé d'alcool isopropylique (à friction) tant qu'il y a transfert de la saleté sur le chiffon. Attention de ne pas agrandir la tache en utilisant trop de solution.

Le gras sur un papier peint non lavable peut parfois être récupéré en appliquant une pâte de fécule de maïs et d'eau sur le dégât. Laissez sécher et ramassez à l'aspirateur ensuite. Une autre solution est d'appliquer le fer à repasser sur plusieurs épaisseurs d'essuie-tout placées sur le dégât. Répétez tant qu'il y a progrès.

Sur les autres murs moins fragiles, le gras s'éponge puis se nettoie avec le nettoyant tout usage qu'on laisse reposer quelques secondes avant de rincer et d'essuyer. En cas d'incertitude, testez le nettoyant sur un coin caché. Au besoin, essayez ensuite d'appliquer la pâte de fécule de maïs et d'eau. Laissez sécher, passez l'aspirateur. Au besoin, essayez une poudre à récurer dégraissante maison **(p. 250)**.

Nettoyants et types de finis

La plupart des murs peuvent se nettoyer avec une solution d'eau additionnée d'un jet de nettoyant à vaisselle translucide et *doux*, ou de nettoyant tout usage. Rincez à l'eau. Un nettoyant dégraissant peut faciliter la tâche sur les murs plus sales mais se doit d'être testé dans un coin caché, surtout sur les finis mats.

Ne sautez pas l'étape du rinçage. Le rinçage permet de récupérer la saleté décollée par le nettoyant et les restes du nettoyant.

Les murs de bois ne requièrent souvent qu'un époussetage à la balayeuse. Ils se lavent avec un chiffon humide qui a été trempé dans la même solution. Ne trempez pas le mur et ne le laissez pas mouillé. Essuyez au fur et à mesure.

Si le mur est couvert d'un papier peint, assurez-vous qu'il tolère l'eau ou qu'il est à base de vinyle. Testez la solution dans un coin caché en cas de doute.

Les papiers peints qui se nettoient à sec requièrent d'utiliser ces éponges imprégnées de solutions nettoyantes que l'on trouve en quincaillerie. Malheureusement, ces éponges ne sont pas sécuritaires. Portez des gants et aérez généreusement si vous choisissez de les utiliser.

Façon de laver

Commencez en passant l'époussette **(p. 268)** ou l'aspirateur avec l'extrémité en brosse. Déposez une toile en tissu au sol pour récupérer l'égouttement et déplacez les meubles à proximité du mur pour épargner du temps.

Une éponge naturelle plutôt qu'en nylon est réputée faciliter la tâche de beaucoup. Un balai à tête amovible et rotative peut accélérer le boulot encore plus. N'utilisez pas le balai-éponge qui a servi pour les planchers si vous désirer en utilisez un. Travaillez prudemment pour ne rien abîmer. Commencez par le bas parce que les coulisses d'eau sale sur un mur sale sont plus difficiles à faire disparaître que celles sur un mur propre. Limitez autant que possible les écoulements en égouttant embouts, éponges et linges avant de les passer sur le mur. Ne prenez pas de pause lorsqu'un mur est à moitié lavé, sinon il y aura des traces.

Utilisez un seau d'eau savonneuse pour laver et un seau d'eau propre pour rincer. Fonctionnez avec une bonne éponge ou un bon chiffon pour chacun des seaux. Prenez une éponge dans chaque main. Si vous n'avez qu'une seule enveloppe de recouvrement pour le balai à tête amovible, rincez-la soigneusement avant de rincer murs et plafonds. Procédez par portions d'une grandeur que peuvent couvrir les bras. Passez les éponges doucement, surtout sur les surfaces mates qui sont plus fragiles.

Assécher avec un autre chiffon, quelques portions à la fois, permet d'éliminer résidus et traces d'eau. À la fin, nettoyez les plinthes avec la même solution.

NETTOYAGE À SEC

Laissez les vêtements nettoyés s'aérer durant toute une journée après les avoir débarrassés de leur enveloppe de plastique. Idéalement, laissez-les s'aérer durant six heures à l'extérieur du logis, et plus longtemps si l'odeur persiste.

Vérifiez si les machines de votre teinturier datent d'avant 1990, lorsque les prix sont *très* imbattables et lorsque le lieu et les vêtements dégagent fortement l'odeur caractéristique du solvant utilisé comme nettoyant – le perchloréthylène. Changez de teinturier, dans un tel cas, parce que les nouvelles machines récupèrent 99 % de ce solvant nocif pour la santé. Les travailleurs dans le nettoyage à sec ont des taux élevés de cancers du système digestif.

Si vous désirez qu'un vêtement soit lavé à l'eau plutôt que nettoyé à sec, spécifiez-le. Précisez où se trouvent les dégâts s'il y en a et ne tardez pas à porter les articles souillés à nettoyer. Autrement le dégât peut faire apparaître des traces à long terme qui sont presque invisibles sur le coup.

Plus vite le vêtement souillé est apporté chez le nettoyeur en donnant les explications sur l'origine de la tache, meilleures sont les chances d'obtenir un résultat satisfaisant. Il existe tout de même des dégâts qui ne s'élimineront jamais complètement.

La précaution nous incite à éviter les ensembles de nettoyage à sec maison, les sèche-linge n'étant pas conçus pour nous protéger des solvants.

Faire affaire avec un teinturier membre d'une association comme le Bureau d'éthique commerciale permet de recourir au service de médiation de cet organisme en cas de litige sur la qualité du service.

Il est possible de laver facilement à la maison de nombreux articles délicats (p. 60) censés requérir le nettoyage à sec : voir comment.

Deux nouveaux types de nettoyage à sec ont commencé à être diffusés aux États-Unis. Ils seraient selon toute vraisemblance beaucoup plus sains pour la santé et l'environnement. Au lieu d'utiliser le perchloréthylène, l'un (le plus efficace) utilise du dioxyde de carbone liquide, l'autre utilise un solvant à base de silicone. Lors de tests effectués par *Consumer Reports* (février 2003, p. 10), les deux se sont avérés plus efficaces et doux pour les tissus que le perchloréthylène – pour un prix semblable. Souhaitons voir ce type de nettoyeurs débarquer de ce côté de la frontière le plus tôt possible.

Pour réduire les visites au nettoyeur à sec, *Consumer Reports* conseille de suspendre les vêtements sitôt après les avoir portés, de les laisser reposer une journée entre chaque utilisation et de les laisser aérer avant de les ranger. Une brosse à vêtements permet d'en enlever la poussière de temps à autre. Voici quelques explications pour les consignes précédentes.

C'est quoi, le nettoyage à sec ?

Le procédé de nettoyage à sec est dit « à sec » parce qu'il n'utilise pas d'eau, bien qu'il s'effectue dans un milieu liquide. On parle de nettoyer pour désigner le nettoyage à sec, et de laver pour le lavage à l'eau additionnée de détergent à lessive.

114

Le solvant le plus utilisé lors du nettoyage à sec est le perchloréthylène. Il est classé par la EPA (Agence pour la protection de l'environnement des États-Unis) comme cancérogène potentiel. C'est donc un de ces produits douteux dont l'accumulation dans notre environnement personnel finit par poser problème et s'ajouter à notre soupe chimique corporelle.

Un pourcentage significatif des vêtements portés au teinturier n'ont besoin en réalité que d'être lavés. Ils n'ont pas besoin du nettoyage à sec qui est plus onéreux que le lavage, et plus nocif à cause des nettoyants qu'il requiert. Le teinturier agit habituellement en conséquence, sans le dire, parce que la majorité des gens ne font pas la différence quant au résultat final. On peut aussi laver à la maison bon nombre de vêtements prétendument réservés au nettoyage à sec, comme nous l'expliquons plus loin.

Le nettoyage à sec a causé des torts considérables à l'environnement, notamment aux nappes phréatiques qui sont contaminées pour longtemps parce qu'il en coûterait trop pour les épurer. L'enjeu est suffisamment sérieux pour avoir mobilisé gouvernements et commerces. Des progrès significatifs ont été réalisés en attente d'une réglementation qui demeure indispensable.

Un nettoyeur peut aujourd'hui réutiliser 99 % de la substance (perchloréthylène) utilisée comme nettoyant. Le reste peut être acheminé par un service spécialisé. S'il ne le fait pas, c'est à cause de l'ancienneté de son outillage, par ignorance, par négligence et parce que la clientèle ne pose pas de questions. Demandez à votre nettoyeur préféré s'il se conforme bien à ces procédures.

Une forte odeur de nettoyant dans le local du nettoyeur est une indication d'un outillage déficient, caractéristique de celui qui était fabriqué avant les années 1990. Des prix décidément trop imbattables signalent l'utilisation d'un tel outillage déficient qui laisse les vêtements imprégnés de la substance nettoyante réellement nocive pour la santé.

Un simple comptoir de service ne doit pas vous induire en erreur quant aux pratiques réelles du nettoyeur. Dans le dessein de limiter l'utilisation des nettoyants toxiques, gouvernements et commerces ont exploré diverses techniques de nettoyage à l'eau et à la vapeur regroupées sous l'appellation d'aquanettoyage.

Il s'est avéré que certains tissus et dégâts requièrent le nettoyage à sec, mais que la plupart peuvent être simplement lavés avec un détergent dans les machines à culbutage des nettoyeurs (les résidences utilisent de moins en moins les machines à agitation qui triturent et abîment les tissus délicats). Une exception de taille, les vêtements de laine qui requièrent beaucoup plus de manipulation, au repassage, après un lavage. Plus embêtant encore, la forme et la taille du vêtement peuvent être altérées à l'occasion de façon définitive – bourre, renforts et doublures pouvant être déstructurés par l'eau.

Un teinturier d'expérience ajoute qu'un vêtement de coton est plus beau lorsqu'il est lavé au détergent que quand il est nettoyé ; que les textiles sont de plus en plus lavables ; qu'un vêtement lavé est plus long à presser qu'un vêtement nettoyé, ce qui peut pousser certains teinturiers à nettoyer plutôt qu'à laver des articles sans autre raison. Il avoue – c'est un homme et le nettoyage est son gagne-pain – qu'il porte instinctivement un vêtement taché à nettoyer par crainte de l'endommager. En précisant qu'il voit trop souvent des vêtements irrémédiablement abîmés du simple fait qu'on ait frotté avec de l'eau un coin taché sur un tissu dont la coloration est fragile.

Le présent guide atteste qu'il est vrai que la prudence est de mise en cas de dégâts, mais il appert qu'avec les quelques informations requises sur le traitement des taches **(p. 129)**, il est aussi possible de se débrouiller et de diminuer le recours au teinturier, au gré des contraintes d'agenda qui sont les nôtres.

Nettoyage à sec maison

Les ensembles de nettoyage à sec pour la maison utilisent des solvants qui ne sont pas sécuritaires, tant pour la santé que pour l'environnement, et qui ne se trouvent pas recyclés comme chez le teinturier. Au reste, ils permettent d'espacer les visites chez le nettoyeur mais ne les remplacent pas.

Ils sont efficaces pour les articles légers et qui ne demandent pas de repassage. Les plus gros articles ne permettent pas la circulation de la solution. De plus, les vêtements comme les vestes, qui demandent du repassage, se retrouveront froissés.

Si l'on s'en sert, suivre le mode d'emploi avec soin. Bien traiter les taches tel qu'indiqué avant de les passer à la chaleur, autrement elles seront incrustées. Sortir les vêtements dès que le nettoyage est terminé afin d'éviter le froissement.

En cas de litige

Faites affaire de préférence avec un teinturier qui appartient à une association comme le Bureau d'éthique commerciale (Better Business Bureau).

En cas de mésentente avec le teinturier à propos d'un vêtement altéré ou non nettoyé selon nos attentes, signalez-le à cette association, qui possède des mécanismes de médiation pour régler les litiges.

PATIO

Même s'il est constitué de bois traité contre le pourrissement, le patio de bois exige un entretien régulier. Si le patio a été construit avec du bois traité acheté en 2004 et avant, voyez la rubrique *Bois traité ACC* **(p. 91)**.

Au début de la belle saison, faites le tour des rampes et sablez les aspérités qui peuvent se transformer en échardes. Ramassez ou repoussez au tuyau d'arrosage les accumulations de feuilles qui tacheront le bois à la longue.

Deux fois par an, passez un coup de brosse trempée dans 4 l d'eau chaude additionnée de 60 ml (¼ t) de nettoyant tout usage.

Un nettoyage en profondeur se fait tous les deux ans, soit par un professionnel, soit avec un compresseur à eau **(p. 265)** (emprunté, acheté ou loué), soit à la brosse avec le nettoyant pour patio suivant: 250 ml (1 t) de phosphate trisodique (PTS) ou de cristaux de soude dans 4 l d'eau. Portez des gants et rincez au tuyau d'arrosage.

Le PTS se trouve en quincaillerie ; il est souvent utilisé sur les chantiers de construction pour aider à éliminer les moisissures.

Les cristaux de soude sont maintenant offerts mélangés à un blanchisseur non javellisant (sous les marques Brio Magic et Bio-Vert), procurant du même coup la capacité d'éliminer les taches de couleur.

Le compresseur à eau est une alternative sécuritaire et commode. Il ne nécessite en réalité aucun produit nettoyant. Il utilise l'eau froide sans la gaspiller.

La location du compresseur ne coûtera guère plus que les produits nettoyants et brosse, sans compter le temps de frottage. Voir à la rubrique *Compresseur à eau* **(p. 265)** les recommandations pour l'achat. Un compresseur de bonne qualité peut servir à nettoyer l'extérieur entier de la maison : les diverses surfaces de briques et autres, les moustiquaires, escaliers et trottoirs, les clôtures, les rambardes, l'entrée de garage et la voiture. Le jet est assez puissant pour décaper. Enlève la moisissure et 90 % des taches.

Attention : la pression peut être assez forte pour endommager les surfaces ou se blesser. Ne touchez pas la machine ou la prise de courant avec les mains mouillées. Nettoyez régulièrement le filtre d'eau et le tuyau. Suivez les instructions.

Si vous utilisez l'injecteur de détergent qui vient avec plusieurs modèles, mouillez simplement la surface à nettoyer avec la solution sans pression. Laissez reposer cinq minutes. Rincez avec la pression. Attention aux vitres.

PLANCHERS – TRACES DE TALONS

Frottez avec un chiffon mouillé et un peu de bicarbonate de soude.

POUSSIÈRE

Consultez la rubrique *Poussière* **(p. 75)**.

POMME DE DOUCHE

Lorsque des dépôts deviennent apparents ou lorsque le jet semble obstrué, ficelez un sac de plastique empli de vinaigre blanc autour de la pomme de douche, durant 6-8 heures. Retirez et brossez.

En cas de dépôts persistants qui nuisent au jet, dévissez la pomme de douche et brossez chacun de ses éléments. Vous obtiendrez un meilleur résultat en faisant tremper la pomme avant de brosser.

RÉFRIGÉRATEUR

Nettoyez-le deux fois par an, à moins de dégâts majeurs et si les taches ont été nettoyées et les aliments périmés retirés au fur et à mesure. Un usage intensif et moins soigné nécessite un nettoyage mensuel.

Passez l'aspirateur une fois par an sur le serpentin à l'arrière ou sous l'appareil. La poussière qui s'accumule forme un isolant qui augmente l'effort requis du compresseur et diminue son efficacité.

S'il y a un plateau de récupération pour l'eau de la condensation sous l'appareil, le vider et le nettoyer à l'eau chaude savonneuse, pour limiter la prolifération microbienne. Une boîte de bicarbonate de soude ouverte placée à l'intérieur est un chasse-odeurs qui suffira à absorber la plupart des odeurs. Si un incident a généré une odeur tenace, placez du bicarbonate dans une casserole ou des grains de café frais moulu sur une des tablettes. Laissez travailler quelques jours.

Nettoyer le réfrigérateur avant de faire l'épicerie limite la manipulation des aliments et permet de voir ce qui a besoin d'être renouvelé.

Avant de laver l'intérieur, débranchez l'alimentation électrique. Sortez les pièces amovibles, bacs, tablettes et autres. Laissez-les prendre la température de la pièce puis lavez-les à l'eau chaude (et non pas très chaude, ce qui pourrait les endommager) additionnée de nettoyant liquide pour la vaisselle.

Nettoyez l'intérieur et le joint d'étanchéité de la porte avec une éponge trempée dans une solution de 1 l d'eau additionnée de 30 ml (2 c à s) de bicarbonate de soude. Faites dissoudre le bicarbonate dans un fond d'eau très chaude avant d'ajouter le reste de l'eau. Utilisez la brosse à dents pour les saletés prises dans les replis du joint de la porte. Rincez. Séchez. Congélateur : voir la rubrique *Congélateur* **(p. 94)**.

RÉSINE D'ARBRE

Appliquez des cristaux de soude dissous dans un peu d'eau chaude sur la résine pour la dissoudre. Laissez reposer le temps de sécher, puis brossez ou frottez avec une éponge à récurer. Pour des dégâts plus incrustés, laissez reposer durant 6-8 heures et humidifiez à l'occasion. Attention : la soude peut abîmer la peinture.

RIDEAUX

Évitez les rideaux trop lourds qui ont l'inconvénient de ne pouvoir être lavés aisément, donc régulièrement, et qui se transforment en nids à poussière et moisissures.

Certains préfèrent les stores, même vénitiens – avec les lames horizontales qui retiennent plus la poussière. Plus faciles à épousseter régulièrement que les rideaux, tel qu'expliqué un peu plus loin à la rubrique des stores, ils sont mêmes jugés plus faciles à laver. Comme les tapis de l'entrée, rideaux et draperies filtrent la poussière à son entrée dans le logis par les fenêtres. Un entretien régulier leur assure une vie de quatre ou cinq ans, selon qu'ils sont simples ou doubles.

Lavez-les une fois par an, à la maison ou chez le nettoyeur. Suivez avec soin les instructions d'entretien, puisque draperies et rideaux requièrent une attention souvent très différente. Après le séchage, suspendez-les sur la tringle du rideau de douche pour éliminer à toutes fins utiles la nécessité du repassage si la fibre est synthétique.

En l'absence de taches, il est possible de faire un peu plus vite en passant rideaux et draperies au programme sans chaleur du sèche-linge. Dans les deux cas, enlevez crochets et anneaux.

Passez l'aspirateur une fois par mois en tirant légèrement sur le tissu et balayant du haut vers le bas. Ne pas négliger les replis du haut dans lesquels la poussière s'accumule.

RIDEAU DE DOUCHE

Préférez les rideaux en fibre de chanvre robuste qui se lavent plus facilement à la machine et ne posent pas de sérieux problèmes de pollution lors de leur élimination, comme c'est le cas des rideaux en vinyle. Ne chiffonnez pas le rideau dans un coin après utilisation, mais déployez-le plutôt pour qu'il sèche et ne développe pas de moisissures nauséabondes.

Si vous utilisez un rideau en vinyle, nettoyez directement ses dépôts minéraux et moisissures ordinaires avec une éponge imbibée de vinaigre blanc. Le procédé avec le vinaigre chaud décrit ci-dessous devient nécessaire quand l'entretien a été négligé durant un certain temps.

À l'occasion, le rideau en vinyle peut être lavé au cycle délicat du lave-linge, en joignant des serviettes non colorées. Ajouter 375 ml (1^1/$_2$ t) de vinaigre au détergent à lessive, dans une eau tiède. Sortir le rideau et l'accrocher avant l'essorage final, pour que les restants de saleté et de savon s'égouttent.

ROUILLE – TRACES SUR LA PORCELAINE

Le plus simple est d'humecter légèrement la zone et d'appliquer de l'acide oxalique **(p. 140)**. Laissez reposer environ une heure avant de rincer. À défaut d'acide oxalique, appliquez du jus de citron ou de lime, et du sel. Laissez reposer jusqu'à 8 à 10 heures au besoin. Rincez.

Si la tache est à la verticale, faites une pâte avec le jus de citron et le sel additionnés d'un peu de farine. Sur les éviers, baignoires et cuvettes en porcelaine (et non ceux qui sont en fibre de verre ou en métal), une pierre ponce mouillée délogera des traces de rouille sans abîmer – elle n'est pas plus dure que la porcelaine.

STORES

L'époussetage régulier des stores à lames et en toile se fait d'un coup d'époussette en laine d'agneau **(p. 268)**. Ce type d'époussette fait toute la différence, car en son absence la plupart d'entre nous n'ont ni le temps, ni l'énergie, ni la volonté à consacrer à l'époussetage régulier des stores. Or, en s'accumulant, la poussière se transforme rapidement en substance collante, beaucoup plus compliquée à nettoyer. Nul besoin d'y aller latte par latte, que le store soit vertical ou horizontal. Fermez plutôt le store d'un côté puis de l'autre pour passer l'époussette en laine d'agneau **(p. 268)**, le chiffon à épousseter **(p. 264)** ou la buse à poils de l'aspirateur. Puis faites pareil du côté du store attenant à la vitre, en vous contorsionnant un peu.

Selon la quantité de poussière environnante, le nettoyage sera nécessaire une ou deux fois par an. C'est une opération qui reste fastidieuse : il peut être très avisé d'en confier la tâche à un nettoyeur professionnel.

Stores à lames de plastique ou de métal

SALETÉ ORDINAIRE

Procédez sans le décrocher si la saleté n'est pas trop épaisse. Disposez un plastique protecteur sur le plancher et glissez les mains dans une vieille paire de chaussettes ou de gants en coton. Plongez les mains ainsi protégées dans une solution d'eau et de nettoyant tout usage. Pressez-les pour évacuer le surplus d'eau. Passez-les de chaque côté de chaque latte en commençant par celles du haut.

Changez l'eau et rincez avec une éponge, elle aussi essorée. Enfin, essuyez chaque latte pour éliminer les résidus de saleté et les taches d'eau.

SALETÉ ÉPAISSE

En cas de saleté plus considérable – ce qui n'est pas un service à se rendre – décrochez le store après l'avoir ouvert à sa pleine longueur. Portez des gants protecteurs.

Laissez tremper les stores une dizaine de minutes dans une baignoire emplie d'eau chaude additionnée de nettoyant tout usage liquide **(p. 222)**. Passez une éponge sur chaque latte. Évacuez l'eau savonneuse. Rincez à l'eau fraîche. Videz la baignoire. Réunissez les lattes et laissez sécher sur le côté pendant quelques heures dans la baignoire. Asséchez les gouttes restantes après avoir remis le store en place.

Stores à lames de tissu

Les lames de stores à surface en tissu se frottent avec une éponge enduite de la seule mousse obtenue en fouettant, dans un seau, de l'eau additionnée de 125 ml ($^1/_2$ t) de savon à vaisselle translucide.

C'est en asséchant avec un chiffon de ratine que la saleté sera ensuite enlevée.

Stores de toile en plastique

Ils se nettoient au nettoyant tout usage appliqué avec une éponge. Les toiles de tissus se nettoient selon les instructions qui viennent avec.

120 TAPIS

Réduire la surface de tapis dans le logis réduit d'autant la tâche de l'entretien, en plus d'être une consigne de précaution proposée par les spécialistes : la poussière profonde et souvent concentrée en contaminants qui s'accumule dans les tapis ne peut pratiquement être délogée. Elle n'est que ramenée à la surface par le passage normal de l'aspirateur. Entretenir les tapis limite tout de même la prolifération des micro-organismes qui finissent par fragiliser votre santé. Surtout celle des petits dont le sol est le bureau de travail.

L'entretien signifie trois choses. Un, passez l'aspirateur entre une fois par jour et une fois tous les 15 jours, selon l'intensité de l'utilisation. Passez-le à l'envers des carpettes, à l'occasion. Deux, nettoyez dégâts et taches au fur et à mesure. Trois, nettoyez le tapis en profondeur tous les deux ou trois ans si l'entretien hebdomadaire est fait avec soin.

N'appliquez pas de protection contre les taches, laquelle appartient aux produits totalement déconseillés par les experts de la contamination chimique corporelle. Les explications sont données à la rubrique des CPF **(p. 246)** dont la protection est constituée.

ASPIRATEUR

La saleté des tapis est constituée en majeure partie de terre séchée qui abîme les poils et la trame quand elle s'introduit jusqu'à leur base. Elle produit alors un effet de broyage au passage des occupants. Assurez un balayage efficace avec un aspirateur à balai rotatif dont des tests indépendants ont reconnu qu'il est à faible émission. Sinon, l'aspirateur renvoie la poussière fine et allergène dans l'air ambiant.

Passez-le partout une fois par semaine ; passez au besoin, sinon chaque jour, là où la circulation est importante. Procédez à rebrousse-poil, en revenant jusqu'à une demi-douzaine de fois là où la circulation est intense.

DÉGÂTS

Ils sont inévitables. Malheureusement, les protections anti taches pour tapis sont totalement déconseillées, comme on vient de le voir, par les experts en contamination corporelle. Voir la section *Taches sur les tapis* **(p. 139)** pour éliminer la majorité des dégâts.

NETTOYAGE EN PROFONDEUR

PAR DES PROFESSIONNELS

Le nettoyage à la vapeur est le plus efficace, mais il est onéreux, car il est effectué par des professionnels. C'est une tâche dont vous pouvez difficilement vous charger, car elle requiert un outillage et des habiletés spécialisés. Surtout pour les tapis précieux. Les professionnels ont en effet accès à des systèmes de nettoyage montés sur camion plus performants que les modèles portatifs que vous pouvez louer.

Assurez-vous que les professionnels que vous engagez utilisent ces systèmes, qu'ils fonctionnent à l'eau chaude, que leurs utilisateurs ont de bonnes assurances pour les bris pouvant être occasionnés au mobilier et qu'ils ont de l'expérience. L'idéal est qu'ils vous soient référés par des connaissances.

PAR SOI-MÊME

Trucs

Couvrez les pattes des meubles avec du plastique ou du cellophane, si vous ne pouvez retirer les meubles de la pièce. Ramassez tout ce qui traîne. Retirez les carpettes. Activez les ventilateurs au plafond et les portatifs. Ouvrez les fenêtres autant que possible ou créez de la circulation d'air avec le climatiseur ou le chauffage. Ne réinstallez pas les meubles avant que le tapis ait tout à fait séché.

Détergents

Voir les suggestions de la rubrique *Nettoyant à tapis, détergent* **(p. 232)**.

Shampooings pour tapis

Voir les suggestions de la rubrique *Nettoyant à tapis, shampooing* (p. 232).

Solution maison

La solution maison suivante est proposée par certains experts des procédés sécuritaires. Saupoudrez sur le tapis du bicarbonate de soude – il en faudra une bonne quantité. Frottez ensuite pour le faire pénétrer. Laissez agir durant 24 heures. Ramassez à l'aspirateur. En cas d'odeurs persistantes, malgré l'efficacité du bicarbonate comme chasse-odeurs, répétez l'opération.

TAPIS DE BAIN

Lavez au besoin le tapis de bain à la machine : seul s'il a un endos en mousse, avec des serviettes s'il n'en a pas.

TAPIS, TRACES DE PATTES DE MEUBLES

Pour faire disparaître les traces laissées par les pattes d'un meuble sur un tapis, placez des cubes de glace partout sur la surface écrasée. Laissez reposer durant une nuit. Le lendemain, redressez les poils du tapis avec un outil à pointes comme une fourchette.

THÉ ET CAFÉ

Frottez avec du bicarbonate de soude sur une éponge à récurer humide.

TOILETTE – CUVETTE

NETTOYANTS À DISTRIBUTEUR

Évitez les nettoyants pour cuvette à distributeur qui nous réconfortent plus qu'ils nettoient. Ils ne font que masquer la saleté avec du colorant et du parfum. C'est le simple trempage offert par l'eau elle-même qui élimine déjà la majeure partie de la saleté. Si vous souhaitez cependant utiliser un de ces distributeurs, le Sani-Flush Nettoyant pour cuvette solide en rondelle est souvent cité comme plus sécuritaire. L'emploi de chiffons préhumectés pouvant être jetés à la cuvette aide les personnes réticentes à toucher la cuvette ou le torchon mis en contact avec elle. On évite ainsi de recourir à des produits inutilement puissants comme l'eau de Javel.

LAVER AVEC NETTOYANT ET BROSSE

La désinfection de la cuvette n'est pas indispensable mais compense le dégoût que peut inspirer cet accessoire. Si vous souhaitez tout de même la désinfecter, notez bien qu'il est indispensable de procéder en deux opérations simples. Les nettoyants qui prétendent y parvenir en une seule opération, en conditions réelles, vous induisent en erreur – en plus d'être inutilement puissants, toxiques et corrosifs, comme il est expliqué à la rubrique sur la façon de désinfecter (p. 29).

Pour nettoyer, tirez la chasse d'eau, levez le siège puis pulvérisez trois jets de nettoyant à salle de bains dans l'eau de la cuvette. Trempez la brosse – une brosse en forme d'ogive **(p. 263)** et non d'anneau – et frottez parois, rebord et fond. Rincez la brosse en l'agitant dans l'eau de la cuvette. Évacuez l'eau. Pour désinfecter brosse et cuvette, pulvérisez trois jets d'eau de Javel – un jet contient 2 ml et il faut 6 ml de Javel pour les 2 l d'eau que contiennent souvent les cuvettes. Utilisez le mode gicleur en jet du bec pulvérisateur équipant le contenant dans lequel il est plus commode de conserver l'eau de Javel. Le pulvérisateur en mode gicleur évite les dégâts sur les vêtements, facilite le versement et limite la quantité utilisée à celle qui est nécessaire. À défaut de contenant à pulvérisateur, noter que le genre de gros bouchon, souvent utilisé sur les contenants d'origine pour l'eau de Javel, contient un peu plus de 15 ml (1 c à s) – donc un tiers du bouchon (6 ml) suffit pour assurer la désinfection.

Une fois l'eau de Javel dans la cuvette, plongez la brosse pour humecter parois et rebord avec la solution, puis rangez-la. En s'égouttant, la brosse, son contenant et son contenu seront aussi désinfectés. Pour nettoyer l'extérieur de la cuvette, il est possible d'utiliser le chiffon qui a servi pour nettoyer le reste de la salle de bains.

Évitez les nettoyants commerciaux en liquide épais qui sont souvent inutilement acides, parfumés synthétiquement et parfois caustiques. Ils jouent sur notre quête de produits puissants pour contrer ce dégoût que nous inspire la cuvette. La répulsion nous pousse en effet à utiliser des produits de plus en plus nombreux, inutilement puissants et toxiques, et c'est malsain : pour la santé, l'environnement et le porte-monnaie.

Les nettoyants en liquide épais n'ajoutent rien au fait de pulvériser le nettoyant à salle de bains dans l'eau de la cuvette qui vient d'être changée, pour ensuite brosser parois, rebords et fond.

Un autre moyen sain qui peut aider à passer outre la répugnance (stimulée par l'odorat) que vous inspire la cuvette est d'utiliser un nettoyant en pulvérisateur qui a été parfumé avec un produit sain comme les huiles essentielles naturelles. Et louez un film avec les sous épargnés. Voyez d'autres explications sur les nettoyants à cuvette **(p. 224)**.

123

Laver par trempage la saleté incrustée

Au besoin – ce qui devrait être exceptionnel, et non hebdomadaire – déloger la saleté incrustée en procédant comme suit. Versez 80 ml ($^1/_3$ t) de cristaux de soude délayés dans un fond d'eau très chaude – ou 250 ml (1 t) de borax – dans l'eau de la cuvette. Ajoutez sans précipitation 60 ml ($^1/_4$ t) de vinaigre blanc : le bouillonnement est inoffensif. Rabattez le couvercle et laissez reposer durant la nuit. Brossez les parois. Évacuez l'eau.

Une variante proposée parfois consiste à vider l'eau de la cuvette en donnant quelques coups de ventouse. Aspergez la paroi de vinaigre puis saupoudrez-la de borax. Laissez reposer durant 30 minutes. Récurez avec une éponge à récurer pour grosses tâches. Rincez.

Dépôts minéraux et jaunes

Évitez les nettoyants à cuvette commerciaux inutilement puissants qui constituent le troisième salopard de l'entretien, avec le débouche-tuyaux et le nettoyant à four : ces trois produits sont ceux qui contribuent le plus à la soupe chimique environnementale – les usines de filtration ne sont pas équipées pour retenir ces polluants – et éventuellement à notre soupe corporelle. Il est facile de se passer de ces produits. Voir les consignes pour les dépôts minéraux et savonneux **(p. 90)**, sur les parois.

Les nettoyants commerciaux sont essentiellement constitués d'acides qui s'attaquent à la rouille – la couleur jaune de la tache – et au calcaire – le dépôt granuleux et blanchâtre de la tache. Assurer un entretien continu évite que la saleté attire la saleté en se sédimentant au point d'exiger des efforts fastidieux.

Extérieur, tour de la cuvette, plancher

Pulvérisez le nettoyant en abondance avant de le laisser reposer durant 10 minutes si cette zone dégage des odeurs. Pulvérisez aussi sur les murs et parois attenants, de même que sur tout ce sur quoi peut rejaillir l'urine comme le paquet de rouleaux de papier hygiénique s'il est laissé tout à côté. Si l'odeur persiste, il se peut qu'il y ait un écoulement sous le plancher.

Voyez comment le Nettoyant à salle de bain biotechnologique de marque Bio-Vert peut éliminer les odeurs à la source en « digérant » les résidus organiques autour de la cuvette **(p. 219)**.

Suivez les préceptes de la bible de la civilité ménagère, et disposez le papier hygiénique de façon que le bout excédentaire pende côté utilisateur, plutôt que vers le mur. Un concept difficile à appréhender pour certains, mais qui distingue sans conteste les artistes des prétendants à l'art de vivre.

TUYAUX DE RENVOI, BOUCHONS

Consultez les consignes de prévention et d'entretien qui permettent que les bouchons ne surviennent qu'exceptionnellement dans les tuyaux de renvoi de la salle de bains **(p. 127)** aussi bien que de la cuisine **(p. 126)**.

Les débouche-tuyaux chimiques sont peu efficaces et très dangereux ; les pompes (bonbonnes) à air comprimé sont inutiles. Leur utilisation est donc déconseillée pour les raisons données plus bas. Le texte de cette rubrique s'appuie largement sur une analyse effectuée par *Consumer Reports* et qui n'a rien perdu de sa pertinence.

Comment procéder

Selon *Consumer Reports*[23], mieux vaut traiter le tuyau avec un nettoyant **(p. 233)** tant qu'il subsiste un écoulement. Ensuite, une ventouse, un fichoir (furet de dégorgement) et un beau-frère consentant constituent tout le matériel requis selon le type de renvoi.

Évier de la cuisine: étant donné l'absence de poils et de cheveux, le renvoi de la cuisine est toujours plus facile à débloquer. Une simple ventouse règle le problème dans la majorité des cas.

Renvois de la salle de bains autres que celui de la cuvette: lorsque la ventouse s'avère impuissante à arracher les cheveux d'un bouchon coriace, le fichoir est seul capable de s'agripper au coupable et de le retirer.

Cuvette: ventouse et fichoir débloqueront les accumulations de rejets mal évacués. Un cintre déplié permettra d'aller décrocher les objets qui ont pu se glisser dans un tuyau.

Le problème avec la ventouse et le fichoir est qu'ils requièrent force, habileté et absence de dédain pour les rejets. La ventouse ne sera pas efficace sur un renvoi d'évier ou de baignoire possédant une ouverture de sécurité, à moins que l'on bouche avec un torchon mouillé l'ouverture souvent située sous le robinet. L'impact de la ventouse se fait en traction et non en pression. Donc, videz l'air de la ventouse en la plongeant dans l'eau selon un angle incliné. Appliquez de la gelée sur le pourtour de la ventouse, au besoin, pour la rendre plus efficace. Actionnez-la à deux ou trois reprises autour de la bouche du renvoi afin de lui faire prendre son adhérence. Tirez enfin d'un coup brusque. Répétez jusqu'à une dizaine de fois. Faites-vous aider au besoin.

N'utilisez jamais la ventouse après avoir versé un débouche-tuyaux chimique commercial. Le produit pourrait refluer et éclabousser votre peau, voire vos yeux.

Le fichoir doit parfois être trituré par-delà les barres en croix à l'entrée du renvoi. Parfois il ne peut l'être ou, d'autres fois, il ne peut être inséré passé la trappe en U formée par le tuyau sous l'évier. Il faut alors l'enfiler sous l'évier, après avoir dévissé la valve d'entretien sur le tuyau ou avoir carrément dévissé la trappe en U formée par le tuyau.

Après que sa tête a été insérée, le fichoir doit être tourné en même temps qu'il est poussé dans le tuyau jusqu'à s'enfoncer dans le bouchon. La tête s'agrippe alors au bouchon pour le retirer, ou elle le disloque pour que l'eau l'évacue.

ACCESSOIRES

VENTOUSE

Il existe une ventouse avec une extension repliée par dedans (8 $) ou sans (3-5 $). Toutes les ventouses peuvent être utilisées pour les éviers et baignoires, le modèle avec extension s'adaptant mieux à la cuvette et fournissant un surcroît de pression.

FICHOIR (FURET DE DÉGORGEMENT)

Le fichoir, ou furet de dégorgement, existe avec boîtier (17 $) ou sans (12 $) – boîtier très commode pour loger la longueur de tige non utilisée. Le modèle de fichoir pour cuvette est plus gros que celui pour évier et ne pourra être inséré dans ce dernier.

Plus polyvalent, le petit modèle de fichoir pour évier débloquera aussi de nombreux bouchons de cuvettes. Il existe même une variété de furets pour déloger les jouets d'enfants.

DÉBOUCHE-TUYAUX CHIMIQUES

Évitez-les. Ils ne sont que très modérément efficaces. Ils peuvent requérir plusieurs applications pour finalement vous laisser aux prises avec un renvoi toujours bouché et empli de liquide corrosif. Ils sont beaucoup trop dangereux à l'utilisation – parmi les produits les plus dangereux vendus pour usage domestique. Ils sont toxiques pour l'environnement, donc éventuellement pour nos corps – ils appartiennent aux trois salopards de l'entretien à éviter en priorité. *Consumer Reports* déconseille tout débouche-tuyaux à base d'acides et hésite à recommander la seule marque modérément efficace à l'essai.

Les produits chimiques sont conçus pour libérer une chaleur liquéfiant les gras, pour dissoudre les rejets organiques et pour transformer la graisse en savon plus facile à évacuer. Ils restent souvent prisonniers de la trappe en U des tuyaux similaire à celle qui se trouve sous l'évier, sans atteindre les bouchons logés plus loin.

POMPE (BONBONNE) À AIR COMPRIMÉ

Consumer Reports les considère comme inutiles et chères (35 $). Elles n'offrent rien qu'une simple ventouse ne puisse fournir à coût minime.

POMPE À TUYAU D'ARROSAGE

Les accessoires qui se fixent au tuyau d'arrosage et que l'on insère en les bloquant dans l'entrée du renvoi, pour ensuite appliquer la pression de l'eau, sont plus embarrassants qu'efficaces.

TUYAUX DE RENVOI, CUISINE – ENTRETIEN

Le renvoi de la cuisine a coutume d'être obstrué par les graisses solidifiées et les restes de légumes. Installez un capteur à résidus et ne versez pas de graisses dans le renvoi pour limiter les problèmes. Intervenez dès que l'écoulement de l'évier ralentit, puisque les renvois se bouchent rarement sans prévenir. Vous éviterez ainsi les embêtements considérables posés par les vrais bouchons **(p. 124)**.

Tant qu'il y a écoulement, il suffit le plus souvent d'utiliser l'un des nettoyants à tuyau préventif maison **(p. 233)** donnés à la rubrique concernée. Selon l'intensité de l'utilisation des installations, il peut être indiqué d'en verser une fois par mois ou plus.

Plus simple encore, le nettoyant à broyeur maison peut convenir à votre maisonnée : emplissez l'évier de 5 cm d'eau chaude additionnée de 250 ml (1 t) de bicarbonate de soude. Évacuez en lançant le broyeur.

Continuez de vous fier à l'analyse des nettoyants à tuyau effectuée par *Consumer Reports*[24] et qui indiquait qu'il vaut mieux éviter les nettoyants et débouche-tuyaux chimiques. Ils sont peu efficaces, et dangereux. La précaution chimique nous invite aussi à ne pas utiliser ces produits qui se trouvent par la suite rejetés dans l'environnement et peuvent venir ajouter à la pollution de nos corps.

Notez qu'il est toujours déconseillé d'utiliser un fichoir (furet de dégorgement) pour déloger un bouchon dans un évier équipé d'un broyeur à déchets.

TUYAUX DE RENVOI, SALLE DE BAINS – ENTRETIEN

Intervenez dès que l'écoulement d'un renvoi ralentit. Vous vous éviterez ainsi les désagréments d'un vrai bouchon **(p. 124)**. Tant qu'il y a écoulement, il suffit le plus souvent d'utiliser l'un des nettoyants à tuyaux décrits plus bas pour régler le problème.

Le renvoi de la cuvette a coutume d'être obstrué par un surcroît de papier ou des articles qui ne devraient pas s'y trouver – jouet d'enfant, serviettes préhumectées, serviette sanitaire. Évitez l'accumulation de rejets mal évacués, fréquente avec les modèles moins performants ou mal ajustés. Passez la consigne d'appuyer sur le levier d'évacuation tant que les déjections n'ont pas été entièrement évacuées et que l'eau fraîche n'a pas recommencé à affluer.

Les autres renvois – évier, baignoire, douche – seront plutôt obstrués par les poils, cheveux et restes de savon. Prenez l'habitude d'agir sans attendre les ralentissements d'écoulement. Les nettoyants à tuyaux permettent l'évacuation des savons et huile naturelle de la peau sur lesquels viennent s'agglomérer les poils plus difficiles à déloger. Appliquez les nettoyants une fois par semaine à une fois par mois, selon l'état de la plomberie et les habitudes de la maisonnée. Voir la description des nettoyants **(p. 218)**. Le plus simple consiste à chauffer et verser 2 l d'eau bouillante, puis encore 2 l après quelques minutes. Important : versez l'eau directement au-dessus du renvoi et non sur la porcelaine qui peut fissurer sous l'effet de la chaleur. Versé une fois par semaine, un tel nettoyant préviendra les bouchons en dissolvant les dépôts graisseux communs à tous les renvois.

Installez des capteurs à résidus et videz-les régulièrement : dans les éviers, la baignoire, la douche. Nettoyez fréquemment le mécanisme de fermeture sous les bouchons de renvoi – il a coutume d'accumuler ce qui échappe aux capteurs.

VITRES INTÉRIEURES, MIROIRS, CÉRAMIQUE

Essayez un chiffon fait à 100 % de microfibres pour vitres : le plus souvent vous n'aurez plus besoin de nettoyant. Pulvérisez de l'eau sur la vitre et essuyez avec le chiffon de microfibres : mettez le chiffon à laver à la fin, ou rincez et essorez-le bien avant de le laisser sécher.

Si vous avez de grandes surfaces à nettoyer, vous pouvez aussi laver avec un chiffon bien rincé et essoré, puis assécher avec un chiffon de microfibres sec. Un chiffon et une eau sales finissent par étendre la saleté en stries.

Lorsqu'à l'occasion il y a un surplus de gras sur le verre, commencez par le nettoyer avec le nettoyant tout usage et terminez avec le nettoyant à vitres.

Une marque de chiffon comme Vileda ne fait pas de charpie, se lave à la machine et se vend à un prix abordable (2-3 $). Ne pas le laver avec de l'assouplissant ; ne pas le sécher au sèche-linge. Inutile d'utiliser la version Chammy pour vitres de Vileda, plus capricieuse.

Un nettoyant à vitres maison se confectionne facilement dans un contenant à pulvérisateur. Il suffit d'ajouter un peu de pouvoir nettoyant à l'eau en mélangeant à peine deux ou trois gouttes de nettoyant à vaisselle liquide à l'eau d'un contenant à pulvérisateur d'environ 750 ml. Pour le plaisir, ajoutez au maximum quatre gouttes d'huile essentielle naturelle à la menthe poivrée comme parfum : agitez chaque fois avant utilisation. Vous aurez tout le pouvoir nettoyant requis, sans l'odeur d'ammoniaque des nettoyants conventionnels.

Dans l'eau d'une chaudière, vous pouvez aussi verser quelques gouttes seulement de nettoyant liquide à vaisselle pour la saleté graisseuse des vitres intérieures.

Utilisez une raclette comme les professionnels lorsqu'il y a de nombreuses vitres à nettoyer. Humectez et frottez la surface avec un chiffon ou l'endos d'une raclette trempé de solution nettoyante. Essuyez avec la raclette. Essuyez le surplus d'eau sur la raclette avec un chiffon humide après chaque coup. N'appliquez pas trop de solution pour limiter l'égouttement.

Manipulez la raclette comme suit. Faites un premier trait horizontal dans le haut, puis nettoyez du haut vers le bas en croisant les passages – arrêtez avant de toucher le bas. Faites un dernier trait horizontal au bas. Utilisez un chiffon humide pour essuyer les surplus de nettoyant sur la raclette sans l'assécher – ce qui diminuerait l'adhérence de la raclette. Finissez en essuyant gouttes et écoulements sur le cadre et dans le bas.

Si la lame de la raclette est de moindre qualité, elle adhérera moins et de façon irrégulière. Ses extrémités seront trop fragiles pour appuyer sur la vitre et laisseront une traînée de liquide sur les côtés.

Lavez les cadres avant les vitres s'ils en ont besoin. Époussetez-les avec l'aspirateur, puis lavez-les avec une solution d'eau chaude et de nettoyant à vaisselle liquide.

Les TACHES

PFUITT...

L'erreur du bazooka

Il existe des moyens pour ne pas avoir à utiliser le bazooka. Pour éviter les désagréments que causent les taches, mais également par goût de ne pas se tromper et de faire vite, on verse parfois dans l'excès. On sort l'artillerie lourde quand l'équivalent d'un tue-mouches suffirait à supprimer une tache coriace.

Sachez aussi rendre les armes. Certaines taches ne se nettoient tout simplement pas, en tout ou en partie. Le nettoyant puissant et toxique (le bazooka) n'y changera rien. Rapidité d'intervention, consignes de base et produits simples mais spécifiques règlent cependant la majorité des problèmes. Il peut être nécessaire de répéter la procédure trois ou quatre fois avant de déloger la tache, quelle que soit la nocivité du produit qu'on utilise. Répétez tant que des progrès se manifestent.

Ne chauffez jamais une tache à la chaleur du sèche-linge ou du fer à repasser avant de l'avoir éliminée. Donc, ne faites pas sécher au sèche-linge un vêtement sur lequel vous avez tenté d'enlever une tache, parce que l'humidité peut cacher la tache. Faites sécher le vêtement à l'air libre et vérifiez ensuite que la tache est bien partie.

Évitez d'appliquer de l'eau sur un tissu délicat : elle peut former une auréole sur un tissu pâle ou affecter la couleur. Sécher une zone humidifiée avec un séchoir à cheveux limite la formation des auréoles.

Commencez, pour la plupart des dégâts solubles (liquides, nourriture, etc.), par prélever et éponger l'excédent. Épongez ensuite avec un chiffon, non coloré et mouillé, tant que des traces du dégât apparaissent sur le chiffon. Sur les tissus qui ne sont ni pâles ni délicats, épongez avec un chiffon trempé dans le soda club (club soda ou eau gazéifiée). Vous pouvez aussi utiliser l'Alka-Seltzer – ce sont tous des liquides légèrement alcalins qui aident à dégrader les dégâts. N'utilisez jamais d'eau chaude sur des taches sucrées et d'œuf.

Évitez d'imbiber la bourre d'un fauteuil et les tapis précieux : appliquez toujours l'humidité ou le nettoyant sur le chiffon, puis épongez le dégât.

Testez toujours, toujours, le chasse-taches ou le détachant sur un coin caché de la surface tachée pour vous assurer qu'il n'y aura pas de décoloration. Effectuez le test dès qu'il existe le moindre doute sur la solidité des couleurs.

TACHES SUR LES FAUTEUILS

131

ATTENTION

Vérifiez sur l'étiquette attachée au canapé si le tissu peut être nettoyé à l'eau (avec le signe **W**). S'il doit être nettoyé avec un solvant (avec le signe **S**), seuls les professionnels peuvent s'en occuper.

Testez la solidité des couleurs du tissu contre tout détachant avant de l'utiliser. Appliquez-en sur un coin caché du meuble avec un chiffon blanc. Si de la couleur apparaît sur le chiffon, consultez un professionnel. Attendez encore de 10 à 15 minutes, par précaution, avant de vérifier à nouveau s'il y a altération de la couleur.

DÉTACHANTS

Dans les pages qui suivent, vous trouverez des suggestions de produits détachants pour éliminer divers dégâts. Évitez les détachants à base de solvants, surtout en aérosol : l'aérosol vous expose à l'inhalation des fines particules chargées de solvant présentes dans la bruine. Surtout, ne nettoyez jamais un canapé entier avec un détachant. Un simple soupçon de détergent à tissu de canapé peut servir de détachant.

- Le Nettoyant détachant tout usage de la marque Bio-Vert offre de bons avantages comme détachant. Ses cultures bactériennes et extraits fermentaires s'attaquent aux matières organiques comme les résidus d'urine ou de nourriture, et neutralisent leurs odeurs à la source, un avantage essentiel en présence de bébés ou d'animaux de compagnie. Ce nettoyant est certifié WoolSafe, donc à la fois efficace et sans danger pour les fibres naturelles et délicates comme la laine. Il est néanmoins indispensable de procéder à un test de décoloration avant d'utiliser un détachant sur un tissu quelconque.

- Nature Clean Nettoyeur pour tapis et meubles rembourrés (chez Loblaws/Provigo et dans les boutiques de produits naturels) est un détachant certifié Choix environnemental (Éco-Logo).

- Le peroxyde d'hydrogène (3 %) – la petite bouteille brune – sert quand subsiste un résidu coloré de tache.

- L'alcool à friction (isopropylique, 70 %) – disponible partout en pharmacie – permet de dissoudre et d'éliminer les taches de stylo et de marqueur qui ne peuvent être enlevées par les détachants nommés plus haut.

- Un soupçon de nettoyant à vaisselle liquide (version douce, sans colorant) peut éliminer de nombreux dégâts.

- Le vinaigre blanc sert à neutraliser un nettoyant alcalin qui a permis d'enlever une tache : quand son usage est requis, une note l'indique dans les consignes de cet ouvrage qui suivent pour chaque type de tache.

DÉTACHANT POUR TISSUS DÉLICATS

Pour les dégâts légers et non graisseux sur des tissus plus fragiles, incorporez 45 ml (3 c à s) d'eau dans 60 ml (1/4 t) de savon à vaisselle liquide translucide et doux. Faites mousser en brassant, en fouettant ou en passant au robot. Appliquez la mousse en apposant sans frotter. Épongez. Vous pouvez aussi utiliser de la mousse à raser, mais pas celle qui vient en gel.

Le Nettoyant détachant tout usage Bio-Vert est certifié WoolSafe, donc à la fois efficace et sans danger pour les fibres naturelles et délicates comme la laine. Testez sur un coin caché avant utilisation.

PROCÉDÉ POUR LES DÉGÂTS SECS (NOURRITURE)

Prélevez avec soin avant de simplement passer l'aspirateur en profondeur. Au besoin, nettoyez avec une éponge humide selon les indications qui suivent.

PROCÉDÉ POUR LES DÉGÂTS ENCORE HUMIDES (NOURRITURE)

Prélevez la nourriture et épongez sans tarder. Commencez par éponger avec un chiffon sec (non coloré), sans frotter, et changez de chiffon au besoin jusqu'à ce qu'il ne reste plus rien de la tache sur le chiffon. Épongez ensuite avec un chiffon humide (non coloré), tant que des traces du dégât apparaissent sur le chiffon. Ne versez pas de liquide directement sur le dégât parce que des auréoles pourraient se former selon la nature du matériau dont est constituée la bourre.

Mieux que de l'eau, utilisez du soda club (eau gazéifiée additionnée de bicarbonate de soude, qui est donc légèrement alcaline, mais sans sucre ni colorant) pour imbiber le chiffon. Épongez pour finir avec un chiffon sec.

Truc : posez des objets lourds (magazines et dictionnaires) sur un chiffon épais et sec couvrant toute la zone humide. Laissez reposer toute la nuit. Les résidus de saleté peuvent ainsi se déplacer sur le chiffon.

Au besoin, humidifiez à nouveau légèrement le dégât, puis appliquez un soupçon de nettoyant à tissus de fauteuils. Il ne faut pas imbiber le tissu et la bourre qu'il couvre.

Frottez délicatement – avec une éponge humide dans le cas du détergent, pour faire mousser – en faisant pénétrer, puis épongez avec le chiffon. Répétez tant que des résidus du dégât apparaissent sur le chiffon.

À défaut de nettoyant pour tissus de fauteuils, et plutôt que d'attendre l'assèchement du dégât, appliquez sur une éponge humide une à deux gouttes de nettoyant à vaisselle doux et sans colorant : triturez l'éponge pour faire mousser et procédez en frottant délicatement le dégât.

Si vous en disposez, vous pouvez aussi pulvériser sur un chiffon du Nettoyant détachant tout usage Bio-Vert, puis éponger le dégât. Ce nettoyant est certifié Wool-Safe, il est donc sans danger pour les fibres délicates comme la laine – faites tout de même un test pour la coloration. Les cultures bactériennes du Bio-Vert s'attaquent aux matières organiques comme les résidus d'urine ou de nourriture, neutralisant leurs odeurs à la source. Rincez enfin en épongeant le nettoyant avec un chiffon humide, sans quoi ses résidus attireront la saleté. Pour humidifier le chiffon, trempez-le dans un mélange moitié-moitié de vinaigre blanc et d'eau pour éliminer les résidus de nettoyant. Épongez à sec, sauf si vous utilisez le Bio-Vert, pour lui permettre de continuer d'agir sur les résidus et les odeurs.

En dernier recours, au besoin, tamponnez avec un chiffon trempé de peroxyde d'hydrogène (3 %, petite bouteille brune). Répétez après une heure au besoin.

TACHES

BETTERAVE
Voir *Jus* **(p. 136)**.

BOIS DE MEUBLE : CIRE DE CHANDELLE
Grattez avec une carte de crédit pour ne pas érafler. Si la cire résiste, chauffez au sèche-cheveux à température minimale pour seulement la ramollir et non la faire fondre. Grattez.

BOIS DE MEUBLE : ÉTIQUETTES ET AUTOCOLLANTS

Grattez délicatement autant que faire se peut. Frottez ensuite délicatement les résidus avec un chiffon trempé dans une huile végétale. Polissez la surface quand les résidus sont éliminés.

BOIS DE MEUBLE : PAPIER COLLÉ

Humectez le papier qui s'est fixé sur le bois avec un chiffon trempé dans l'huile végétale. Laissez reposer cinq minutes. Essuyez dans le sens du grain du bois avec un chiffon ou un tampon à récurer de nylon.

BOIS DE MEUBLE : TACHES D'EAU

Laissez sécher un à deux jours à découvert. Gare aux abrasifs qui peuvent endommager le grain du bois. Après avoir réglé le problème avec l'une des solutions suivantes, appliquez si besoin le poli à meuble maison décrit ci-dessous.

Poli à meubles : agitez pour bien mélanger 15 ml (3 c à c) d'huile d'olive à 5 ml (1 c à c) de vinaigre blanc. Trempez un coin de chiffon doux et appliquez. Polissez à fond avec le reste du chiffon. Pas plus de quelques gouttes d'huile essentielle plairont à certains. Essayez d'appliquer une petite quantité de mayonnaise sur le dégât. Laissez reposer quelques minutes. Essuyez avec un chiffon propre.

Au besoin, essayez de frotter délicatement avec une solution de dentifrice en pâte (pas de gel) et d'eau. Essuyez en faisant briller.

Au besoin, essayez de frotter avec un chiffon trempé dans l'alcool à friction (isopropylique).

BOIS DE MEUBLE : TRACES DE CHALEUR

Frottez avec un peu de mayonnaise, d'huile à salade ou de pâte dentifrice blanche. Cela devrait enlever les marques blanches laissées par un article chaud posé sans protection sur le bois. Laissez sécher puis polissez.

134   CACA, CROTTES, EXCRÉMENTS

Ramassez le solide à la cuillère et épongez tant que possible avec un chiffon épais. Humidifiez légèrement et saupoudrez une bonne couche de bicarbonate de soude pour absorber les odeurs. Laissez sécher. Ramassez avec l'aspirateur. Si l'odeur persiste, répétez.

Vous pouvez aussi éponger la zone avec un chiffon sur lequel vous avez pulvérisé du Nettoyant détachant pour tissus Bio-Vert – sa composition est particulièrement efficace pour neutraliser les odeurs de matières organiques. Au besoin, s'il reste des traces du dégât, suivez le *Procédé pour les dégâts encore humides* en début de section.

CAFÉ

Suivre le *Procédé pour les dégâts encore humides* ci-dessus. S'il reste des traces, tamponnez avec du peroxyde d'hydrogène (3 %) après avoir testé sur un coin caché. Laissez reposer pendant quatre heures. Au besoin, tamponnez à nouveau avec le peroxyde et laissez agir durant une journée. Laissez sécher durant deux journées. Si le dégât a disparu, tamponnez à l'eau puis épongez à sec ou reprenez la procédure s'il n'y a eu que progrès.

CHOCOLAT

Tamponnez avec un chiffon trempé d'eau froide. Au besoin, suivez le *Procédé pour les dégâts encore humides* en début de section.

CIRE DE CHANDELLE SUR DU TISSU

Rendez la cire craquante en appliquant un glaçon enrobé dans un sac de plastique. Cassez et grattez ce qui peut l'être.

Passez le fer à repasser à température moyenne sur un sac brun sans écriture ou des essuie-tout recouvrant la tache pour absorber la cire. Déplacez le papier dès qu'un résidu apparaît à sa surface. Continuez tant qu'il apparaît des résidus. S'il reste des traces de colorant, suivez le *Procédé pour les dégâts encore humides* en début de section.

Au besoin, humectez avec un chiffon trempé de peroxyde d'hydrogène (3 %), après avoir testé sur un coin caché. Laissez reposer 10 minutes. Si le colorant a disparu, tamponnez à l'eau puis épongez à sec, ou reprenez la procédure s'il n'y a eu que progrès. Sinon, recommencez jusqu'à disparition du colorant.

CRAYONS DE COULEURS

Épongez avec un chiffon mouillé avec de l'alcool à friction. Épongez à sec immédiatement. Continuez tant qu'il y a progrès. Au besoin, suivez le *Procédé pour les dégâts encore humides*.

CRÈME GLACÉE

Suivez le *Procédé pour les dégâts encore humides* en début de section.

EAU, TACHES BRUNES SUR DU TISSU

Épongez autant que possible les gros déversements d'eau sur les fauteuils rembourrés, et cela dès leur survenue, pour éviter que bourre et toile de recouvrement ne se détrempent. Appuyez les coussins contre un mur après les avoir débarrassés de leur recouvrement et ventilez la pièce généreusement.

La tache brune qui se produit lorsque l'on néglige les dégâts d'eau importants sur les tissus synthétiques ne peut être éliminée que par des spécialistes. Ils sauront rarement régler le sort des taches brunes qui marquent les tissus naturels.

ENCRE DE STYLOS

Épongez l'excédent pour que le dégât ne s'étende pas. Épongez ensuite avec un chiffon humidifié dans l'alcool à friction (isopropylique). Épongez enfin à sec immédiatement. Continuez tant qu'il y a progrès. Au besoin, suivez le *Procédé pour les dégâts encore humides* en début de section.

FRUITS
Voir *Jus*.

GRAS, HUILE
Épongez l'excédent. Épongez avec un chiffon humidifié dans l'alcool à friction (isopropylique). Épongez à sec immédiatement. Continuez tant qu'il y a progrès. Au besoin, suivez le *Procédé pour les dégâts encore humides* en début de section.

JUS : ORANGE, PRUNE, CANNEBERGE, RAISIN
Épongez l'excédent. Tamponnez ensuite avec un chiffon humide et laissez agir pendant une minute avant d'éponger avec un chiffon sec. Répétez tant qu'il y a progrès. Tamponnez enfin avec un chiffon trempé de peroxyde d'hydrogène (3 %), après avoir testé sur un coin caché. Après une à deux minutes, rincez en tamponnant avec le chiffon humide, puis épongez avec le chiffon sec. S'il reste des traces, suivez le *Procédé pour les dégâts encore humides* en début de section.

S'il reste encore des traces, tamponnez à nouveau avec du peroxyde d'hydrogène (3 %). Laissez reposer pendant quatre heures avant de rincer en tamponnant avec le chiffon humide, puis épongez avec le chiffon sec.

Au besoin, tamponnez à nouveau avec le peroxyde et laissez agir durant une journée avant de tamponner avec un chiffon humide pour rincer. Laissez sécher durant deux journées. Si le dégât est encore apparent, reprenez la procédure s'il y a eu progrès.

MAYONNAISE
Épongez avec un chiffon humecté dans l'alcool à friction, puis avec un chiffon sec immédiatement après. Continuez tant qu'il y a progrès. Au besoin, suivez le *Procédé pour les dégâts encore humides* en début de section.

MOUTARDE
Suivez le *Procédé pour les dégâts encore humides* en début de section.

RAISIN, JUS
Voir *Jus*.

ROUGE À LÈVRES SUR DU TISSU
Épongez l'excédent. Tamponnez avec un chiffon humecté d'alcool à friction. Épongez avec un chiffon sec immédiatement. Continuez tant qu'il y a progrès. Au besoin, suivez le *Procédé pour les dégâts encore humides* en début de section.

Au besoin, faites dissoudre environ 15 ml (1 c à s) de cristaux de soude avec un peu d'eau très chaude et tamponnez la tache avec un chiffon humecté de la solution tant qu'il y a progrès. La soude est puissante et ne doit pas être laissée sur le tissu. Épongez soigneusement la zone traitée avec un chiffon humide pour rincer, puis avec un chiffon sec.

ROUILLE

Humidifiez la tache légèrement et saupoudrez de l'acide oxalique (sel de citron, disponible en pharmacie). Le citron agissant comme un blanchisseur, vérifiez la solidité des couleurs sur un coin caché.

SANG

Suivez le *Procédé pour les dégâts encore humides* en début de section.

SODAS

Suivez le *Procédé pour les dégâts encore humides* en début de section.

THÉ

Suivez le *Procédé pour les dégâts encore humides* en début de section. Au besoin, tamponnez ensuite avec un chiffon humecté de peroxyde d'hydrogène (3 %), après avoir testé sur un coin caché. Laissez reposer pendant quatre heures avant de rincer en tamponnant avec un chiffon humide puis d'éponger avec un chiffon sec.

Au besoin, tamponnez à nouveau avec le peroxyde et laissez agir durant une journée avant de tamponner avec un chiffon humide pour rincer. Laissez sécher durant deux journées. Si le dégât est encore apparent, mais qu'il y a eu progrès, reprenez la procédure.

TOMATE, SAUCE TOMATE, KETCHUP

Suivez le *Procédé pour les dégâts encore humides* en début de section.

URINE

Épongez avec un chiffon absorbant. Tamponnez avec un chiffon imbibé de vinaigre blanc. Laissez sécher et répétez au besoin. S'il reste encore des traces ou une odeur, suivez le *Procédé pour les dégâts encore humides* en début de section.

Après avoir initialement éponger avec un chiffon absorbant, vous pouvez aussi éponger la zone avec un chiffon sur lequel vous avez pulvérisé du Nettoyant détachant pour tissus Bio-Vert – sa composition est particulièrement efficace pour neutraliser les odeurs de matières organiques.

VOMI

Voir *Caca, crottes, excréments* **(p. 134).**

VIN

VIN ROUGE

Évitez de traiter avec du vin blanc : laisse un résidu sucré tenace. Si possible, couvrez sans tarder avec du sel pour absorber le tanin, la couleur. Ramassez après deux ou trois minutes et épongez délicatement avec un chiffon sec.

Si vous avez du Détachant en poudre Bio-Vert ou Brio Magic, faites-en dissoudre 15 ml (1 c à s) dans 500 ml (2 t) d'eau chaude. Tamponnez la tache avec un chiffon blanc humecté de la solution. Laissez reposer une ou deux minutes. Épongez soigneusement avec un chiffon légèrement humide pour rincer au mieux.

Faute de détachant, tamponnez avec du nettoyant à vaisselle translucide que vous avez fait mousser sur une éponge humide. Tamponnez ensuite avec une éponge humectée, puis épongez avec un chiffon sec.

Au besoin, tamponnez avec un chiffon humecté de peroxyde d'hydrogène (3 %), après avoir testé sur un coin caché. Laissez reposer pendant quatre heures avant de rincer en tamponnant avec un chiffon humide, puis d'éponger avec un chiffon sec.

Au besoin, tamponnez à nouveau avec le peroxyde et laissez agir durant une journée avant de tamponner avec un chiffon humide pour rincer. Laissez sécher durant deux journées. Si le dégât est encore apparent, mais qu'il y a eu progrès, reprenez la procédure.

VIN BLANC

Épongez avec un chiffon sec. Si vous en avez, épongez le dégât avec un chiffon sur lequel vous avez pulvérisé du Nettoyant détachant pour tissus Bio-Vert. Procédez tant qu'il y a progrès. À la fin, n'épongez pas à sec afin de laisser le nettoyant dégrader les résidus de la tache.

Sinon, tamponnez avec du nettoyant à vaisselle translucide que vous avez fait mousser sur une éponge avec un peu d'eau. Tamponnez ensuite avec une éponge humectée, puis épongez avec un chiffon sec.

TACHES SUR LES TAPIS

139

Pour utiliser les procédés décrits ici, vous n'aurez besoin d'aucun nettoyant spécialisé, et cela avec les meilleures chances de succès. Sans abîmer le tapis, *sans se compliquer la vie ni l'empoisonner.*

AVERTISSEMENT

Lisez toujours les consignes du fabricant et respectez-les. Certaines teintures et certaines fibres naturelles exigent des soins particuliers : en cas de doute, informez-vous auprès d'un professionnel.

Les consignes données ici sont douces et ne devraient jamais poser problème, mais certains tapis sont confectionnés de fibres naturelles fragiles : informez-vous, dans ce cas.

⬧ ESSAYEZ...

! **Pour faire disparaître les traces laissées par les pattes d'un meuble sur un tapis, couvrez de cubes de glace la surface écrasée. Laissez reposer durant la nuit. Le lendemain, redressez les poils du tapis avec un outil à pointes comme une fourchette.**

SOLUTIONS ET NETTOYANTS

Vous n'avez besoin que des ingrédients et nettoyants suivants. Les consignes sur les diverses taches se réfèrent à ces solutions.

Solution nettoyante : un petit jet de nettoyant à vaisselle doux et sans colorant mélangé à 1 litre d'eau. Les nettoyants à vaisselle doux pour la peau sont dépourvus de colorant.

Utilisez peu de nettoyant pour éviter qu'il en reste des résidus après l'opération. Une enquête du *Consumer Reports* (janvier 2004) démontre qu'une solution d'eau et de nettoyant à vaisselle est plus efficace que les détachants commerciaux pour tapis.

La marque Bio-Vert a récemment mis sur le marché un Nettoyant détachant à tapis et tissus de fauteuils qui a de plus la qualité de servir comme chasse-odeurs. Il peut servir de solution nettoyante. Ses cultures bactériennes et ses extraits de fermentation s'attaquent aux matières organiques comme les résidus d'urine ou de nourriture. Ils neutralisent leurs odeurs à la source.

Ce nettoyant est certifié WoolSafe, il est donc à la fois efficace et sans danger pour les fibres délicates comme la laine. Il demeure toujours indispensable de procéder à un test de décoloration avant d'utiliser un détachant sur un tissu quelconque. Peut s'utiliser avantageusement à la place de la solution nettoyante.

Solution acide : un peu plus d'eau que de vinaigre blanc, mélangés.

Solution alcaline : du soda club ou *club soda*. Le soda club est légèrement alcalin et ne contient aucun sucre ou colorant.

Peroxyde d'hydrogène (3 %) – la petite bouteille brune.

Alcool à friction (isopropylique, 70 %) – en vente partout en pharmacie.

Acide oxalique ou sel de citron : facile à trouver en pharmacie, économique et sécuritaire.

CONSIGNES ET EXPLICATIONS

- Agissez sans tarder : vous doublez vos chances de succès. Répétez l'opération tant qu'il y a des progrès : c'est parfois nécessaire.
- Rincez chaque nettoyant avec soin avant d'en utiliser un autre – en tamponnant avec un chiffon humide.
- Utilisez un chiffon épais et non coloré.
- Testez toujours la solution sur un coin caché, pour les tapis en fibres naturelles – par exemple, dans un placard.
- Ramassez à la cuillère les dégâts solides.
- Commencez par passer l'aspirateur sur les dégâts secs – c'est souvent suffisant. Grattez au besoin en utilisant l'endos d'un couteau pour ne pas abîmer les fibres.
- Épongez toujours un liquide de la périphérie vers le centre pour limiter l'agrandissement de la tache. Utilisez un chiffon épais et non coloré – ou des essuie-tout, mais il en faudra beaucoup.
- Ne frottez pas, cela peut endommager les fils du tapis : pressez le chiffon sec pour éponger et tamponnez le chiffon humide pour humecter.
- Ne versez jamais directement l'eau ni les solutions nettoyantes. Le dégât risquerait d'être dissous et de s'agrandir. Pulvérisez plutôt l'eau sur le chiffon ou humectez-le, et épongez ensuite la tache avec le chiffon.
- Évitez aussi de détremper la zone du dégât, la trame attachant les fibres du tapis peut être endommagée.
- Épongez ou tamponnez tant qu'il y a transfert de salissure sur le chiffon. Pressez en épongeant, quitte à vous tenir debout sur le chiffon.
- Neutralisez le pH de certains dégâts, et leur pouvoir corrodant, en les épongeant soit avec la solution alcaline, soit avec la solution acide – les indications sont données pour chaque tache lorsque c'est nécessaire. Cette étape est indispensable lorsqu'il est difficile d'éliminer entièrement un dégât infiltré dans la texture touffue d'un tapis.
- Le Nettoyant détachant Bio-Vert a un pH neutre et ne peut donc endommager les fibres : au contraire, il est préférable d'en laisser un résidu qui s'attaquera aux restes de nourriture ou d'excréments.
- Quand la tache disparaît finalement, épongez à sec.
- Sur les tapis qui ne sont pas en fibres naturelles délicates, posez sur la zone à nettoyer des objets lourds comme des magazines ou un dictionnaire sur un chiffon sec et épais (ou une épaisseur d'essuie-tout) laissez agir durant la nuit. Cette méthode permet aux résidus de saleté d'être transférés sur le chiffon.
- Sur les tapis en fibres naturelles délicates, évitez la formation d'auréoles en asséchant plutôt la zone au sèche-cheveux à température douce.
- Vous ne pouvez laisser reposer des objets lourds sur le dégât d'un tapis délicat (en fibres naturelles) qui a été humecté de solution alcaline (soda club) ou de solution acide (vinaigrée) : il pourrait s'abîmer. Pour cette raison, il est possible qu'il se forme une auréole si vous n'asséchez pas la zone au sèche-cheveux.

Grâce au sèche-cheveux, vous éviterez que les résidus du dégât mélangés à l'eau (et non récupérés durant la nuit) aillent s'agglomérer à la circonférence de la zone mouillée pour former l'auréole en question.

◆ PROCÉDÉ AVEC LA SOLUTION NETTOYANTE

❗ Lorsque c'est indiqué, tamponnez tant qu'il y a progrès avec un chiffon trempé de solution nettoyante (p. 140), puis épongez avec un chiffon sec.

❗ Rincez en tamponnant avec un chiffon imbibé d'eau, puis épongez avec un chiffon sec.

❗ Tapis synthétique : humectez à nouveau avec de l'eau. Couvrez avec un chiffon sec et un objet lourd. Laissez sécher durant la nuit – au moins six heures.

❗ Au besoin, tamponnez les poils du tapis avec un chiffon imbibé de peroxyde d'hydrogène. Épongez après une heure. Au besoin, répétez. Recouvrez ensuite avec le chiffon sec et l'objet lourd pour la nuit.

❗ Tapis délicat en fibres naturelles : séchez la zone au sèche-cheveux. N'utilisez le peroxyde qu'après l'avoir testé sur un coin caché et ne pas couvrir avec l'objet lourd.

TRAITEMENT DES TACHES

ALCOOLS PURS

Voir *Consignes et explications*. Épongez à fond (avec un chiffon non coloré).

Neutralisez le pH du dégât en le tamponnant à fond avec un chiffon imbibé de la solution acide (p. 140).

Épongez le surplus. Suivez le *Procédé avec la solution nettoyante* ci-dessus.

ANIMAUX, DÉGÂTS

Voir *Consignes et explications*.

Ramassez le solide et épongez autant de liquide que possible en appuyant avec un chiffon épais ou en vous tenant même debout sur le chiffon.

Voir les consignes spécifiques pour le vomi, la crotte, l'urine.

BEURRE

Voir *Consignes et explications* (p. 141).

Grattez (avec l'endos d'un couteau ou une spatule) et épongez (avec un chiffon non coloré) ce qui peut l'être.

■ **Si le dégât est profond,** commencez par le tamponner tant qu'il y a progrès avec un chiffon imbibé d'alcool à friction (p. 140).

■ **Si le dégât est superficiel,** essuyez-le délicatement avec le chiffon imbibé d'alcool : dans une seule direction, jamais en cercle.

Au besoin, suivez le *Procédé avec la solution nettoyante* ci-dessus.

Bière

Voir *Alcools purs*.

Boissons aux fruits, jus

Voir *Consignes et explications* en début de section.

Épongez (avec un chiffon non coloré) ce qui peut l'être.

Dans le cas d'un dégât sec, tamponnez la zone avec un chiffon imbibé d'eau, puis laissez reposer durant une minute. Tamponnez tant qu'il y a progrès, puis épongez à sec.

Si le dégât est entièrement éliminé, sur un tapis en fibres synthétiques, couvrez avec un chiffon sec et un objet lourd. Laissez sécher durant la nuit – au moins six heures. Sur un tapis délicat en fibres naturelles, séchez la zone au sèche-cheveux. Si des traces du dégât subsistent, suivez le *Procédé avec la solution nettoyante* **(p. 142)**.

Bonbon

Voir *Consignes et explications* **(p. 141)**.

Grattez (avec l'endos d'un couteau ou une spatule) et épongez (avec un chiffon non coloré) ce qui peut l'être. Suivez le *Procédé avec la solution nettoyante* **(p. 142)**.

Boue

Grattez (avec l'endos d'un couteau ou une spatule) et épongez (avec un chiffon non coloré) ce qui peut l'être. Couvrez de bicarbonate de soude. Laissez sécher. Passez l'aspirateur à fond.

Caca, crottes, excréments

Voir *Consignes et explications* **(p. 141)**.

Ramassez le solide à la cuillère et épongez autant de liquide que possible en appuyant avec un chiffon épais : tenez-vous debout sur le chiffon, au besoin.

Neutralisez le pH du dégât en le tamponnant à fond avec un chiffon imbibé de la solution alcaline **(p. 140)**, puis épongez le surplus.

Solution simple : saupoudrez ensuite une bonne couche de bicarbonate de soude. Laissez la poudre sécher et assécher la zone, en plus d'éliminer l'odeur. Ramassez-la avec l'aspirateur.

Une autre solution consiste à suivre le *Procédé avec la solution nettoyante* **(p. 142)**. Le Nettoyant détachant de la marque Bio-Vert est particulièrement indiqué pour ce genre de dégât.

S'il reste des odeurs tenaces après avoir utilisé la solution nettoyante, utilisez le procédé avec le bicarbonate de soude expliqué ci-dessus.

Café

Voir *Alcools purs*.

CHOCOLAT

Voir *Consignes et explications* **(p. 141)**.

Grattez (avec l'endos d'un couteau ou une spatule) et épongez (avec un chiffon non coloré) ce qui peut l'être. Neutralisez le pH du dégât en le tamponnant à fond avec un chiffon imbibé de la solution alcaline **(p. 140)**, puis épongez le surplus.

Suivez le *Procédé avec la solution nettoyante* **(p. 142)**.

CIGARETTE, BRÛLURE

En cas de brûlure légère, grattez légèrement le dessus avec une laine d'acier ou taillez délicatement aux ciseaux. En cas de brûlure profonde, taillez le tapis en rondelle autour de la brûlure et remplacez par une rondelle similaire découpée dans un coin caché – comme dans un placard.

CIRE DE CHANDELLE

Voir *Consignes et explications* **(p. 141)**.

Faites durcir et fendiller la cire en appliquant un glaçon enrobé dans un sac de plastique. Grattez ce qui peut l'être avec l'endos d'un couteau ou une spatule.

Pour enlever les résidus de cire, recouvrez le dégât avec un sac brun sans écriture (genre sac d'épicerie), des essuie-tout ou un chiffon épais, puis passez le fer à repasser à température moyenne. Déplacez le papier dès qu'un résidu apparaît à sa surface. Continuez tant qu'il apparaît des résidus. Au besoin, épongez avec un chiffon imbibé d'alcool à friction **(p. 140)** tant qu'il reste des résidus de gras.

COCKTAILS, DRINKS

Voir *Colas, sodas* ci-après.

COLAS, SODAS

144

Voir *Consignes et explications* **(p. 141)**.

Épongez (avec un chiffon non coloré) ce qui peut l'être. Neutralisez le pH du dégât en le tamponnant à fond avec un chiffon imbibé de la solution alcaline **(p. 140)**, puis épongez le surplus. Suivez le *Procédé avec la solution nettoyante* **(p. 142)**.

COLLES

Voir *Consignes et explications* **(p. 141)** avant de lire ce qui suit.

COLLE MAISON

Grattez (avec l'endos d'un couteau ou une spatule) et épongez (avec un chiffon non coloré) ce qui peut l'être. Neutralisez le pH du dégât en le tamponnant à fond avec un chiffon imbibé de la solution alcaline **(p. 140)**, puis épongez le surplus. Suivez le *Procédé avec la solution nettoyante* **(p. 142)**.

COLLE POUR LE CUIR

Grattez (avec l'endos d'un couteau ou une spatule) et épongez (avec un chiffon non coloré) ce qui peut l'être.

- **Si le dégât est profond**, épongez-le tant qu'il y a progrès avec un chiffon trempé dans l'alcool à friction **(p. 140)**.

- **Si le dégât est superficiel**, essuyez-le délicatement avec le chiffon imbibé d'alcool à friction : dans une seule direction, et jamais en cercle.
  Au besoin, suivez le *Procédé avec la solution nettoyante* **(p. 142)**.

COLLE BLANCHE

Grattez (avec l'endos d'un couteau ou une spatule) et éponger (avec un chiffon non coloré) ce qui peut l'être. Suivez le *Procédé avec la solution nettoyante* **(p. 142)** : utilisez autant que possible du soda club et de l'eau fraîche.

CONFITURES

Voir *Consignes et explications* **(p. 141)**.

Grattez (avec l'endos d'un couteau ou une spatule) et épongez (avec un chiffon non coloré) ce qui peut l'être.

Dans le cas d'un dégât sec, tamponnez la zone avec un chiffon imbibé d'eau, puis laissez reposer durant une minute. Tamponnez tant qu'il y a progrès, puis épongez à sec. Si le dégât est entièrement éliminé, sur un tapis en fibres synthétiques, couvrez avec un chiffon sec et un objet lourd. Laissez sécher durant la nuit – au moins six heures. Sur un tapis délicat en fibres naturelles, séchez la zone au sèche-cheveux. Si des traces du dégât subsistent, suivez le *Procédé avec la solution nettoyante* **(p. 142)**.

CRAYONS DE CIRE

Voir *Consignes et explications* **(p. 141)**.

Grattez ce qui peut l'être (avec l'endos d'un couteau ou une spatule). Vous pouvez également recouvrir le dégât avec un sac brun sans écriture, des essuie-tout ou un chiffon épais non coloré, puis passer le fer à repasser à température moyenne pour absorber la cire. Déplacez le papier dès qu'un résidu apparaît à sa surface. Continuez tant qu'il apparaît des résidus. Au besoin, continuez avec ce qui suit.

- **Si le dégât est profond,** l'autre possibilité est de commencer par l'éponger tant qu'il y a progrès avec un chiffon imbibé d'alcool à friction **(p. 140)**.

- **Si le dégât est superficiel,** essuyez-le délicatement avec le chiffon imbibé d'alcool : dans une seule direction, jamais en cercle. Au besoin, suivez le *Procédé avec la solution nettoyante* **(p. 142)**.

CRÈME GLACÉE

Voir *Colle blanche*.

DRINKS, COCKTAILS
Voir *Colas, sodas* (p. 144).

ENCRE (CRAYON FEUTRE, STYLO À BILLE, PLUME FONTAINE)
Voir *Consignes et explications* (p. 141).

Grattez (avec l'endos d'un couteau ou une spatule) et épongez (avec un chiffon non coloré) ce qui peut l'être.

- **Si le dégât est profond**, épongez-le tant qu'il y a progrès avec un chiffon trempé dans l'alcool à friction (p. 140).
- **Si le dégât est superficiel**, essuyez-le délicatement avec le chiffon imbibé d'alcool à friction : dans une seule direction, et jamais en cercle.

Au besoin, suivez le *Procédé avec la solution nettoyante* (p. 142).

FRUITS (FRAISES, BLEUETS)
Intervenez avant que le dégât ne sèche. Voir *Confitures* (p. 145).

GOMME À MÂCHER
Voir *Consignes et explications* (p. 141).

Faites durcir en appliquant un glaçon enrobé dans un sac de plastique. Cassez en miettes, grattez ce qui peut l'être et ramassez avec l'aspirateur. Au besoin, suivez le *Procédé avec la solution nettoyante* (p. 142) : au moment de rincer, utilisez de l'eau chaude.

GRAISSE, GRAS
Voir *Beurre* (p. 142).

HUILE
Voir *Beurre* (p. 142).

JUS, BOISSONS AUX FRUITS
146 Voir *Boissons aux fruits, jus* (p. 143).

LAIT
Voir *Colle blanche* (p. 145).

MARGARINE
Voir *Beurre* (p. 142).

MAYONNAISE
Voir *Beurre* (p. 142).

NOURRITURE GRAISSEUSE
Voir *Beurre* (p. 142).

Œuf
Voir *Chocolat* (p. 144).

Peinture (huile et eau)
Voir *Colle pour le cuir* (p. 145).

Plasticine (pâte à modeler)
Voir *Colle pour le cuir* (p. 145).

Rouille
Voir *Consignes et explications* (p. 141).

Humidifiez la tache légèrement et saupoudrez d'acide oxalique (sel de citron : très efficace, facile à trouver en pharmacie, économique et sécuritaire). Laissez reposer environ une heure. Le citron étant un blanchisseur, testez d'abord la solution sur un coin caché du tapis.

À défaut d'acide oxalique, tamponnez la tache avec un chiffon trempé dans du jus de citron : laissez reposer quatre à cinq minutes.

Si la tache n'a pas disparu, trouvez de l'acide oxalique ou faites appel un professionnel.

Si la tache a disparu, poursuivez en suivant le *Procédé avec la solution nettoyante* (p. 142) afin d'éliminer les résidus de citron.

Sang
Voir *Colas, sodas* (p. 144).

Sel
Appliquez une solution moitié-moitié de vinaigre et d'eau sur les taches de sel marquant les carpettes. Épongez. Répétez au besoin.

Shortening
Voir *Beurre* (p. 142).

Sodas
Voir *Colas, sodas* (p. 144).

Spaghetti, sauce tomate genre ketchup, tomate
Voir *Chocolat* (p. 144).

Suie
Enlevez le plus gros du dégât avec la buse sans poils de l'aspirateur.
- **Si le dégât est profond**, épongez-le tant qu'il y a progrès avec un chiffon trempé dans l'alcool à friction (p. 140).

- **Si le dégât est superficiel**, essuyez-le délicatement avec le chiffon imbibé d'alcool à friction : dans une seule direction, et jamais en cercle. Au besoin, suivez le *Procédé avec la solution nettoyante* **(p. 142)**.

TOMATE, SAUCE TOMATE GENRE KETCHUP

Voir *Chocolat* **(p. 144)**.

URINE

Voir *Consignes et explications* **(p. 141)**.

Épongez autant de liquide que possible en pressant avec un chiffon épais non coloré : tenez-vous debout sur le chiffon, au besoin.

Neutralisez le pH du dégât en le tamponnant à fond avec un chiffon imbibé de la solution alcaline **(p. 140)**, puis épongez le surplus. Suivez le *Procédé avec la solution nettoyante* **(p. 142)**.

VASELINE

Voir *Beurre* **(p. 142)**.

VERNIS À ONGLES

Voir *Consignes et explications* **(p. 141)**.

Grattez ce qui peut l'être (avec l'endos d'un couteau ou une spatule). Tamponnez délicatement le dégât avec un chiffon trempé dans un solvant pour poli à ongles *non huileux*. Vérifiez auparavant si le solvant décolore le tapis dans un coin caché.

Enlevez les résidus en suivant le *Procédé avec la solution nettoyante* **(p. 142)** : sautez la dernière étape avec le peroxyde.

VIN ROUGE ET BLANC

Voir *Consignes et explications* **(p. 141)**.

Épongez à fond (avec un chiffon non coloré). Évitez de saupoudrer du sel, qui peut laisser un résidu.

Pour le vin rouge, si vous avez du Détachant en poudre Bio-Vert ou Brio Magic, faites-en dissoudre 15 ml (1 c à s) dans 500 ml (2 t) d'eau chaude. Tamponnez la tache avec un chiffon blanc humecté de la solution. Laissez reposer 1-2 minutes. Épongez avec soin avec un chiffon légèrement humide pour rincer a mieux.

Faute de détachant, voir *Alcools*.

VINAIGRETTE

Voir *Beurre* **(p. 142)**.

VOMI

Voir *Caca, crotte, excréments* **(p. 143)**.

Taches sur
les vêtements – tissus

À LIRE, TRUCS

Le soin des articles et des problèmes particuliers, de même que l'entretien des appareils et d'autres sujets sont abordés à la rubrique *Lessive* **(p. 51)**.

Première chose

Simplifiez-vous la tâche. Éliminez près de 90 % des taches incrustées sur les tissus lavables en utilisant simplement un bon détergent et en frottant pour le faire pénétrer dans les dégâts plus graves avant de laver. Voyez les détergents recommandés **(p. 176)**. Au besoin, répétez.

Gardez du détergent liquide dans un petit contenant séparé plus facile à manipuler, avec un bec gicleur qui ferme – comme ceux des shampooings à cheveux. Utilisez une brosse souple pour frotter sans abîmer les fibres ou vous gommer les mains. Suivant ce principe, la marque Tide commercialisait il y a quelque temps un ensemble brosse et contenant à gicleur difficile à trouver maintenant.

Les taches qui ont été éliminées ainsi lors des tests de *Protégez-Vous*[25] incluent cacao, huile à moteur, tomate, épinard, rouge à lèvres, sang, gazon, mélange d'huile, de lait coloré au pigment. Réservez l'utilisation de la présente section aux taches résistantes (10 %), dont celles de vin rouge, les seules à résister au frottage avec le détergent.

Les tissus délicats comme la laine, la soie et la rayonne ne peuvent la plupart du temps être lavés avec le détergent efficace contre les taches.

Détachez ces tissus délicats en les lavant entièrement avec un détergent *doux* – ou un jet de nettoyant à vaisselle translucide et *doux* (pH équilibré). Frottez délicatement autour de la tache avec du détergent en évitant de triturer les fibres. C'est pour se protéger que les manufacturiers mentionnent que ces tissus requièrent le nettoyage à sec, consigne que relaient les teinturiers. Avec un lavage entier, la couleur peut être légèrement altérée, de même que doublures et bourre quand il y en a, mais vous éviterez l'auréole, ce qui se produira si vous lavez uniquement la tache.

Au lieu de laver à la main, vous pouvez laver au lave-linge dans un filet **(p. 269)**, au cycle délicat et avec le détergent *doux*, surtout si votre laveuse est à chargement

149

frontal. Avant de laver, épongez la tache avec un chiffon trempé de chasse-taches délicat maison **(p. 192)** si vous l'avez à portée de main – sa glycérine aide à soulever les dégâts –, ou encore trempé dans le détergent *doux* ou dans un nettoyant à vaisselle translucide *doux* (pH équilibré). Rincez. Lavez sans attendre que le traitement s'assèche entièrement, pour éviter la formation d'auréoles.

À FAIRE ET À NE PAS FAIRE

Les classiques tiennent encore. Testez toujours le chasse-taches d'abord sur un coin caché du vêtement, par exemple le long d'une couture intérieure. N'oubliez pas de lire les indications du manufacturier sur l'étiquette cousue au vêtement.

Traitez la tache en tenant toujours compte des deux aspects suivants : sa nature et la nature du tissu.

Conseil de teinturier : n'utilisez jamais un détachant instantané commercial à base de solvants d'origine pétrolière. Il peut éliminer le dégât dans un premier temps, mais il abîmera la couleur quand il se trouvera associé au perchloréthylène servant au nettoyage à sec. Ces produits sont peu efficaces, selon le test de *Protégez-Vous* cité plus haut. Le seul qui s'est révélé efficace contre les taches de vin, DidiSeven, est en pâte et d'application peu commode.

En dernier recours, si les solutions proposées n'ont pas d'effet, laissez le nettoyeur à sec essayer son appareil qui humidifie et assèche la zone tachée de façon à éviter la formation d'auréoles.

Agissez en général sans tarder. Grattez et épongez le surplus. Ne frottez jamais vigoureusement au risque d'abîmer le tissu. Humectez avec le nettoyant. Épongez le nettoyant. Rincez et épongez à sec en appliquant simplement le chiffon sans frotter.

Répétez l'opération tant que des progrès sont visibles. Il n'existe pas de chasse-taches universel. La nature même des tissus et des taches l'interdit.

En général, laine et soie (fibres de protéines) peuvent être endommagées par des nettoyants trop alcalins (avec borax, cristaux de soude, bicarbonate de soude). Lin et rayonne réagissent mal aux nettoyants trop acides (avec vinaigre, citron).

Utilisez des chiffons non colorés et épongez le dégât avant de le tremper de quelque façon pour retirer le maximum de salissure. N'exposez jamais, jamais, une tache à la chaleur du sèche-linge et du fer à repasser, lesquels ont pour effet de cuire la saleté. Faites sécher le vêtement à la température de la pièce et vérifiez si la tache est partie avant de le faire sécher ultérieurement au sèche-linge.

À l'extérieur, si vous n'avez aucun chasse-taches, grattez et épongez ce qui peut l'être sans tarder avec un chiffon. Même de l'eau appliquée sur un tissu délicat est susceptible de décolorer ou de créer une auréole. Utilisez pour les tissus lavables un chiffon trempé dans l'eau froide, ou mieux dans du soda club (eau gazéifiée) **(p. 255)** ou de l'Alka-Seltzer.

S'il ne peut être porté chez le teinturier rapidement, lavez entièrement le vêtement délicat à la main pour éviter la formation d'une auréole.

Les tests de *Protégez-Vous* ont montré que pour détacher, «le prétrempage n'améliore pas significativement le détachage[26]».

Plusieurs experts suggèrent pourtant qu'un trempage d'une vingtaine de minutes de tout vêtement lavable est un allié naturel, puissant et simple, en utilisant un additif comme les cristaux de soude (Arm & Hammer, Si net, ou mieux, Brio Magic / Bio-Vert qui offre un mélange de cristaux de soude et de blanchisseur) ou un blanchisseur non javellisant.

Gardez à l'esprit les principaux endroits où se logent les taches : aisselles, cols et coudes, genoux, coutures et revers.

À défaut de temps pour traiter certaines taches particulières, marquez-les avec un ruban pour éviter de les oublier et les repérer facilement quand viendra le temps de laver.

La glycérine **(p. 209)** relâche les taches anciennes avant de les traiter et de les laver.

L'additif que sont les cristaux de soude est très apprécié par les experts du ménage vert. Puissants avec leur pH de 11, ils ajoutent du pouvoir nettoyant au détergent sans être nocifs pour l'environnement. Le mélange de cristaux de soude et de blanchisseur de la marque Brio Magic / Bio-Vert est encore plus efficace.

Consultez au besoin la présentation détaillée des chasse-taches **(p. 190-193)**.

Facilitez-vous la vie avec le chasse-taches délicat maison **(p. 192)**, à base de glycérine, qui peut être utilisé sur les tissus délicats comme la soie, la laine et la rayonne. Économique et sécuritaire, en plus.

Voyez l'aide-mémoire pour la salle de lavage **(p. 292)**. Voyez aussi les étiquettes **(p. 172-174)** avec le nom du produit et sa composition pour identifier les contenants des chasse-taches maison : il est ainsi plus aisé de les renouveler.

Les indications qui suivent rassemblent une foule de trucs mis au point par divers experts pour être utilisés au besoin si le simple détergent ne suffit pas.

Reprenez le procédé tant que des progrès sont enregistrés. Et sachez laisser tomber les armes quand tout a été tenté. Certains dégâts, plutôt rares, ne peuvent être éliminés.

TRAITEMENTS DES TACHES SPÉCIFIQUES

153

ALCOOL

Éliminez vite 90 % des taches : voir *Première chose* **(p. 149)**.

Bien que peu apparente sur le coup, la tache d'alcool peut brunir avec le temps si elle n'est pas nettoyée, quand les sucres se trouvent caramélisés par la chaleur du fer ou du sèche-linge. Elle deviendra apparente, selon la couleur du tissu, sur un vêtement de sortie par exemple ou un pull peu porté et rarement nettoyé.

Épongez le dégât avec un chiffon humecté sur les **tissus lavables**, avec un chiffon sec sur les **tissus délicats**. Mettez à laver pour ne pas oublier.

AURÉOLES SUR LES COLS DE CHEMISE

Lavez simplement les **tissus lavables** à l'eau tiède avec un bon détergent frotté sur la tache, comme c'est indiqué dans *Première chose* **(p. 149)**. Un classique : au besoin, faites pénétrer du shampooing partout sur l'auréole. Lavez.

Sur les **tissus délicats** comme la soie et la laine, épongez avec un chiffon trempé dans le chasse-taches délicat maison **(p. 192)** s'il est disponible, ou encore trempé dans le détergent *doux* ou un nettoyant à vaisselle translucide *doux* (pH équilibré). Puis lavez sans attendre que le traitement s'assèche entièrement, pour éviter la formation d'auréoles, à la main ou dans un filet **(p. 269)** au cycle délicat de la machine, avec un détergent *doux*.

Au besoin, faites pénétrer un shampooing pour cheveux *doux* (pH équilibré) partout sur l'auréole, puis lavez.

BEURRE, MARGARINE, GRAS, HUILE

Éliminez vite 90 % des taches : voir *Première chose* **(p. 149)**.

Une telle tache attirera la saleté et foncera si elle n'est pas éliminée.

Grattez le surplus avec l'endos d'un couteau ou une spatule. Épongez avec un essuie-tout. Lavez à l'eau la plus chaude que peut tolérer le tissu.

BIÈRE

Éliminez vite 90 % des taches : voir *Première chose* **(p. 149)**.

Épongez le dégât avec un chiffon humecté sur les **tissus lavables**, avec un chiffon sec sur les **tissus délicats**. Mettez à laver pour ne pas oublier.

BOISSONS AU GOÛT DE FRUITS

Voir *Colorant à collation* **(p. 157)**.

BOISSONS GAZEUSES

Éliminez vite 90 % des taches : voir *Première chose* **(p. 149)**.

Épongez *tout de suite* parce que ces liquides modifient la couleur des tissus en s'oxydant : avec un chiffon humecté sur les **tissus lavables**, avec un chiffon sec sur les **tissus délicats**. Mettez à laver.

Répétez au besoin, sur les **tissus lavables**, en ajoutant à l'eau des cristaux de soude préalablement dissous dans de l'eau chaude.

BOUE

Laissez sécher. Brossez tout ce qui peut l'être. Lavez simplement les **tissus lavables** avec un bon détergent frotté sur la tache, comme c'est indiqué dans *Première chose* **(p. 149)**.

Au besoin, faites pénétrer un peu de cristaux de soude ou de borax mélangé à de l'eau. Lavez.

Sur les **tissus délicats** comme la soie et la laine, frottez délicatement avec le chasse-taches délicat maison **(p. 192)** s'il est disponible, ou encore le détergent *doux* ou un nettoyant à vaisselle translucide *doux* (pH équilibré). Puis lavez sans attendre que le traitement s'assèche entièrement, pour éviter la formation d'auréoles, à la main ou dans un filet **(p. 269)**, au cycle délicat de la machine, avec un détergent *doux*.

BRÛLURE DE CIGARETTE

Éliminez vite 90 % des taches : voir *Première chose* **(p. 149)**.

Seules les brûlures légères n'ayant pas percé le tissu ont des chances de disparaître. Essayez ce qui suit, au besoin, puis lavez les **tissus délicats** avant que le traitement ne sèche pour éviter la formation d'auréoles. Lavez à la main, ou dans un filet **(p. 269)** au cycle délicat de la machine, avec un détergent *doux*.

Commencez par éponger avec de l'eau. Au besoin, épongez avec du détergent à lessive et de l'eau. Rincez à fond avec de l'eau froide. Au besoin, épongez avec un peu de peroxyde d'hydrogène (3 %).

CAFÉ

Éliminez vite 90 % des taches : voir *Première chose* **(p. 149)**.

Pour éviter que la tache s'agrandisse, épongez le dégât de la périphérie vers le centre avec un chiffon sec. Rincez ensuite à l'eau fraîche les **tissus lavables**. Épongez.

Si le **tissu délicat** ne peut être lavé immédiatement, ne l'épongez pas avec un chiffon humecté d'eau qui risquerait de créer des auréoles en séchant. Épongez-le avec un chiffon sec ou, si possible, l'éponger délicatement avec un chiffon humecté de chasse-taches instantané **(p. 191)**.

CAFÉ NOIR

Éliminez vite 90 % des taches : voir *Première chose* **(p. 149)**.

Si la tache est sèche depuis longtemps, faites pénétrer une solution moitié-moitié de glycérine et d'eau chaude. Rincez. Lavez. Au besoin, et si le tissu tolère l'eau chaude, tendre la zone tachée sur un bol en la retenant avec un élastique – les tissus de polyester réagissent à la chaleur, surtout à la chaleur sèche. Saupoudrez des cristaux de soude et versez de l'eau bouillante d'une hauteur de 50 cm. Laissez reposer durant une heure. Lavez. Sur la soie et la laine, n'utilisez pas de cristaux de soude.

CAFÉ CRÈME (OU TOUT AUTRE AVEC DES PRODUITS LAITIERS)

Éliminez vite 90 % des taches : voir *Première chose* **(p. 149)**.

Au besoin, sur les **tissus délicats**, mouillez le tissu et épongez la tache avec un chiffon trempé de chasse-taches délicat maison **(p. 192)** s'il est disponible, ou encore trempé dans le détergent *doux* ou un nettoyant à vaisselle translucide *doux* (pH équilibré). Rincez à l'eau fraîche. Lavez à la main, ou dans un filet **(p. 269)** au cycle délicat de la machine, avec un détergent *doux*.

CHAUSSETTES, ODEURS

Confectionnez-vous des chaussettes qui chassent les odeurs de pieds.

Faites tremper vos chaussettes pendant 30 minutes, quand elles viennent d'être lavées, dans une solution de 60 ml ($^1/_4$ t) de bicarbonate de soude et de 4 l d'eau. Ne rincez pas. Essorez à la main ou à la machine. Séchez.

CHOCOLAT

Grattez le surplus avec l'envers d'un couteau ou une spatule sitôt le dégât survenu.

Lavez simplement les **tissus lavables** à l'eau tiède avec un bon détergent frotté sur la tache, comme c'est indiqué dans *Première chose* **(p. 149)**. Au besoin, répétez.

Sur les **tissus délicats** comme la soie et la laine, épongez avec un chiffon trempé dans le chasse-taches délicat maison **(p. 192)** s'il est disponible, ou encore trempé dans le détergent *doux* ou un nettoyant à vaisselle translucide *doux* (pH équilibré). Lavez sans attendre que le traitement s'assèche entièrement, pour éviter la formation d'auréoles, à la main ou dans un filet **(p. 269)** au cycle délicat de la machine, avec un détergent *doux*.

Au besoin, laissez reposer le chasse-taches durant quelques minutes et éponger à nouveau. Lavez délicatement à la main avant que ne sèche ce traitement pour éviter les auréoles.

CIRE À CHAUSSURES

156

Grattez le surplus. Lavez simplement les **tissus lavables** à l'eau tiède avec un bon détergent frotté sur la tache, comme c'est indiqué dans *Première chose* **(p. 149)**. Au besoin, répétez.

Sur les **tissus délicats**, mouillez le tissu et épongez la tache avec un chiffon trempé de chasse-taches délicat maison **(p. 192)** s'il est disponible, ou encore trempé dans le détergent *doux* ou un nettoyant à vaisselle translucide *doux* (pH équilibré). Rincez. Lavez sans attendre que le traitement s'assèche entièrement, pour éviter la formation d'auréoles, à la main ou dans un filet **(p. 269)** au cycle délicat de la machine, avec un détergent *doux*.

CIRE DE CHANDELLE

Rendez-la craquante en apposant de la glace enveloppée de plastique, puis grattez avec l'endos d'un couteau ou une spatule.

Placez la tache sur trois ou quatre essuie-tout posés sur la planche à repasser. Couvrez de deux ou trois essuie-tout, puis d'un morceau de sac brun sans écriture. Appliquez un fer à chaleur moyenne à forte. Remplacez les essuie-tout au besoin pour récupérer autant de cire que possible.

S'il reste une trace sur un **tissu lavable**, lavez simplement à l'eau tiède avec un bon détergent frotté sur la tache, comme c'est indiqué dans *Première chose* **(p. 149)**. Au besoin, répétez.

Sur un **tissu délicat**, épongez avec un chiffon trempé dans le chasse-taches délicat maison **(p. 192)** s'il est disponible, ou encore trempé dans le détergent *doux* ou un nettoyant à vaisselle translucide *doux* (pH équilibré), après avoir pris soin de poser la tache face contre terre, sur un tampon d'essuie-tout en papier. Épongez ensuite à sec, puis laver sans attendre que le traitement s'assèche entièrement, pour éviter la formation d'auréoles, à la main ou dans un filet **(p. 269)** au cycle délicat de la machine, avec un détergent *doux*. Au besoin, avant de sécher, lavez de nouveau avec un blanchisseur non javellisant **(p. 186)**.

COLLE

COLLE SYNTHÉTIQUE
En règle générale, la plupart des colles synthétiques encore fraîches peuvent être enlevées sur les **tissus lavables** avec de l'eau et du détergent à lessive.

Rincez à l'eau chaude. Faites pénétrer vigoureusement le détergent à lessive efficace contre les taches et des cristaux de soude **(p. 195)** ou du borax **(p. 186)**. Rincez. Lavez dans l'eau la plus chaude que tolère le tissu. Portez le **tissu délicat** chez le teinturier en précisant le type de colle dont il s'agit.

COLLE DE CIMENT CLAIR
Les colles de type ciment clair en plastique se dissolvent avec du nettoyant pour vernis à ongles contenant de l'acétone ou simplement avec de l'acétone. Cependant, ce produit est déconseillé, car il présente des risques pour la santé et est délicat à manipuler. Il est préférable de porter le vêtement chez le teinturier qui a l'expertise nécessaire pour le nettoyer.

157

COLLES DIVERSES SÉCHÉES
Trempez les taches de colle séchée sur **tissu lavable** pendant 45 minutes dans une solution bouillante de 750 ml (3 t) d'eau pour 250 ml (1 t) de vinaigre. Grattez la colle ramollie. Prétraitez au détergent à lessive additionné de cristaux de soude **(p. 195)**. ou de borax **(p. 186)**. Lavez. Portez le **tissu délicat** chez le teinturier.

COLORANT À COLLATIONS CONGELÉES ET À BOISSONS
Laver les **tissus lavables** à l'eau tiède avec un bon détergent frotté sur la tache, comme c'est indiqué dans *Première chose* **(p. 149)**. Cela a fait disparaître les taches de colorant dans le test de *Protégez-Vous*.

Pour éviter les risques inutiles, prétraiter *tout de suite* le dégât offre la meilleure garantie de succès.

À l'extérieur de la maison, trempez le dégât sur **tissus lavables** avec du soda club (eau gazéifiée) **(p. 255)**, ou de l'Alka-Seltzer, puis épongez tant que la tache diminue.

À la maison, étirez le tissu et faites gicler de l'eau froide dessus avec force pendant un bon moment. Frottez ensuite le bon détergent comme c'est indiqué plus haut et lavez.

Les tests de *Protégez-Vous* ont montré que pour détacher, « le pré-trempage n'améliore pas significativement le détachage[27] ».

Sur les **tissus délicats** que vous ne pouvez laver immédiatement, évitez l'application d'humidité, qui en séchant peut créer des auréoles. Épongez à sec. Lavez dès que possible le vêtement entier à la main en frottant délicatement autour du dégât avec un détergent *doux* ou un nettoyant à vaisselle translucide *doux* (pH équilibré) ou le Nettoyant détachant pour tissus Bio-Vert.

COSMÉTIQUES

Éliminez vite 90 % des taches : voir *Première chose* **(p. 149)**. Au besoin, relavez.

CRAYON À MINE

Effacez la tache délicatement avec une gomme à effacer **propre**. Éliminez vite 90 % des taches : voir *Première chose* **(p. 149)**.

CRAYONS DE CIRE

Pour les tissus tolérant la chaleur du fer à repasser, passez le fer à chaleur moyenne sur la tache placée entre deux morceaux de papier brun sans écriture. Changez le papier à mesure que la cire s'y imprègne.

Pour enlever au besoin le gras restant, frottez le détergent qui convient au **tissu lavable** et **délicat** comme c'est indiqué dans *Première chose* **(p. 149)**.

CRAYONS DE COULEUR

158

Éliminez vite 90 % des taches : voir *Première chose* **(p. 149)**.

Au besoin, sur les **tissus lavables**, de nombreux spécialistes vantent l'efficacité des lubrifiants antirouille de type WD-40, qui sont présents dans de nombreuses maisonnées. Cette marque particulière de lubrifiant est déconseillée pour les raisons de sécurité données à la rubrique *Lubrifiant* **(p. 214)**. Préférez la marque ReleasAll, l'Original, vendue en format pulvérisateur (dans les Canadian Tire).

L'alcool à friction (isopropylique, 70 %) est un solvant de composition plus simple et il est facile à trouver en pharmacie.

Avec le lubrifiant ou l'alcool, placez la tache face contre un bon amas d'essuie-tout en papier et humectez-la avec l'un ou l'autre. Laissez reposer cinq minutes. Changez le tissu de côté, renouvelez le papier et humectez le côté de la tache avec le lubrifiant. Laissez reposer encore cinq minutes.

Frottez la tache avec le bon détergent, puis lavez et rincez à l'eau la plus chaude possible. Portez chez le teinturier les **tissus délicats** sur lesquels les taches n'ont pas disparu après le simple traitement de base décrit dans *Première chose* **(p. 149)**.

CRÈME, CRÈME GLACÉE, CRÈME FOUETTÉE

Voir *Lait* **(p. 161)**.

ENCRE DE PLUME, STYLO, CRAYON FEUTRE

Elle est difficile à éliminer et ne peut parfois être qu'atténuée. Sur les **tissus lavables**, excluant spécifiquement la soie, la laine, la rayonne et les tissus contenant de l'acétate, vérifiez si la couleur du tissu résiste à l'alcool à friction (isopropylique, 70 %). Sinon utilisez un mélange de deux parties d'eau pour une d'alcool.

Appliquez l'alcool à friction autour de la tache puis sur la tache (pour limiter son expansion). Puis épongez l'envers du tissu taché, après l'avoir posé sur un tas d'essuie-tout en papier, avec un chiffon trempé d'alcool, et ce, tant qu'il y a transfert d'encre sur les essuie-tout. Rincez à l'eau froide. Appliquez et frottez fermement un bon détergent avant de laver comme indiqué dans *Première chose* **(p. 149)**.

Au besoin, brossez assez fort avec du bicarbonate de soude mélangé à du dentifrice blanc en pâte et non en gel. Rincez.

Alternative : trempez un bon moment dans l'eau chaude avec un blanchisseur convenant au tissu ou avec un détergent à lessive avec blanchisseur non javellisant **(p. 186)**. Lavez. Rincez à l'eau chaude. En dernier ressort, lancez un défi à votre teinturier.

Il est parfois recommandé d'utiliser de la laque pour les cheveux sur les taches d'encre, car la laque contient de l'alcool.

Sur les **tissus délicats**, comme le lin – excluant les fibres animales (soie, laine), la rayonne (fibre reconstituée sensible aux solvants) et les tissus contenant de l'acétate –, vérifiez si la couleur résiste à l'alcool à friction ou au mélange de deux parties d'eau pour une d'alcool et procédez comme pour les tissus lavables. Lavez ensuite le vêtement sans attendre pour prévenir la formation d'auréole au séchage. Si l'un de ces éléments est impossible, portez le vêtement chez le teinturier en identifiant le dégât.

ENCRE SÈCHE DE COPIEUR

Ne brossez pas avec la main. Secouez et brossez délicatement avec une brosse fine. Lavez les **tissus lavables** à l'eau la plus chaude que tolère le tissu, après avoir humecté la tache avec un bon détergent, comme décrit dans *Première chose* **(p. 149)**. Au besoin, répétez.

Lavez aussi les **tissus délicats** comme la soie et la laine à l'eau la plus chaude qu'ils tolèrent, après avoir humecté la tache avec le chasse-taches délicat maison **(p. 192)**, s'il est disponible, ou encore avec le détergent *doux* ou un nettoyant à vaisselle translucide *doux* (pH équilibré). Lavez sans attendre que le traitement s'assèche, pour éviter la formation d'auréoles, à la main ou dans un filet **(p. 269)** au cycle délicat de la machine, avec un détergent *doux*.

FRUITS

Voir *Jus* ci-dessous.

GOMME À MÂCHER

Faites geler la tache en plaçant le vêtement durant six à huit heures dans le congéla-teur, enveloppé dans un sac de plastique. Grattez avec soin dès la sortie avec l'envers d'un couteau ou une spatule.

Épongez avec un chiffon trempé dans le détergent qui convient au tissu **(p. 204-207)**. Lais-sez reposer deux à trois minutes. Rincez. Lavez sans attendre les tissus délicats pour éviter la formation d'auréoles, à la main ou dans un filet **(p. 269)** au cycle délicat de la machine. Au besoin, imprégnez le tissu lavable débarrassé de la gomme d'un mélange moitié-moitié de nettoyant à vaisselle translucide *doux* (pH équilibré) et de vinaigre. Rincez abondam-ment. Lavez sans attendre les tissus délicats pour éviter la formation d'auréoles.

GOMME DE RÉSINEUX (PIN, SAPIN)

Voir *Résine d'arbres* **(p. 162)**.

GRAS

Voir *Beurre* **(p. 154)**.

HERBE

Lors du test de *Protégez-Vous*, on a fait disparaître les taches d'herbe en lavant après avoir simplement frotté le dégât sur un **tissu lavable** avec un bon détergent comme c'est indiqué dans *Première chose* **(p. 149)**.

Sur un **tissu délicat**, si vous procédez comme c'est indiqué dans *Première chose* **(p. 149)**, vous aurez les meilleures chances de succès, en l'absence de test sur les détergents *doux*.

Au besoin, épongez les **tissus lavables** autres que la soie et la laine avec un chiffon trempé dans l'alcool à friction (isopropylique, 70 %) tant que la tache paraît s'effacer. Rincez amplement. Lavez.

Vous pouvez également éponger avec un chiffon trempé dans le vinaigre blanc tant que la tache semble s'effacer. Rincez amplement. Lavez.

JUS

Rincez *tout de suite* le dégât à l'eau froide. Le test de *Protégez-Vous* a vu disparaître les taches colorées avec un pigment, sur un **tissu lavable,** en lavant après avoir sim-plement frotté le dégât avec un bon détergent comme c'est indiqué dans *Première chose* **(p. 149)**. Un second test de *Protégez-Vous* a vu disparaître les taches de tomates grâce au même bon détergent.

En suivant les consignes générales de *Première chose* **(p. 149)**, vous pouvez éli-miner 90 % des taches de jus sur tous les tissus. Une coloration fragile sur un **tissu délicat** peut toujours être abîmée par de l'eau : vérifier la solidité de la couleur avec les solutions suivantes sur un coin caché du vêtement avant de procéder.

Réactivez au besoin les taches anciennes en faisant pénétrer de la glycérine pour les faire ressortir. Laissez reposer durant une demi-heure. Lavez ou continuez au besoin avec ce qui suit.

Après avoir fait pénétrer du détergent sur la tache, rincez à l'eau chaude en faisant passer le jet à travers la zone trempée de détergent.

Vous pouvez aussi, sur un **tissu lavable**, appliquer et faire pénétrer une pâte de cristaux de soude ou de borax et d'eau chaude. Laissez sécher. Brossez. Lavez.

Ou bien encore, appliquez et faites pénétrer une pâte de bicarbonate de soude et de nettoyant à vaisselle translucide *doux* (pH équilibré). Laissez sécher sur un chiffon épais. Lavez.

La soie et la laine ne tolèrent pas les additifs alcalins comme les cristaux de soude, le borax et le bicarbonate de soude.

LAIT, PRODUITS LAITIERS (CRÈME ORDINAIRE, FOUETTÉE, GLACÉE)

Grattez et épongez les surplus. Le test de *Protégez-Vous* a vu disparaître les taches *d'huile et de lait coloré avec un pigment* en lavant après avoir simplement frotté le dégât sur un **tissu lavable** avec un bon détergent comme c'est indiqué dans *Première chose* **(p. 149)**.

Sur un **tissu délicat**, procéder aussi comme c'est indiqué dans *Première chose* **(p. 149)** offre les meilleures chances de succès, en l'absence de test sur les détergents *doux*.

MARGARINE

Éliminez vite 90 % des taches : voir *Première chose* **(p. 149)**.

Voir aussi *Beurre* **(p. 154)**.

MOUTARDE

Éliminez vite 90 % des taches : voir *Première chose* **(p. 149)**.

Grattez sans étendre ni attendre. Lavez comme c'est indiqué dans *Première chose* **(p. 149)**.

Au besoin, répétez en laissant reposer le détergent durant une heure. Rincez puis appliquez aussi sur les **tissus lavables** de l'alcool à friction ou un chasse-taches en pulvérisateur avant de laver à nouveau.

Au besoin, avec les **tissus délicats**, ajoutez un blanchisseur non javellisant. Lavez à nouveau.

ŒUF

Grattez et épongez les surplus. Sur les **tissus lavables**, rincez à l'eau froide après avoir gratté et épongé. Appliquez un bon détergent, laissez reposer durant 30 minutes et lavez comme c'est indiqué dans *Première chose* **(p. 149)**.

Sur les **tissus délicats** comme la soie et la laine, épongez le dégât délicatement et sans tarder avec le détergent ou le chasse-taches délicat maison **(p. 192)**. Laissez reposer 30 minutes. Rincez. Lavez en suivant les consignes de *Première chose* **(p. 149)**.

ODEURS, CHAUSSETTES

Voir *Chaussettes, odeurs* (**p. 156**).

ODEURS, TRANSPIRATION

Voir *Transpiration* (**p. 165**).

PEINTURE À L'EAU

Épongez avec soin pour éviter de l'étendre, *tout de suite,* et rincez à l'eau chaude. Gardez humide s'il est impossible de traiter immédiatement. Imbibez de détergent à lessive. Lavez.

PEINTURE À L'HUILE

Grattez avec soin pour éviter de l'étendre. Gardez humide s'il est impossible de traiter *tout de suite*.

Sur les **tissus** lavables, si la tache est sèche, essayez de la revitaliser avec de la gelée de pétrole – la vaseline – avant de procéder comme suit. À l'aide d'une cuillère ou d'une brosse à dent, tapotez l'envers du tissu taché, après l'avoir posé sur un tas d'essuie-tout en papier, soit avec le diluant indiqué sur l'étiquette de la peinture, soit avec un diluant à base d'agrumes, soit – une fois n'est pas coutume – avec de la térébenthine. Continuez jusqu'à disparition de la tache. Remplacez les essuie-tout au fur et à mesure qu'ils absorbent la tache. Vérifiez avant s'il y a danger de décoloration dans un coin caché du vêtement. Rincez à fond. Imbibez d'alcool à friction. Lavez.

Sur les **tissus délicats**, l'opération est des plus délicates. Testez les diluants cités plus haut sur une couture à l'intérieur du vêtement. S'il y a la moindre altération, portez le vêtement chez le teinturier. N'appliquez pas d'alcool à friction. Si le dégât est parti, appliquez du détergent et lavez sans tarder.

RÉSINE D'ARBRES

Pour un **tissu lavable**, appliquez sur la tache des cristaux de soude dissous en les agitant quelques secondes dans un peu d'eau chaude. Laissez sécher. Brossez. Au besoin, répétez et laissez reposer un peu plus longtemps. Lavez ensuite normalement. Ne laisse pas de dépôt gras, contrairement à l'utilisation de la térébenthine.

Pour un **tissu délicat**, il est impossible d'utiliser la substance très alcaline que sont les cristaux de soude. Mieux vaut laisser le teinturier tenter d'enlever le dégât avec ses outils.

ROUGE À LÈVRES

Le test de *Protégez-Vous* a vu disparaître les taches de rouge à lèvres sur un **tissu lavable** en lavant après avoir simplement frotté le dégât avec un bon détergent comme c'est indiqué dans *Première chose* (**p. 149**).

Sur un **tissu délicat**, procéder aussi comme c'est indiqué dans *Première chose* **(p. 149)** offre les meilleures chances de succès, en l'absence de test sur les détergents *doux*.

Au besoin, posez le tissu taché sur un tas d'essuie-tout en papier, la tache face contre le papier, et épongez avec le chasse-taches délicat maison **(p. 192)** ou le détergent.

Remplacez les essuie-tout au fur et à mesure qu'ils absorbent la tache. Rincez. Imbibez de détergent à lessive jusqu'à disparition de toute trace. Lavez.

Sur les **tissus lavables**, des cristaux de soude que l'on dissout avec un peu d'eau chaude pour obtenir une eau pâteuse peuvent servir à tapoter la tache tant qu'il y a progrès. La soude est puissante. Si le tissu et la couleur sont solides, laissez reposer la pâte quelques heures en l'humectant de temps à autre. Testez sur un coin caché du tissu si la couleur ne paraît pas solide.

ROUILLE

Attention : les blanchisseurs javellisants foncent davantage la rouille : à éviter. Avec les **tissus autres que le lin et la rayonne**, le plus simple et le plus efficace est d'utiliser de l'acide oxalique **(p. 179)** (sel de citron) facile à trouver en pharmacie. Mouillez la tache, appliquez le sel, laissez reposer une à deux heures. Il est aussi possible d'imbiber la tache de jus de citron et de la saupoudrer de sel. Exposez si possible au soleil. À défaut de soleil, ou au besoin, rincez à l'eau la plus chaude que tolère le tissu. Au besoin, répétez puis lavez.

Le jus de citron est un blanchisseur, donc, en cas de doute, vérifiez que le jus ne risque pas de causer la décoloration sur un coin caché avant de procéder. Il existe des chasse-taches spécifiques pour la rouille qui sont efficaces sur le blanc ou la couleur, mais ils ne sont pas sains ; ils le sont d'autant moins quand ils se présentent en format aérosol.

SANG

Pour une petite tache fraîche, épongez avec un bout de chiffon imbibé de salive. Si c'est suffisant, lavez. Le test de *Protégez-Vous* a vu disparaître les taches de sang en lavant après avoir simplement frotté le dégât, sur un **tissu lavable**, avec un bon détergent comme c'est indiqué dans *Première chose* **(p. 149)**.

Sur un **tissu délicat**, procéder aussi comme c'est indiqué dans *Première chose* **(p. 149)** offre les meilleures chances de succès, en l'absence de test sur les détergents *doux*. Après avoir frotté délicatement avec le détergent, on peut laisser reposer puis rincer. Au besoin, répétez, puis lavez.

SOIE TACHÉE

Les taches spéciales ou majeures appartiennent au teinturier. N'utilisez pas les détergents efficaces contre les taches parce qu'ils contiennent souvent des enzymes qui peuvent endommager la fibre protéique qu'est la soie. N'utilisez pas non plus les additifs et chasse-taches à base de bicarbonate de soude, de cristaux de soude et de borax, qui sont alcalins et assècheront les fibres.

La glycérine **(p. 209)** peut éliminer le gras sur les tissus délicats comme la soie. On peut l'appliquer avec le chasse-taches délicat maison **(p. 192)** qui en contient, ou pure. Appliquez et faites pénétrer délicatement. Rincez à l'eau froide.

SUCRERIES, BONBONS

Éliminez 90 % des taches : voir *Première chose* **(p. 149)**.

Sur les **tissus lavables**, faites tremper la tache durant 20 minutes dans une solution de 15 ml (1 c à s) de vinaigre blanc, 15 ml (1 c à s) de nettoyant à vaisselle translucide *doux* (pH équilibré) et 1 l d'eau chaude. Rincez à l'eau chaude. Tamponnez avec un chiffon humide sur lequel vous avez ajouté de l'alcool à friction (isopropylique, 70 %). Lavez.

THÉ

Épongez le dégât lorsqu'il survient. Lavez simplement les **tissus lavables** à l'eau tiède avec un bon détergent frotté sur la tache, comme c'est indiqué dans *Première chose* **(p. 149)**.

Pour faire plus rondement sur les **tissus lavables**, disposez la zone tachée tendue sur un plat posé dans l'évier. Couvrez de cristaux de soude ou de borax. Versez de l'eau bouillante d'une hauteur de 50 cm. Répétez au besoin. Lavez.

Sur les **tissus délicats** comme la soie et la laine, frottez délicatement avec le chasse-taches délicat maison **(p. 192)** s'il est disponible, ou encore le détergent *doux* ou un nettoyant à vaisselle translucide *doux* (pH équilibré). Puis lavez sans attendre que le traitement s'assèche entièrement, pour éviter la formation d'auréoles, à la main ou dans un filet **(p. 269)** au cycle délicat de la machine, avec un détergent *doux*.

Pour faire vite, faites comme nous l'expliquons plus haut, mais sans utiliser de cristaux de soude ou de borax. Assurez-vous de la solidité de la couleur auparavant.

TOMATE, SAUCES ET KETCHUP

Prélevez avec soin et épongez le surplus. Dans la mesure du possible, rincez les tissus lavables à l'eau froide *tout de suite*, à l'endroit aussi bien qu'à l'envers. Si la tache a séché longtemps, laissez-la tremper quelques heures.

Sur un **tissu lavable**, le test de *Protégez-Vous* a vu disparaître les taches de tomate en lavant, après avoir simplement frotté le dégât avec un bon détergent comme c'est indiqué dans *Première chose* **(p. 149)**. Lavez à l'eau la plus chaude que tolère le tissu, cela peut aider. Essayez de rincer à l'eau froide *tout de suite* après le dégât, à l'endroit aussi bien qu'à l'envers. Si la tache a séché longtemps, il est possible qu'il faille reprendre le lavage après avoir laissé tremper quelques heures le tissu dont la tache aura été imbibée de détergent.

Au besoin, épongez le tissu lavable, toujours avec une solution de 15 ml (1 c à s) de vinaigre blanc et 125 ml ($^1/_2$ t) d'eau chaude. Lavez.

Sur un **tissu délicat**, procéder aussi comme c'est indiqué dans *Première chose* **(p. 149)** offre les meilleures chances de succès, en l'absence de test sur les détergents *doux*.

TRANSPIRATION

Nettoyez-la parce qu'elle abîme les tissus et attire les mites. En cas de transpiration surabondante et malodorante, évitez de porter les mêmes vêtements deux jours d'affilée. Au besoin, portez des coussinets de protection pour sous-bras que l'on trouve habituellement en pharmacie.

Lavez simplement les **tissus lavables** à l'eau chaude avec un bon détergent frotté sur la tache comme c'est indiqué dans *Première chose* **(p. 149)**.

Parmi les trucs pouvant ajouter un surcroît de pouvoir nettoyant contre les taches de transpiration, essayez un mélange moitié-moitié eau et alcool à friction (isopropylique 70 %) avant de laver.

Les trucs suivants, uniquement pour les tissus lavables, demandent à être essayés afin que vous trouviez celui qui convient à vos besoins particuliers.

Humectez de vinaigre blanc. Laissez reposer 30 minutes. Lavez.

Appliquez une pâte de bicarbonate de soude et d'eau. Laissez pénétrer durant 30 minutes. Lavez.

Humectez avec du vinaigre chauffé. Faites pénétrer des cristaux de soude ou du borax. Laissez reposer 30 minutes. Lavez. Au besoin, pour une tache incrustée, recommencez et laissez reposer de six à huit heures dans un sac de plastique. Lavez.

Sur les **tissus délicats** comme la soie et la laine, frottez délicatement avec le chasse-taches délicat maison **(p. 192)** s'il est disponible, ou encore le détergent *doux* ou un nettoyant à vaisselle translucide *doux* (pH équilibré). Lavez ensuite sans attendre que le traitement s'assèche entièrement, pour éviter la formation d'auréoles, à la main ou dans un filet **(p. 269)** au cycle délicat de la machine, avec un détergent *doux*.

URINE

Éliminez vite 90 % des taches : voir *Première chose* **(p. 149)**.

Lavez simplement les **tissus lavables** à l'eau tiède avec un bon détergent frotté sur la tache comme c'est indiqué dans *Première chose* **(p. 149)**.

Au besoin, trempez durant 30 minutes avant de laver dans une eau additionnée du bon détergent ou dans une eau salée.

Les culottes d'entraînement à la propreté des petits peuvent être mises à tremper durant une heure dans une solution de 4 l (16 t) d'eau chaude additionnée de 30 ml (2 c à s) de cristaux de soude ou de borax.

Les anciens dégâts d'urine se trempent dans l'eau chaude durant une heure avant d'être lavés.

Sur les **tissus délicats** comme la soie et la laine, frottez délicatement avec le chasse-taches délicat maison **(p. 192)** s'il est disponible, ou encore le détergent *doux* ou un nettoyant à vaisselle translucide *doux* (pH équilibré). Puis lavez sans attendre que le traitement s'assèche entièrement, pour éviter la formation d'auréoles, à la main ou dans un filet **(p. 269)**, au cycle délicat de la machine, avec un détergent *doux*.

VIN

Vin blanc

Éliminez vite 90 % des taches : voir *Première chose* **(p. 149)**.

Épongez à fond. Rincez les **tissus lavables** à l'eau froide au-dessus de l'évier. Appliquez et faites pénétrer un bon détergent à lessive et lavez comme c'est indiqué dans *Première chose* **(p. 149)**.

Vin rouge

Les taches de vin rouge ont été les seules à résister au frottage avec détergent lors d'un test de *Protégez-Vous*. Même séchée pendant 48 heures, une tache disparaît quand elle est mise à tremper pendant 2 à 5 minutes dans 15 ml (1 c à s) de Détachant en poudre Bio-Vert ou Brio Magic dissoute avec environ 500 ml (2 t) d'eau chaude. Rincez ensuite. Et éliminez les résidus en lavant la zone avec un simple nettoyant à vaisselle sans colorant ou en lavant toute la pièce. N'utilisez pas le Détachant Bio-Vert, qui est très alcalin, sur la soie, la laine, le cuir ou le suède.

Si vous utilisez un javellisant (blanchisseur) liquide sans danger pour les couleurs, humectez la tache d'eau froide avant de l'appliquer pour éviter que le dégât ne s'étende. Frottez. Laissez reposer de 2 à 5 minutes, puis rincez et lavez la zone avec un simple nettoyant à vaisselle sans colorant ou en lavant toute la pièce. Si vous mettez la pièce à laver immédiatement après avoir laissé reposer, inutile de rincer. Le fabricant conseille de ne pas laisser le javellisant pour les couleurs sécher sur le tissu.

Si vous ne disposez pas des produits précédents, utilisez le truc d'un teinturier d'expérience. Faites tremper le tissu, **lavable** ou **délicat,** pendant 60 minutes dans une eau froide additionnée de 45 ml (3 c à s) de sel. Lavez ensuite normalement avec le détergent approprié comme c'est indiqué dans *Première chose* **(p. 149)**.

Dans le lave-linge, il suffit de faire tremper avec le sel, puis d'ajouter le détergent et de laver. On peut aussi utiliser l'évier ou une chaudière pour le trempage.

Appliquer du vin blanc sur un dégât de vin rouge n'est pas reconnu comme efficace. Il est aussi possible de tendre le tissu taché sur un bol dans l'évier, retenu par un élastique, et de verser de l'eau bouillante d'une hauteur de 50 cm, ce qui fonctionne bien sur le lin et le coton, pourvu que la couleur soit solide.

VOMI

Grattez le surplus. Rincez avec un jet fort d'eau froide sur l'envers du dégât. Lavez simplement les **tissus lavables** avec un bon détergent frotté sur la tache, comme c'est indiqué dans *Première chose* **(p. 149)**. Au besoin, faites pénétrer une pâte de détergent à lessive et de cristaux de soude ou de borax, puis lavez à nouveau.

Sur les **tissus délicats** comme la soie et la laine, frottez délicatement comme c'est indiqué dans *Première chose* **(p. 149)** avec le détergent *doux* ou un nettoyant à vaisselle translucide *doux* (pH équilibré). Puis lavez sans attendre que le traitement s'assèche entièrement, pour éviter la formation d'auréoles, à la main ou dans un filet **(p. 269)** au cycle délicat de la machine, avec un détergent *doux*.

Les NETTOYANTS

CRÉEZ VOS NETTOYANTS

Créer ses propres nettoyants maison, voilà une alternative sûre et économique en l'absence d'un choix plus complet de nettoyants qui seraient certifiés sécuritaires par l'Éco-Logo du programme Choix environnemental (illustré ici) et testés pour leur efficacité par des évaluateurs indépendants comme *Protégez-Vous*.

Étant donné que l'entretien n'est pas une vocation pour la plupart d'entre nous, il convient de fabriquer en premier lieu les nettoyants les plus simples, et ceux qui, en outre, sont susceptibles d'envoyer un message clair aux fabricants qui doutent encore du réel désir de la population d'avoir des produits plus sains.

On peut commencer avec les produits ci-dessous. L'information détaillée à leur sujet se trouve dans la section *Tout sur tous les nettoyants* **(p. 175)**. Des modèles d'étiquettes à photocopier pour les identifier sont aussi fournis **(p. 172)**.

- Additif pour le lave-vaisselle
- Chasse-taches délicat
- Nettoyant tout usage
- Nettoyant à salle de bains
- Nettoyant à planchers
- Nettoyant à vitres *simple*
- Poli à meubles ramasse-poussière
- Poli à meubles protecteur, bois non verni
- Poudre à récurer douce
- Poudre à récurer dégraissante

Préparer plus d'un contenant d'un type de nettoyant à la fois pour en avoir sous la main sans avoir à recommencer trop souvent.

INGRÉDIENTS

Il n'y a qu'à parcourir la liste des ingrédients nécessaires pour voir qu'elle est simple. Vous vous apercevrez peut-être que vous avez presque tous ces ingrédients à la maison.

Le choix a été fait d'exclure ammoniaque et eau de Javel, parce qu'elles ne sont pas indispensables, qu'elles présentent des inconvénients pour la santé et émettent des vapeurs très toxiques lorsqu'elles sont mélangées par inadvertance.

- un nettoyant à vaisselle *doux*, sans colorant et sans parfum ;
- de l'alcool à friction (isopropylique, 70 %) en vente dans la plupart des pharmacies et épiceries (solution de compromis, à titre de solvant moins nocif que les autres sur le marché) ;
- du peroxyde d'hydrogène (3 %, petite bouteille brune) ;
- du bicarbonate de soude (soda à pâte ou petite vache) ;
- du borax, en vente dans les commerces ordinaires sous la marque Twenty Mule Team Borax Laundry Additive et dans la plupart des commerces de produits naturels – le borax peut la plupart du temps être remplacé par les cristaux de soude qui gagnent à être achetés en priorité ;
- de l'huile d'olive de qualité ordinaire ;
- une huile essentielle naturelle à la menthe poivrée, en vente en pharmacie, pour parfumer ;
- du soda club ou *club soda* ;
- des cristaux de soude (ou carbonate de soude) faciles à trouver dans les Provigo/ Loblaws et Metro, sous la marque Si net, de Arm & Hammer. Les cristaux de soude sont maintenant aussi offerts en combinaison avec le blanchisseur pour les couleurs qu'est le peroxyde d'hydrogène, sous les marques Brio Magic et Bio-Vert : un produit encore supérieur aux seuls cristaux de soude ;
- du vinaigre blanc (et pas les vinaigres parfumés à couleur foncée).

ACCESSOIRES

Gardez ensemble les quelques accessoires servant à la confection des nettoyants maison : il sont simples, mais il faut tout de même un minimum de temps pour assembler ceux qui conviennent le mieux. Conservez-les dans un même panier rangé dans la salle de lavage.

Très important : identifiez absolument les contenants de vos nettoyants maison. Des modèles d'étiquettes à photocopier sont fournis à cette fin un peu plus loin. Fixez les photocopies d'étiquettes sur les contenants avec un ruban adhésif à large bande les recouvrant pour les protéger. Les accessoires incluent :

- des contenants à gicleur pour faciliter l'utilisation du détergent à lessive qui se frotte sur les dégâts et pour le poli à meubles de bois non verni ; se trouvent dans les commerces de produits nettoyants sécuritaires. Il est cependant possible de recycler un contenant de nettoyant à vaisselle commercial ou de shampooing, après avoir enlevé l'étiquette et l'avoir lavé avec soin ;
- des contenants à saupoudrer du genre distributeur à épices, conviennent pour la poudre à récurer maison au bicarbonate de soude ;
- des contenants à pulvérisateur en format de 2 à 4 t, le plus petit étant plus léger et pratique à manipuler pour la plupart des gens. Recherchez des becs à pulvéri-

ser de meilleure qualité, sinon le bec se bouchera et coulera, ou la clenche sera difficile à actionner. Procurez-vous-en en surplus pour confectionner plus d'une bouteille du même nettoyant à la fois. Les nettoyants sont simples à confectionner, mais on n'a pas tous les jours envie de s'y mettre. Prévoyez-en facilement cinq ou six pour le nettoyant à vitres, le nettoyant tout usage, le nettoyant à salle de bains, un chasse-taches et leur recharge. Ils se trouvent en quincaillerie;

- un ensemble de cuillères à mesurer permettant de mesurer facilement aussi bien des $1/2$ t (125 ml) et des $1/4$ t (60 ml), que des 2,5 ml ($1/2$ c à c); ajoutez 5 ml (1 c à c) de plus pour mesurer rondement la quantité d'additif pour le lave-vaisselle;
- deux tasses à mesurer pour mesurer le sec et le liquide;
- deux entonnoirs, pour le sec et pour le liquide, assez petits pour entrer dans le goulot des contenants à pulvérisateur.

UTILISEZ CES ÉTIQUETTES

La composition des principaux nettoyants maison présentés dans ce guide a été imprimée dans les pages suivantes sous forme d'étiquettes à photocopier, destinées à être fixées sur les pots, pulvérisateurs et contenants à saupoudrer. Elles peuvent aussi être collées sur l'intérieur du placard à produits d'entretien. Reportez-vous aux rubriques respectives des nettoyants pour leur description et les notes explicatives.

Encore une fois, il est indispensable d'identifier les contenants de vos produits maison. En utilisant les étiquettes qui suivent, vous saurez comment les remplir à nouveau aisément, et vous pourrez les distinguer. Faute d'utiliser les étiquettes, identifiez absolument les contenants avec un marqueur indélébile.

N'oubliez pas de prévoir des contenants assez hauts et larges pour recevoir les étiquettes, sinon il sera difficile de les y appliquer. Collez les étiquettes avec du ruban adhésif à bande large, c'est la façon la plus simple et efficace de les protéger de l'humidité. La plastification n'offre pas une protection suffisante.

N'utilisez pas l'original des étiquettes, mais bien une photocopie, puisqu'il vous en faudra sans doute plus d'une copie. Il est souvent nécessaire d'avoir plus d'un contenant de lave-vitres, de nettoyant tout usage et à salle de bains.

Mettez-y un peu de vie en demandant des photocopies couleur.

Additif
LAVE-VAISSELLE

EN POT

- 1 part de bicarbonate de soude avec 2 parts de borax, ou moitié-moitié de bicarbonate de soude et de cristaux de soude.
- Bien mélanger.
- En verser 5 ml (1 c à c) avec le détergent.
- Garder dans un pot fermé avec la cuillère à mesurer de 5 ml (1 c à c), pour faciliter un usage régulier.
- Rappel : ne remplir qu'à moitié le baquet à détergent, comme c'est indiqué dans les consignes.

Chasse-taches
DÉLICAT

GICLEUR

- Pour tissus comme soie, laine et rayonne.
- Tester la coloration en cas de doute.
- 375 ml (1 1/2 t) d'eau, 60 ml (1/4 t) de nettoyant à vaisselle translucide doux et 60 ml (1/4 t) de glycérine. Pétrir pour bien faire pénétrer. Laisser agir 3 minutes ou plus en cas de dégâts sérieux.
- Bien rincer ou bien éponger.
- Répéter au besoin. Laver.

Nettoyant
TOUT USAGE

PULVÉRISATEUR

- Mélangez bien 2,5 ml (1/2 c à c) de cristaux de soude et 10 ml (2 c à c) de bicarbonate de soude dans un fond d'eau chaude pour les dissoudre.
- Ajoutez 500 ml (2 t) d'eau tiède, puis 60 ml (4 c à s) de peroxyde (3 %).
- Agitez. Complétez avec 2,5 ml (1/2 c à c) de nettoyant à vaisselle translucide doux et au plus 10 gouttes d'huile essentielle (menthe poivrée).
- Agitez avant d'appliquer.

Nettoyant
À SALLE DE BAINS

PULVÉRISATEUR

- Incorporez 60 ml (4 c à s) de peroxyde (3 %) et de vinaigre blanc à 500 ml (2 t) d'eau. Mélangez.
- Ajoutez 2,5 ml (1/2 c à c) de nettoyant à vaisselle translucide doux.
- Complétez avec au plus 10 gouttes d'huile essentielle (menthe poivrée).
- Agitez avant d'appliquer.

Nettoyant
À PLANCHERS PARFUMÉ

GICLEUR

- Mélangez 250 ml (1 t) d'eau et 250 ml (1 t) de vinaigre, parfumez avec au plus 12-18 gouttes d'huile essentielle (menthe poivrée). Aspergez sur le plancher.

- Épongez avec une vadrouille (à franges ou à éponge) ou un chiffon humide. Utile pour les petites surfaces.

Nettoyant
À VITRES SIMPLE

PULVÉRISATEUR

- De l'eau additionnée de 2,5 ml ($\frac{1}{2}$ c à c) de nettoyant à vaisselle translucide doux.

- Complétez au goût avec au plus 5 gouttes d'huile essentielle (menthe poivrée).

- Essuyez avec un chiffon de microfibres.

Poli à meubles
RAMASSE-POUSSIÈRE BOIS VERNI

PULVÉRISATEUR

- Sur bois verni et surfaces dures.

- Mélangez 5 ml (1 c à c) d'huile d'olive, 60 ml (4 c à s) de vinaigre blanc et 500 ml (2 t) d'eau chaude.

- Ajoutez au goût au plus 10 gouttes d'huile essentielle (menthe poivrée).

- Agitez et appliquez directement ou sur un chiffon doux.

- Essuyez immédiatement.

Poli à meubles
PROTECTEUR POUR BOIS NON VERNI

GICLEUR

- Emplir un contenant à bec gicleur de 250 ml (1 t) avec un mélange de 75 % (190 ml) d'huile d'olive et 25 % (60 ml) de vinaigre blanc. Ajoutez au goût au plus 10 gouttes d'huile essentielle – préférez à la menthe poivrée plutôt qu'au citron, réputée fragilisante.

- Agitez pour que le mélange soit homogène avant utilisation.

- Appliquez sur un chiffon doux ou directement. Polir à fond.

Poudre à récurer
DOUCE

DISTRIBUTEUR

- Bicarbonate de soude dans un contenant à saupoudrer.

Poudre à récurer
DÉGRAISSANTE

DISTRIBUTEUR

- 125 ml ($\frac{1}{2}$ t) de cristaux de soude mélangés à 500 ml (2 t) de bicarbonate de soude dans un contenant à saupoudrer.
- Utilisez des gants.

MÉNAGE VERT, se faciliter la vie en la protégeant

Tout sur tous les nettoyants

176

177

178

ABSORBANTS

Ils se saupoudrent pour absorber les dégâts. La fécule de maïs agit bien sur un dégât de graisse, le sel sur le vin. Bien ramasser les résidus à l'aspirateur ou à la brosse après qu'ils ont fini de s'imprégner.

ACÉTONE

Elle appartient à la catégorie des solvants déconseillés. Elle est irritante pour la peau et les yeux, nocive pour le système nerveux et reliée à des problèmes au foie et aux reins. Il existe des solutions et procédures alternatives efficaces et sécuritaires pour la majorité des besoins de nettoyage (voir *Solvants*). Pour les autres dégâts, comme la colle claire, utilisez du détachant pour poli à ongles ou portez simplement le tissu chez le teinturier, mieux habilité à manipuler des produits dangereux.

ACIDE OXALIQUE

Voir *Sel de citron* **(p. 255)**

ADDITIF POUR LE DÉTERGENT À LAVE-VAISSELLE

Le côté fermé du distributeur (godet) à détergent d'un lave-vaisselle contient environ 45 ml (3 c à s) de détergent. Il est souvent possible de n'en mettre que deux sans diminuer l'efficacité de la machine. Laissez avec le détergent une cuillère à mesurer pour faciliter l'apprentissage de la quantité requise.

Les godets sont conçus pour contenir plus de détergent que ce qui est indiqué par les fabricants de détergents eux-mêmes. Et ces derniers recommandent déjà, sans motif valable, d'en mettre plus que nécessaire. Il est inutile et même nuisible de mettre trop de détergent, puisque des dépôts peuvent demeurer sur la vaisselle.

Ne pas mettre de détergent du côté ouvert du godet, lequel contient habituellement 30 ml (2 c à s) de détergent. Remplacez au besoin ces deux dernières avec l'un des additifs présentés ici.

Un fabricant de bicarbonate de soude affirme que saupoudrer environ 60 ml ($1/4$ t) de bicarbonate sur la vaisselle placée dans le lave-vaisselle permet de réduire de moitié la quantité de détergent nécessaire. L'efficacité de cet additif est corroborée par plusieurs. Attention : n'utilisez pas le bicarbonate de soude avec les casseroles en aluminium : il les ternira.

Il y a un autre additif maison (un modèle d'étiquette à photocopier et à coller sur le contenant avec un ruban adhésif à large bande est donné à la rubrique des nettoyants maison **(p. 228)**). Ajoutez au détergent en poudre 5 ml (1 c à c) du mélange suivant : une part de bicarbonate de soude, deux parts de borax, ou encore moitié-moitié bicarbonate de soude et cristaux de soude. Gardez cette préparation dans un pot fermé avec une cuillère à mesurer de 5 ml (1 c à c) pour en faciliter l'usage régulier.

Le choix entre l'un ou l'autre de ces additifs dépend de la dureté de votre eau, de vos habitudes de lavage ainsi que de la qualité et de l'état de votre lave-vaisselle. Un peu d'expérimentation sera nécessaire pour trouver ce qui vous conviendra le mieux.

Il est possible que l'eau particulièrement dure ne permette pas d'obtenir une vaisselle étincelante avec ces procédés.

Réduire la quantité de détergent et utiliser un additif est une solution plus économique. Mieux encore, parce que les détergents à lave-vaisselle conventionnels sont un des produits qui contiennent le plus de phosphates – contribuant à la prolifération d'algues dans les plans d'eau et à leur asphyxie – toute mesure qui en réduit l'utilisation est souhaitable. Voir la rubrique des détergents à lave-vaisselle pour les marques moins nocives.

En résumé, 30 ml (2 c à s) de détergent sur le côté fermé du godet au lieu de 45 ml (3 c à s). Et pas de détergent du côté ouvert du godet. Expérimentez avec les additifs pour trouver ce qui convient le mieux.

ADDITIF POUR LE DÉTERGENT À LESSIVE

Deux additifs fort utiles sont recommandés par la majorité des experts sensibilisés à l'innocuité des produits. Les cristaux de soude sont plus économiques et puissants que le borax.

BORAX

Voir *Borax* **(p. 186)**.

CRISTAUX DE SOUDE

Voir *Cristaux de soude* **(p. 195)**.

ADOUCISSEUR POUR LESSIVE

Permet de contrer l'effet inhibant de l'eau dure sur les détergents. On sait que l'eau est dure lorsque détergents, shampooings et savons à mains ne moussent pas, et lorsque les vêtements demeurent ternes après le lavage. La dureté de l'eau peut vous être confirmée par la ville qui fournit l'eau ou une analyse de votre source. Parfois, il faut installer un filtre mécanique à l'entrée d'eau pour la maison.

Trois adoucisseurs maison sont proposés. Seule la pratique démontrera lequel convient aux habitudes de la famille et à la nature de l'eau de la résidence. Si vous utilisez les cristaux de soude comme additif **(p. 195)**, vous n'aurez sans doute pas besoin d'adoucisseur.

Ajouter 250 ml (1 t) de borax par brassée permet de contrer l'effet inhibant de l'eau dure sur les détergents à lessive. Mais pour un prix s'élevant à environ 70 ¢ la brassée, c'est une solution plutôt chère.

Un autre adoucisseur maison est constitué de 4 l (16 t) d'eau additionnés de 140 ml (un peu plus que $^1/_2$ t) de borax et 280 ml ($1^1/_8$ t) de cristaux de soude. Ajoutez 250 ml (1 t) de cette solution par brassée et conservez le reste dans un contenant de verre ou de plastique fermé. Coût: environ 5 ¢ par brassée.

Enfin, un autre adoucisseur consiste à ajouter 60 à 125 ml ($^1/_4$ à $^1/_2$ t) de bicarbonate de soude par brassée. Coût: de 12 à 25 ¢ par brassée.

AIR (DÉSODORISANT, RAFRAÎCHISSANT, ASSAINISSEUR)

Voir la rubrique *Chasse-odeurs pour l'air* **(p. 187)**

ALCOOL ISOPROPYLIQUE (70 %) OU ALCOOL À FRICTION

Déconseillé par de nombreux experts de la précaution chimique, l'utilisation de ce produit a été restreinte dans le présent guide à l'enlèvement occasionnel de taches sur tapis, fauteuils, vêtements et surfaces.

Il s'agit de l'un de ces cas où le mieux serait l'ennemi du bien. Il est bien d'utiliser l'alcool à friction plutôt que divers chasse-taches et détachants commerciaux à base de solvants toxiques. C'est une solution à portée de la main pour la plupart et l'utilisation suggérée n'est pas fréquente. Vous pouvez le remplacer par de la vodka.

Il aurait aussi été possible d'utiliser de l'alcool à friction dans les nettoyants ménagers maison et nettoyants à vitres, ce qui a été exclu, puisque d'autres solutions satisfaisantes existent. Il sera intéressant de voir quel autre type de substitut apparaîtra éventuellement. Peut-être qu'une solution sera le solvant à base de silicone utilisé depuis peu pour le nettoyage à sec, comme substitut plus sécuritaire au perchloréthylène.

ALKA-SELTZER

Il a un effet similaire au soda club *(club soda* ou eau gazéifiée). Diffère du soda tonique, boisson qui contient divers ingrédients dont le sucre, comme la plupart des autres sodas : le sucre peut altérer la couleur avec le temps. Sans danger, cet antiacide légèrement alcalin aide à *soulever* les dégâts liquides de toutes sortes avant qu'ils ne se transforment en tache. Testez sur un coin caché pour les tissus qui se nettoient à sec. Se garde facilement à portée de la main pour un dépannage à l'extérieur du domicile.

ALUN

Il sert aux hommes, sous forme de bâtonnets, pour bloquer l'écoulement du sang provoqué par les coupures infligées lors du rasage. Il se trouve en pharmacie.

Une variante en poudre est aussi vendue en pharmacie, près de l'alcool à friction, ou parfois en épicerie, dans la section des épices. Suggéré par certains experts pour enlever les taches d'eau prononcées créées par les dépôts minéraux sur la porcelaine.

AMMONIAQUE PURE

Elle est extrêmement puissante et non indispensable pour nettoyer, et elle crée des vapeurs toxiques lorsque mélangée avec l'eau de Javel ou un produit en contenant. Le présent guide a donc choisi une solution simple : éviter de l'utiliser.

Elle constitue un nettoyant puissant à usages multiples (pH élevé de 11,9, comparable à celui des cristaux de soude, 11), mais si on décide d'y recourir, il faut se protéger de ses émanations en aérant et rinçant sans tarder, en plus de se munir de gants pour la manipuler. Sert à dégraisser et détacher le four, à enlever la cire sur les planchers.

ANIMAUX, SOLUTIONS POUR LES DÉGÂTS

Voir la section sur les *Taches* **(p. 129)**.

ANTISTATIQUE

Voir la rubrique *Assouplissant* ci-dessous.

ANTITACHE, PROTECTION POUR TISSUS ET TAPIS

Voir les rubriques *Protège-tissu* et *Protège-tapis* **(p. 251)**.

ASSOUPLISSANT POUR LA LESSIVE

Les tissus de fibres naturelles ne génèrent pas l'électricité statique que les assouplissants ont pour fonction première de réduire sur les tissus de fibres synthétiques au sortir du séchage. Or, les assouplissants commerciaux conventionnels gagnent à être évités pour de nombreux motifs. C'est un dépôt laissé sur les tissus par l'assouplissant qui les rend plus souples. Ce dépôt peut relâcher des vapeurs douteuses au repassage et au lavage à l'eau chaude, vapeurs qui peuvent être inhalées profondément.

Les assouplissants contiennent la plupart du temps une surcharge de parfums synthétiques qui est déconseillée par les experts en écosanté. Seules la marque Bounce en feuilles (la meilleure au test de *Consumer Reports*) et la marque Ultra Downy en liquide (note moyenne au test) offrent une version sans parfum[28].

De plus, les assouplissants peuvent contenir des substances qui relâchent du formaldéhyde, elle-même une substance nocive à éviter[29].

Enfin, les assouplissants tendent à s'accumuler sur le vêtement et à diminuer la résistance à l'inflammation des tissus – raison pour laquelle certaines marques déconseillent l'utilisation d'assouplissant liquide pour les vêtements de nuit des enfants, rappelle *Consumer Reports* (CR). Il est donc mal avisé d'utiliser l'assouplissant pour ajouter à la douceur de l'environnement de bébé.

Certains assouplissants en feuilles, dont celui de la marque Bounce qui est sans parfum, élimine presque aussi bien l'électricité statique que les meilleurs assouplissants liquides.

Les assouplissants en balles et en lingettes pour le séchage n'ont qu'une efficacité très limitée, selon les tests du *CR*. Un assouplissant plus vert, Ecover, a obtenu un résultat plus faible que les meilleures feuilles.

- Éliminez la majeure partie de l'électricité statique en plaçant une simple boule de papier d'aluminium dans la sécheuse : le résultat est étonnant les premières fois, mais la balle a tendance à se tasser et à être moins efficace avec le temps.

- Pour la douceur, la meilleure marque en feuilles obtient dans le test de *CR* une cote *Bon*, alors que la meilleure marque liquide obtient une cote *Très bon*, mais jamais de cote *Excellent*. C'est dire que l'effet assouplissant est limité.

- Augmentez la souplesse de vos tissus en facilitant l'élimination des résidus de détergent qui raidissent les articles lavés. Ajoutez 60 ml (¹/₄ t) de vinaigre blanc à l'eau de rinçage – son odeur disparaît au rinçage. N'ajoutez pas le vinaigre à l'eau de lavage, sinon il diminuera logiquement le pouvoir nettoyant alcalin du détergent, du bicarbonate de soude, du borax ou des cristaux de soude. Ajoutez plutôt le vinaigre à l'eau de rinçage, dans le godet prévu pour l'assouplissant.

- Les parfums représentent une partie significative du coût des nettoyants ménagers. La propreté a pourtant une odeur tout à fait délicieuse qu'il suffit de humer une bonne fois, dans un drap de bain tout juste lavé, pour se demander à quoi rimait notre réflexe de rechercher les parfums intenses.

- Pour le plaisir, il est possible d'appliquer quelques gouttes (pas plus de cinq) d'huile essentielle (lavande, menthe poivrée, rose) sur une petite débarbouillette placée dans le sèche-linge avec la brassée – pour un coût similaire à celui d'une feuille d'assouplissant. Conservez ce chiffon pour utilisation chaque fois que désiré. Faites preuve de modération, cependant : les huiles essentielles sont très puissantes et peuvent causer des irritations chez certains et une hypersensibilité, à la longue.

- N'utilisez pas l'assouplissant liquide à chaque lavage, mais seulement tous les trois ou quatre lavages, pour éviter que ne s'accumule un surcroît du résidu laissé sur les tissus par ce produit. Ajoutez-le seulement au cycle de rinçage, ou dans le godet conçu à cette fin quand il existe. Ne jamais le verser directement sur les tissus qu'il tacherait alors.

BICARBONATE DE SOUDE (OU SODA À PÂTE OU PETITE VACHE)

Différent des cristaux de soude (ou carbonate de soude, pH de 11) et du borax (pH de 9,2), le bicarbonate (pH de 8,4) appartient à la même famille. Se trouve en pharmacie et en épicerie. Choisissez les plus gros contenants de 1 kg, car ce produit a de multiples usages. Les marques génériques sont moins chères mais elles ont parfois tendance à s'agglomérer, comparées aux marques nationales comme Arm & Hammer.

C'est un abrasif doux. Utilisez avec une éponge à récurer mouillée pour frotter une surface avec des taches légères. Peut servir à confectionner une poudre à récurer **(p. 250)**. Mélangé avec un nettoyant ménager liquide concentré ou un nettoyant à vaisselle, le bicarbonate donne une crème à récurer capable d'éliminer les salissures plus résistantes. Consultez les explications sur une crème à récurer maison **(p. 194)**.

BIO-VERT, FABRICANT

En 2007, la marque Bio-Vert a commencé à distribuer une gamme de nettoyants en pulvérisateur (tout usage, salle de bains, vitres, détachant pour tissus) qui répondent aux critères les plus élevés de sécurité pour la santé et l'environnement.

Seuls ces quatre nettoyants de la marque Bio-Vert utilisent une nouvelle approche, la biotechnologie, développée par le groupe Innu-Science, de Sainte-Julie, au Québec.

Le pouvoir nettoyant de ces produits est obtenu par l'effet combiné de cultures bactériennes et d'extraits de fermentation tirés de cultures microbiennes – extraits qui contiennent entre autres des enzymes. Ces ingrédients sont considérés sans danger pour la santé par l'organisme de certification Choix environnemental (Éco-Logo).

D'autres nettoyants utilisant la même approche devraient être offerts incessamment. Seuls les quatre nettoyants de la marque Bio-Vert portant l'appellation Nettoyant Biotechnologique utilisent cette approche, grâce à une entente entre Innu-Science et le fabricant de la marque Bio-Vert.

La version pour commerces et industries de ces nettoyants est suffisamment sécuritaire pour porter la certification Choix environnemental (Éco-Logo). Les quatre nettoyants grand public ne peuvent par contre afficher encore leur certification à cause d'une technicalité – la catégorie nettoyant biotechnologique pour le grand public n'existe pas encore chez le certificateur.

Au lieu de dissoudre la tache avec un produit hautement alcalin, comme le font les nettoyants plus verts habituels, ou avec un agent solvant, comme le font la plupart des nettoyants conventionnels, les produits biotechnologiques Bio-Vert digèrent les matières organiques du dégât. Ils ont un pH neutre et sont élaborés selon le principe de la juste dose : inutile de créer des produits trop puissants. De la même façon, seule une dose minimale de fragrance est utilisée et ses ingrédients ne contiennent aucune des 26 substances désignées comme allergisantes par l'Union européenne.

Bénéfice secondaire très intéressant, en biodégrant les saletés organiques, les quatre nettoyants biotechnologiques éliminent aussi les odeurs à la source. Plus qu'un simple capteur comme le bicarbonate de soude, ces nettoyants neutralisent la source même de l'odeur en s'en nourrissant.

Innu-Science illustre l'essence d'une nouvelle vague industrielle : mettre la technologie au service de la santé de la population avec des produits efficaces.

Les grands fabricants mondiaux de nettoyants ont senti le vent tourner et s'ajustent déjà.

Clorox offre une nouvelle gamme de produits, Green Works, assez sécuritaires pour mériter l'appui inédit du groupe environnementaliste Sierra Club – dont le logo apparaîtra sur les produits. Green Works offre des nettoyants conçus de la même façon que les autres nettoyants verts déjà sur le marché, donc sans le recours ingénieux aux cultures bactériennes et extraits de fermentation. Il s'agit tout de même d'un net progrès qui vaudrait sans doute à ces produits d'être éligibles à la certification Choix environnemental (Éco-Logo), ce que la marque se doit d'obtenir pour la distinguer des vendeurs de concepts ronflants.

La marque Windex, du fabricant SC Johnson vient de créer un nettoyant multisurfaces avec vinaigre… qui ne sent pas le vinaigre. Qu'il soit dépourvu d'ammoniaque est une bonne nouvelle pour les voies respiratoires de ses usagers. Mais nous sommes bien loin d'un nettoyant respectant les normes de la certification Éco-Logo. L'initiative ressemble plutôt à un truc publicitaire pour récupérer le crédit accordé au vinaigre comme nettoyant bénin. Ces initiatives montrent que le public peut influer sur les grands fabricants avec des demandes de produits sains.

BLANCHISSEURS

Il est inutile d'utiliser des produits si puissants qu'ils endommagent les tissus, comme les blanchisseurs javellisant. On trouve maintenant des blanchisseurs non javellisant, sans danger pour les couleurs, qui offrent assez de pouvoir nettoyant pour régler la grande majorité de nos problèmes de salissures. Ajoutés à l'effet dégraissant des cristaux de soude **(p. 195)** les blanchisseurs pour les couleurs constituent un additif puissant, sans les effets négatifs des blanchisseurs javellisant.

Ne pas oublier le vieux truc pour rendre coton et lin plus blanc qui consiste à les exposer simplement au soleil sur une belle corde à linge. En cas de doute sur la possibilité d'endommager un vêtement, faites toujours un test. Mélangez 5 ml (1 c à c) du blanchisseur avec 250 ml (1 t) d'eau chaude. Appliquez quelques millilitres sur un coin caché comme les coutures. Attendez 15 minutes, et voyez s'il y a altération de la couleur.

Eau de Javel (chlore, blanchisseur javellisant)

Le blanchisseur encore le plus souvent utilisé. Il importe de comprendre qu'il est aussi puissant que possiblement générateur d'allergies et nocif pour l'environnement lorsqu'il s'allie à d'autres rejets. La plupart du temps inutilement puissant. Il vaut la peine d'apprendre comment en restreindre l'utilisation tout en obtenant d'aussi bons résultats. L'élimination graduelle et presque totale du recours sans raison à l'eau de Javel est l'un des objectifs de ce guide.

Évitez de l'utiliser pour la lessive, puisque des tests de *Protégez-Vous* démontrent qu'un bon détergent suffit pour éliminer la plupart des salissures. L'addition de cristaux de soude **(p. 195)**, au besoin avec un blanchisseur pour les couleurs, éliminera les saletés que peut laisser le bon détergent – en ayant recours au trempage. La marque de cristaux de soude Si net d'Arm & Hammer est facile à trouver avec les détergents. La marque Brio Magic ou Bio-Vert (même fabricant) présente l'avantage de réunir des cristaux de soude et un blanchisseur pour les couleurs (peroxyde).

Le blanchisseur javellisant peut ruiner les vêtements ne devant pas y être exposés comme l'indique leur étiquette. Si vous tenez à l'utiliser de temps à autres, manipulez-le avec soin pour ne pas en renverser sur des tapis ou sur des tissus qui seront abîmés de façon permanente. En règle générale, laine, soie, cuir et Spandex ne le tolèrent pas.

N'appliquez pas le blanchisseur javellisant directement sur les vêtements. Diluez-le dans l'eau pour ensuite intégrer les vêtements, ou attendez deux ou trois minutes après le début du cycle de lavage afin que les vêtements soient bien trempés avant de l'ajouter. Respectez les quantités recommandées, sinon le blanc peut jaunir, et ne l'utilisez que tous les trois lavages parce que l'usage continuel endommage les tissus.

Les marques se valent, sauf si l'on veut utiliser ce produit comme désinfectant. Le mot désinfectant doit alors apparaître sur l'étiquette.

BLANCHISSEURS NON JAVELLISANT POUR LES COULEURS

Tous les blanchisseurs pour la couleur sont des blanchisseurs non javellisant. Ils sont confectionnés à base de peroxyde d'hydrogène, comme tous ces produits avec des appellations *oxy*. Sauf exception, les marques courantes sont presque aussi économiques que l'eau de Javel.

Notez que le test de *Protégez-Vous* pour évaluer les chasse-taches a constaté que l'efficacité des blanchisseurs non javellisant sur les taches était moindre (77 %) que celle d'un bon détergent **(p. 204)** (88 %) frotté sur les taches. Avant d'utiliser ces blanchisseurs, assurez-vous d'utiliser un bon détergent, et frottez légèrement les taches prononcées après avoir appliqué un soupçon de détergent.

Certaines marques contiennent des alcools éthoxylés. Le *Guide to Less Toxic Products* souligne que cet ingrédient peut être contaminé par du 1,4-dioxane cancérogène.

BLANCHISSEUR TOUT USAGE SÉCURITAIRE

Au besoin, vous pouvez utiliser un blanchisseur maison plus sain. Faites tremper les vêtements pendant 15 minutes dans une solution de 60 ml ($^1/_4$ t) de jus de citron et 60 ml ($^1/_4$ t) de vinaigre blanc par 4 l (16 t) d'eau chaude.

BORAX

Borax et cristaux de soude **(p. 195)** sont deux additifs différents. Avec un pH de 9,2, le borax est moins alcalin que les cristaux de soude (pH de 11) et un peu plus que le bicarbonate de soude (pH de 8,4). Les cristaux de soude sont pourtant moins onéreux que le borax. Le borax est un genre de sel soluble avec un bon pouvoir désodorisant. Ajouter 125 ml ($^1/_2$ t) de borax à l'eau de lavage constitue un additif efficace et commode pour laver les articles particulièrement sales de même que les couches et les serviettes. C'est une autre façon d'éviter de recourir à l'eau de Javel (un blanchisseur javellisant).

Si l'eau de la maison est dure, 250 ml (1 t) de borax rétablira le pouvoir nettoyant du détergent à lessive. Se trouve en vrac dans les commerces de produits nettoyants sécuritaires et d'aliments naturels. Souvent dans les commerces ordinaires sous la marque Twenty Mule Team Borax Laundry Additive.

Les cristaux de soude maintenant en vente dans les grandes surfaces peuvent remplacer le borax chaque fois qu'il est suggéré – à choisir, acheter en premier les cristaux.

DÉCOLORANT

En plus d'enlever la couleur sur les tissus teints, il peut aussi réparer un dégât léger venant d'un tissu coloré sur un tissu blanc, mais il ne le peut que sur un tissu blanc.

Le peroxyde d'hydrogène à 3 % (la petite bouteille brune) utilisé aussi pour nettoyer les plaies, est un blanchisseur doux convenant aux tissus délicats. Testez-le quand même sur un coin caché du vêtement. C'est du pouvoir nettoyant de ce type de blanchisseur dont parlent les nettoyants avec un pouvoir dit *oxy*-quelque chose.

Faites tremper les vêtements pendant une demi-heure dans une solution de 30 à 45 ml (2 ou 3 c à s) de peroxyde incorporée à 4 l (16 t) d'eau.

BOULES À MITES

L'Office québécois de la langue française suggère plutôt l'utilisation du terme «boules antimites». Les boules antimites contiennent de la naphtaline, que l'on soupçonne d'être cancérogène. Elles contiennent aussi un sous-produit du benzène (le paradichlorobenzène) qui est toxique à plusieurs titres. La précaution incite donc à ne pas les utiliser et à se débarrasser de celles que l'on possède dans les lieux de collecte des déchets dangereux. Les mites sont attirées par la saleté. Lavez, nettoyez à sec ou à la vapeur les articles à ranger. Le repassage les élimine aussi, de même le fait de congeler les vêtements durant trois jours dans des sacs de plastique dont vous avez évacué l'air. Les coffres de cèdre perdent leur effet protecteur après deux ans : une couche d'huile doit alors être appliquée.

LES NETTOYANTS

CARBONATE DE SOUDE

Voir *Cristaux de soude* **(p. 195)**, qui sont différents du borax **(p. 186)** et du bicarbonate de soude **(p. 183)**.

CHASSE-ODEURS (AIR, SURFACES, VÊTEMENTS)

CHASSE-ODEURS POUR L'AIR
(ASSAINISSEUR, RAFRAÎCHISSANT, DÉSODORISANT)

Le but premier de la plupart des produits commerciaux est de masquer les odeurs avec des parfums synthétiques et un désensibilisant olfactif. Ils ne sont pas conçus pour régler la cause de ces odeurs qui peuvent dégénérer. Il est préférable d'éliminer les causes à la source, puis d'aérer.

Des filtres à air peuvent retenir les particules en suspension pour les personnes plus fragiles ou dans un environnement plus pollué.

Il est déconseillé d'utiliser les produits en format aérosol parce que vous vous retrouvez à inhaler leur fine bruine chargée de particules toxiques. Les produits avec parfums synthétiques – c'est le cas de la plupart – sont aussi à éviter parce qu'ils contribuent de façon significative à la pollution de l'air avec leurs substances douteuses.

Une étude menée sur deux ans de la NASA et de l'Association des entrepreneurs en aménagement paysager a montré que la simple présence de plantes d'intérieur peut éliminer dans l'air des substances toxiques – dont le formaldéhyde et le trichloréthylène[30]. Certaines plantes peuvent éliminer jusqu'à 90 % des substances dans une pièce en 24 heures. Le Jardin botanique de Montréal fournit le nom de 11 plantes d'intérieur susceptibles de contribuer à la dépollution de l'air à l'intérieur de votre logis : *Aglaonema, Aloe vera, Chlorophytum, Dracœna, Ficus, Hedera, Philodendron, Sansevieria, Schefflera, Scindapsus, Spathiphyllum.* Sont aussi offertes des explications complémentaires (sur le site du Jardin botanique, recherchez le document intitulé «Les plantes d'intérieur et la qualité de l'air»).

Pour ajouter un parfum non synthétique dans l'air, les produits avec pulvérisateurs non aérosol sont sécuritaires, de même que de nombreux diffuseurs en vente un peu partout sous formes de sachets et de pots. Les diffuseurs électriques et leur parfum synthétique sont nocifs et à éviter.

Pour absorber les odeurs dans les endroits fermés comme frigo et placards, le bicarbonate de soude fait des merveilles, à coût minime. Du café frais moulu dissipera les odeurs fortes dans le frigo. Dans une pièce, un simple bol avec du vinaigre chaud que l'on laisse s'évaporer aidera à résorber une odeur forte comme celle de la fumée. Un petit bol de vinaigre à côté de l'endroit où l'on fait de la friture aide à dissiper les émanations. Faire bouillir quelques tranches de citron dissipera les odeurs de nourriture brûlée.

Le papier d'Arménie – économique et facile à trouver dans les pharmacies et commerces de produits naturels – constitue un puissant désodorisant. Réputé efficace contre les odeurs de friture, de litière et de chambre d'hôtel. Il présente l'avantage d'être constitué de substances naturelles, essentiellement la résine de benjoin mêlée à d'autres parfums non synthétiques. Sa présentation en petit carnet vert et jaune est facile à reconnaître. La quarantaine de bandelettes détachables se plient en accordéon et s'allument à la flamme que l'on souffle pour laisser se consumer le papier sur une assiette conçue à cette fin, comme un bâton d'encens. Sa fumée présente le même inconvénient que celle de l'encens, qui est nocive à trop forte dose : à utiliser sans excès.

Aérer le logis régulièrement est nécessaire : l'air intérieur est le plus souvent de deux à cinq fois plus pollué que l'air extérieur. Même en plein hiver, la Direction de la santé publique du Québec recommande fortement d'ouvrir les fenêtres tous les jours, durant au moins 10 minutes, et idéalement deux fois par jour, pour assurer un bon échange d'air. Le coût en chauffage serait compensé par les économies en malaises.

Un purificateur peut s'avérer utile selon que les occupants ont des fragilités ou qu'un environnement pollué le requiert.

Les huiles essentielles naturelles peuvent aider à parfumer, mais on a réalisé dernièrement qu'elles sont si puissantes qu'elles peuvent contribuer au développement d'hypersensibilités à long terme. Certaines personnes ont même des réactions aigues en leur présence. Mieux vaut les utiliser avec modération et éviter tout contact direct avec la peau. Nettoyer, ventiler et absorber constituent la seule façon de régler un problème à la source.

La marque Bio-Vert offre un détachant pour fauteuils et tapis qui agit en plus comme chasse-odeurs.

À titre de complément, le *Guide des produits moins toxiques* suggère les marques suivantes[31] :

- Air Scense – pump air freshener
- Dr. Bronner's Sal Suds (contains SLS)
- Heavenly Fresh – odour absorber for small places (Canadian Tire)
- Infinity – Heavenly Horsetail

- Nok Out – odour destroyer
- Volcanic Rock deodorizer – made from ionic rock called clinoptilolite – available from Lee Valley Tools.

CHASSE-ODEURS POUR USAGES VARIÉS

Arm & Hammer offre des chasse-odeurs à base de bicarbonate de soude pour usages variés – Désodorisant pour tapis et pièces, Pour chats et chiens et autres.

La formule pratique de ces produits ne peut nous faire oublier la présence insistante de parfums synthétiques. Préférez l'utilisation du simple bicarbonate de soude, tant que faire se peut.

Il existe aussi des chasse-odeurs pour animaux à base d'enzymes dans les boutiques pour animaux de compagnie. L'absence de parfum intense demeure un critère de choix prioritaire.

La marque Bio-Vert **(p. 183)** a commercialisé récemment un Nettoyant détachant à tapis et tissus de fauteuils qui s'attaque à la source même des odeurs en «digérant» les matières organiques. Ses cultures bactériennes et ses extraits de fermentation s'attaquent aux matières organiques comme les résidus d'urine ou de nourriture. Ils neutralisent leurs odeurs à la source, un avantage essentiel en présence de bébés ou d'animaux de compagnie. La formule a été certifiée Choix environnemental (Éco-Logo) dans sa version pour commerces et industries – elle est saine pour la santé et l'environnement. Ce nettoyant est certifié WoolSafe, donc à la fois efficace et sans danger pour les fibres délicates comme la laine. Il demeure toujours indispensable de procéder à un test de décoloration avant d'utiliser un détachant sur un tissu quelconque.

CHASSE-ODEURS POUR VÊTEMENTS

CHASSE-ODEURS RÉGULIER POUR VÊTEMENTS

Un chasse-odeurs régulier pour vêtements est ce même 60 ml ($^1/_4$ t) de vinaigre déjà utilisé à titre d'assouplissant. Il élimine une bonne part des odeurs à la source pour les vêtements. Il ne fait pas que les masquer, comme le font souvent les produits commerciaux.

CHASSE-ODEURS PUISSANT POUR VÊTEMENTS

Un chasse-odeurs puissant pour vêtements consiste à ajouter 250 ml (1 t) de borax ou 125 ml ($^1/_2$ t) de cristaux de soude à la lessive. Élimine les odeurs plus tenaces d'ail, de fumée, de gazoline et d'urine. Il est possible d'utiliser la même quantité du mélange de cristaux de soude et de peroxyde maintenant offert en magasin.

CHASSE-ODEURS POUR CHAUSSETTES

Faites tremper pendant 30 minutes les chaussettes qui viennent d'être lavées dans une solution de 60 ml ($^1/_4$ t) de bicarbonate de soude et de 4 l (16 t) d'eau. Ne rincez pas. Essorez à la main ou à la machine. Séchez.

CHASSE-ODEURS POUR SOULIERS

Des souliers malodorants peuvent être saupoudrés de bicarbonate de soude à l'intérieur, placés dans un sac en plastique et rangés au congélateur pour une nuit ou deux. Secouez-les à l'extérieur afin d'enlever la poudre juste avant de les porter.

Chasse-odeurs pour réfrigérateur

Une boîte de bicarbonate de soude ouverte, placée à l'intérieur du réfrigérateur, est un chasse-odeurs qui suffira à absorber la plupart des odeurs. Arm & Hammer offre maintenant un format frigo-congélateur simple à manipuler : il suffit d'enlever deux panneaux sur les côtés et de remplacer la boîte chaque saison. Si un incident a généré une odeur tenace, placez du bicarbonate ou des grains de café frais moulu sur une des tablettes. Laissez reposer durant quelques jours.

CHASSE-TACHES POUR FAUTEUILS

Voir les explications avec les consignes pour enlever les taches **(p. 131)**.

CHASSE-TACHES POUR SURFACES

Voir les consignes pour enlever toutes les autres taches **(p. 85)**.

CHASSE-TACHES POUR TAPIS

Voir les explications en début de section des taches sur les tapis **(p. 139)**.

CHASSE-TACHES POUR VÊTEMENTS

Comme c'est expliqué à la rubrique des taches sur les vêtements **(p. 149)**, éliminez près de 90 % des taches avec un bon détergent **(p. 204)** : au besoin, appliquez-en directement sur la tache et faites-le pénétrer en frottant avant de laver.

Facilitez-vous la vie dans la chasse aux 10 % de taches résistant à ce traitement simples, et sans ajouter à votre soupe chimique corporelle : consultez les consignes détaillées données pour toutes sortes de dégâts à la section sur les taches **(p. 129)**.

190

Chasse-taches commerciaux

CHASSE-TACHES POUR LESSIVE EN PULVÉRISATEUR

Un bon détergent **(p. 204)** élimine près de 90 % des taches, par son action ordinaire ou quand on en frotte un jet au besoin sur la salissure prononcée.

Les chasse-taches en pulvérisateur comme ceux de Javex, Spray'n Wash et Shout se veulent plus rapides à l'utilisation en nous évitant de frotter. Or, le bon détergent suffit la plupart du temps sans même frotter. Ces chasse-taches ne sont donc utiles que comme complément à un détergent de moins bonne qualité. Ils ne nous soulagent pas de la nécessité de frotter sur les taches plus graves, pour lesquelles le bon détergent est encore une fois plus efficace. Bref, ces produits encombrent vos tablettes plus qu'ils ne se rendent utiles.

En outre, certaines marques contiennent diverses substances douteuses comme des composés organiques volatils, du formaldéhyde et du javellisant.

La plupart des marques avertissent que leur produit ne doit pas être utilisé sur la laine, la rayonne et la soie. Utilisez alors le chasse-taches délicat maison à base de glycérine décrit un peu plus loin. Procédez au lavage moins de cinq minutes après l'application d'un chasse-taches en pulvérisateur : il perd tout son pouvoir détachant s'il sèche sur la tache avant le lavage.

Évitez absolument les marques en aérosol qui produisent – contrairement aux pulvérisateurs – une bruine chargée de produits nocifs que vous vous retrouvez à inhaler. Consultez votre teinturier en cas de doute ou de tache résistante. Lui laisser l'utilisation des nettoyants nocifs qu'il est d'habitude lui-même réticent à utiliser.

CHASSE-TACHES EN POUDRE

Une solide addition au pouvoir d'un détergent à lessive s'obtient avec un nouvel additif sur le marché qui contient à la fois des cristaux de soude comme dégraisseur et un blanchisseur pour les couleurs (le peroxyde). Seuls les taches comme l'encre de stylo auront besoin d'un solvant léger comme l'alcool à friction – voir les explications dans la section sur les taches (p. 129).

Le détachant en poudre des marques Brio Magic et Bio-Vert, du même fabricant, offrent la combinaison dégraisseur / blanchisseur capable d'éliminer la majeure partie des traces de dégâts. La marque Arm & Hammer, avec Si Net, offrait déjà des cristaux de soude très efficaces. Ce produit en poudre a besoin d'eau chaude pour se dissoudre. Le dissoudre à part dans une tasse s'il doit être ajouté à une eau de lessive tempérée.

CHASSE-TACHES INSTANTANÉ (POUR TISSUS NON LAVABLES)

Portent aussi le nom de chasse-taches liquide de nettoyage à sec, et parfois le nom de traitement instantané contre les taches au sens où, souvent, ils ne requièrent pas de laver le tissu à l'eau, contrairement aux chasse-taches en pulvérisateur. Puisqu'ils ne demandent pas de lavage à l'eau, le plus souvent, ils devraient convenir aux tissus délicats qui peuvent être altérés par l'eau.

Les teinturiers insistent sur un point : n'utilisez jamais un chasse-taches à base de solvants dérivés du pétrole – soit un grand nombre d'entre eux. Il réussira parfois à éliminer le dégât, mais il abîmera la couleur quand il se trouvera associé au perchloréthylène servant au nettoyage à sec. Les teinturiers refusent d'accorder quelque garantie de résultat une fois que le tissu a été traité avec les solvants.

Plus encore, ces produits sont peu efficaces selon un test de *Protégez-Vous*. Le seul qui s'est révélé efficace contre les taches de vin (DidiSeven) est en pâte et d'application peu commode.

Parmi les marques à utiliser sans nécessité d'enlever le vêtement, *Consumer Reports* a constaté en 2006 que le Tide To Go a tout à fait éliminé 6 seulement des 48 taches de diverses natures sur lesquelles il a été testé. Les lingettes Shout ont réussi à 13 reprises. Une marque en bâtonnet (Janie) n'a compté aucune réussite. Conclusion du magazine : les chances d'éliminer un dégât sont modérées avec le Shout, un peu plus faibles avec le Tide, et nulles avec le bâtonnet.

Chasse-taches maison

Détachez presque tout sans produits compliqués. Même le teinturier utilise un appareil qui mouille simplement le dégât sous pression et assèche immédiatement la zone pour éviter les auréoles.

Voir comment utiliser les solutions décrites ci-après pour chaque type de dégâts **(p. 150)**. Elles ne servent qu'à enlever les 10 % de taches qui résistent à un bon détergent, seul ou frotté sur la tache.

Faire le tri des solutions proposées par les experts pose un véritable défi quand l'objectif de se simplifier la vie sans l'empoisonner est central. À part un bon détergent qui règle 90 % des problèmes, répétons-le, ne manquent que les articles d'usage courant suivants :

- alcool à friction (isopropylique, 70 %), à titre de solution de moindre mal comme solvant ;
- nettoyant à vaisselle *doux pour la peau* (donc au pH équilibré) et translucide ;
- glycérine, facile à trouver en pharmacie ;
- bicarbonate de soude ;
- contenant à pulvérisateur (neuf ou celui bien lavé d'un nettoyant épuisé) ;
- sel de citron (acide oxalique) contre la rouille et facile à trouver en pharmacie en le demandant ;
- peroxyde d'hydrogène (3 %) (petite bouteille brune), un blanchisseur moins corrosif que l'eau de Javel mais qui peut suffire si on lui laisse le temps d'agir.

En de rares occasions, sur des tissus particulièrement délicats, vous utiliserez la crème de tartre, facile à trouver avec les épices à l'épicerie.

En cas de doute, testez toujours le chasse-taches sur un coin caché du vêtement, comme les replis de coutures intérieures.

192

CHASSE-TACHES DÉLICAT MAISON

À cause de son pH équilibré, ce produit peut être utilisé aussi bien sur la laine, la soie et la rayonne que sur les tissus moins délicats. L'application d'un détergent dit *efficace contre les taches* est déconseillée sur la laine, la soie et la rayonne à cause de son pH élevé ou de la présence d'enzymes. Notez qu'un test de *Protégez-Vous* sur les chasse-taches accorde déjà au simple nettoyant à vaisselle translucide, utilisé ici dans la recette, un pouvoir détachant légèrement inférieur à celui d'une pâte de détergent en poudre efficace contre les taches. Ajouter la capacité qu'a la glycérine de soulever la salissure peut permettre d'éliminer des taches résistantes.

Retenez enfin qu'une coloration fragile peut être altérée par l'eau, il faut donc faire un test sur un coin caché du vêtement en cas de doute.

La préparation en pulvérisateur facilite la tâche lorsqu'on a fréquemment besoin de détacher des tissus délicats.

Pour une utilisation occasionnelle, vous pouvez tout aussi bien appliquer, moitié-moitié, un soupçon de glycérine et de nettoyant à vaisselle *doux*. Procédez ensuite comme décrit ci-après, avec la description du chasse-taches délicat.

Mélangez dans un contenant à gicleur 375 ml (1$^1/_2$ t) d'eau, 60 ml ($^1/_4$ t) de nettoyant à vaisselle translucide *doux* (pH équilibré) et 60 ml ($^1/_4$ t) de glycérine **(p. 209)**.

Imbibez la tache et faites pénétrer avec soin en pétrissant avec les doigts. Laissez agir trois minutes ou jusqu'à quelques heures en cas de dégâts plus sérieux. Rincez ou épongez avec soin s'il s'agit d'un tissu très délicat. Lavez. Utilisez le modèle d'étiquette fourni **(p. 172)** pour identifier le contenant.

CHASSE-TACHES EXTRA POUR LESSIVE MAISON

La nature alcaline de ce chasse-taches ne permet pas de l'utiliser sur les tissus délicats comme la laine, la soie et la rayonne. Il est efficace contre les taches résistantes sur tissus lavables. En cas de doute, vérifier la possibilité de décoloration sur un coin caché.

Fabriquez une pâte de bicarbonate de soude et de nettoyant à vaisselle translucide *doux* (pH équilibré). Posez la tache face contre un tampon d'essuie-tout, pour qu'il absorbe la saleté. Appliquez la pâte généreusement sur l'endos de la tache en faisant pénétrer. Laissez reposer durant la nuit. Rincez. Appliquez un détergent *efficace contre les taches*. Frottez légèrement. Lavez.

CHASSE-TACHES DÉLICAT À LA CRÈME DE TARTRE

Pour les tissus à coloration fragile. La crème de tartre est légèrement acide et abrasive. Facile à trouver avec les épices à l'épicerie, elle permet de parfois sauver des vêtements précieux.

Épongez ou grattez le surplus du dégât. Fabriquez une pâte de crème de tartre **(p. 195)** et d'eau. Appliquez délicatement en tapotant avec un chiffon imbibé pour enlever ce qui se détache. Laissez reposer deux à trois minutes. Épongez à nouveau délicatement avec un chiffon propre. Pour éviter la formation d'une auréole, il est indispensable de laver délicatement le vêtement entier à la main, sitôt après le traitement. Consultez les consignes pour laver à la main **(p. 60)**.

CHASSE-TACHES AU JUS DE CITRON

Il est utile pour les taches tenaces sur les tissus délicats comme la soie, la laine et la rayonne. Puisque les substances alcalines peuvent endommager ces tissus, on utilise plutôt un chasse-taches légèrement acide. En cas de doute, vérifiez absolument s'il y a décoloration avec un test sur un coin caché du vêtement.

Créez une pâte de jus de citron et de sel. Appliquez et faites pénétrer. Laissez reposer de 5 à 10 minutes. Rincez avec précaution, autant que possible en épongeant. Pour éviter la formation d'une auréole, il est indispensable de laver délicatement le vêtement entier à la main, sitôt après le traitement. Consultez les consignes pour laver à la main **(p. 60)**.

SAVON PUR

Un test de *Protégez-Vous* lui accorde une note assez élevée pour déloger gras et gazon. Ce classique se trouve un peu partout en épicerie et en pharmacie, à prix minime.

Mouillez la barre de savon. Appliquez. Faites pénétrer. Laissez reposer deux à trois minutes avant le lavage. Garde son pouvoir même si le lavage est reporté de quelques jours. Pour les taches de gras, laissez reposer durant une nuit avant de laver.

CRÈME À RÉCURER

CRÈME À RÉCURER COMMERCIALE

Les poudres commerciales ont souvent été remplacées par des crèmes à récurer douces parce qu'elles abîment moins les surfaces – surtout du temps où les poudres étaient plus abrasives. Avec leur pouvoir abrasif doux, les crèmes à récurer nettoient efficacement bain, éviers en porcelaine ou inoxydable et comptoirs.

Évitez les crèmes à récurer qui contiennent du blanchisseur javellisant : elles sont inutilement puissantes, corrosives et nocives dans les eaux de rejet.

Bonne nouvelle : il existe une marque commerciale de crème à récurer qui est certifiée Choix environnemental avec l'Éco-Logo ci-contre. C'est la marque Nature Clean Crème nettoyante pour baignoire et carreaux.

Il faut chasser de notre esprit qu'un nettoyant avec blanchisseur javellisant va désinfecter la zone nettoyée, ou du moins améliorer la propreté. Désinfecter est une opération en deux étapes – nettoyage de la saleté, puis application d'une solution désinfectante – que ne peuvent effectuer les crèmes prétendument désinfectantes, en conditions réelles.

Ne désinfectez que quand, où et comment il le faut : consultez les explications **(p. 215)**. Sinon vous ne faites qu'abîmer les surfaces et votre peau, en plus d'envoyer avec les eaux de rejet des substances à risque tout à fait inutiles.

CRÈME À RÉCURER MAISON

Ce récurant maison offre autant d'efficacité que sa version commerciale. Par contre, question commodité, le bicarbonate de soude utilisé comme composante a tendance à se déposer et à durcir au fond du contenant s'il n'est pas utilisé fréquemment. À l'usage, un peu de bicarbonate de soude sur une éponge humide peut être plus rapide et commode. Le nettoyant tout usage et le nettoyant à salle de bains auront déjà suffi pour la plupart des tâches et vous évitent d'avoir à conserver une multitude de produits nettoyants.

Pour des saletés plus tenaces, ce qui est plus rare, confectionnez une petite quantité de crème à récurer en mélangeant du bicarbonate de soude avec un peu de nettoyant à vaisselle ou de nettoyant ménager.

La crème à récurer maison a pourtant ses défenseurs. Elle se prépare au fur et à mesure, dans un contenant avec bec gicleur qui ferme bien pour éviter que la crème ne sèche pas. Le bec gicleur doit posséder un trou de bonne grandeur pour qu'il ne se bouche pas. Agitez bien avant utilisation.

Formez une pâte crémeuse en ajoutant 125 ml (¹/₂ t) de bicarbonate de soude soit à un détergent liquide tout usage **(p. 207)** concentré, à un détergent à lessive liquide translucide, à un nettoyant tout usage concentré **(p. 221)**, commercial et sécuritaire, ou à un savon liquide pur **(p. 254)**.

Le détergent liquide tout usage est préférable au savon liquide pur, qui peut laisser des traces si l'eau est dure. Mais si l'eau est douce, le savon liquide se rince plus vite. Les deux se trouvent dans les commerces de produits verts. Utilisez le nettoyant tout usage concentré ou l'un des détergents, tout usage ou à lessive, selon celui que vous avez déjà à la maison. Trempez une éponge avec la crème à récurer et récurez bain, éviers en porcelaine ou inoxydable et comptoirs.

La crème à récurer utilisée pour le fond du bain ou de la douche ne désinfecte pas plus que les nettoyants dits antibactériens comme nous l'expliquons plus loin dans la section intitulée *Désinfecter* **(p. 215)**. Elle n'élimine pas la nécessité de nettoyer en deux étapes : nettoyage de la saleté, puis application d'une solution désinfectante. La solution désinfectante, avec 3 ml de javellisant par 1 l d'eau, est une solution sans rinçage et séchant à l'air approuvée par le gouvernement fédéral.

Pour les moisissures, nettoyez à fond avec eau chaude et nettoyant, puis assurez-vous de bien faire sécher – nul besoin de désinfectant. C'est ainsi que la SCHL canadienne suggère d'éliminer les moisissures, tout en déconseillant l'utilisation de blanchisseur javellisant – l'eau de Javel – à cause de ses émanations.

CRÈME DE TARTRE

Elle est facile à trouver dans la section des épices dans les épiceries, comme vous le confirmera la première mère de baby-boomer que vous croiserez. Résidu de la fabrication du vin, ce produit n'est pas une crème mais bien une poudre. Légèrement acide et abrasive, la crème de tartre présente l'avantage important de pouvoir servir de chasse-taches sur les tissus à coloration fragile.

Elle appartient à cette trousse de quelques produits un peu étranges, mais si simples, qui permettent de régler la majeure partie de vos problèmes de nettoyage.

CRISTAUX DE SOUDE

Portant l'appellation technique de carbonate de soude, les cristaux de soude ne sont pas le même produit que le bicarbonate de soude (dit soda à pâte ou petite vache). Ce n'est pas non plus du borax, même si bicarbonate de soude, borax et cristaux de soude sont de la même famille et résultent de procédés similaires. Enfin, les cristaux de soude ne sont pas non plus de la soude caustique (ou lessive de soude lorsque liquide), sous-produit de la fabrication du chlore et donc d'une tout autre famille.

Avec un pH de 11, les cristaux de soude sont plus alcalins que le borax (pH de 9,2) et que le bicarbonate de soude (pH de 8,4). Les cristaux de soude sont pourtant moins onéreux que le borax – préférez-les au borax si vous ne souhaitez pas multiplier vos produits d'entretien.

Les cristaux de soude ne dégagent pas d'émanations toxiques comme les solvants dérivés du pétrole, mais peuvent assécher la peau si on ne porte pas de gants en les manipulant. Ils sont par ailleurs assez puissants – avec leur pH élevé – pour servir parfois de substitut aux solvants. Ils dissolvent le gras, enlèvent graisse et huile à moteur, cire et rouge à lèvres.

Une pâte d'eau et de cristaux de soude appliquée sur un dégât de gomme de sapin peut le dissoudre en une à deux heures. Au besoin, laissez reposer durant la nuit et humectez de temps à autre. Au moindre doute, faites un test sur une zone cachée, car la pâte peut ternir ou même soulever la peinture d'une surface. Par précaution, il est même suggéré de restreindre l'utilisation de cette pâte aux surfaces inertes comme la pierre et le verre. Ne les utilisez jamais sur l'aluminium, la fibre de verre et les planchers cirés à moins de vouloir enlever la cire.

Des auteurs suggèrent de diminuer de moitié la quantité de détergent à lessive recommandée par les fabricants, qui n'est qu'une moyenne. Il n'y aura pas d'impact sur l'efficacité du lavage si l'eau de votre logis a une dureté normale. Diminuez même plus pour les plus petites brassées. Pour compenser la diminution de détergent, ajoutez au besoin entre 75 ml ($^1/_3$ t) et 125 ml ($^1/_2$ t) de cristaux de soude par brassée. Au besoin, ajoutez par la suite un peu de détergent : un peu d'exploration est nécessaire pour s'adapter à la dureté particulière de votre eau.

Les résidus de détergent sur les vêtements s'en trouvent réduits d'autant, de même que la saleté qu'ils ont pour fonction de garder en suspension.

Un résidu des cristaux de soude peut apparaître sur les vêtements quand l'eau est très dure. Le borax gagne alors à lui être substitué. Dissolvez les cristaux de soude dans un fond d'eau très chaude avant de les intégrer à l'eau de lavage, quand vous lavez à l'eau tiède ou froide. Dans une laveuse à chargement sur le dessus, laissez la laveuse agiter l'eau additionnée du détergent et des cristaux de soude durant une minute avant d'ajouter les articles à laver. Vous vous assurez ainsi d'obtenir le pouvoir maximal de vos agents nettoyants, tout en prévenant les taches de résidus sur les tissus. En vrac, les cristaux de soude coûtent à peu près le même prix que les détergents moins chers. En boîte, ils coûtent un peu plus. Leur utilisation à la place de la moitié du détergent à lessive ne change donc pas le coût d'une brassée ni son efficacité.

Par contre, tant que les marques de détergent à lessive nationales ne sont pas certifiées sécuritaires par le programme Choix environnemental et son Éco-Logo (ci-contre), le recours aux cristaux de soude permet de diminuer le détergent utilisé et mérite votre appui. Accumulé au niveau des brassées nécessaires pour laver les vêtements des 300 millions de Nord-Américains, l'impact de tels gestes est significatif.

En Europe, on lavait au savon et à la soude il y a peu, mais dans une eau très chaude qui abîmerait les tissus en fibres synthétiques d'aujourd'hui.

Les détergents se sont répandus à la suite de la pénurie d'huile entrant dans la confection du savon, durant la Seconde Guerre mondiale. Ils présentent l'avantage sur le savon de ne pas laisser de résidu lorsque l'eau est dure et minéralisée.

La marque Arm & Hammer Si net, Super cristaux à lessive est facile à trouver parmi les additifs à lessive que l'on retrouve un peut partout avec les détergents à lessive. Elle semble parfumée, mais ne l'est pas, affirme la compagnie, et ne contient pas d'ingrédients de synthèse. On trouve aussi en vrac, dans les commerces de produits nettoyants verts et de produits naturels la marque Pure Source Carbonate de soude à 3,95 $ le format de 2 kg.

Notez qu'il est apparu depuis quelque temps un produit qui mélange les cristaux de soude avec un blanchisseur pour les couleurs, le peroxyde. Cette combinaison de deux ingrédients pouvant tout à fait être qualifiée de sécuritaire pour la santé et l'environnement, est particulièrement intéressante. L'effet de dégraisseur des cristaux de soude se combine à l'effet de blanchisseur du peroxyde pour offrir un pouvoir nettoyant exceptionnel. Le détachant en poudre des marques Bio-Vert et Brio Magic, du même fabricant, offrent cette solution moins onéreuse que les cristaux de Arm & Hammer.

Attention : ne pas mélanger les cristaux de soude avec l'eau de Javel.

CUVETTE, NETTOYANT

Voir la rubrique *Nettoyant à cuvette* **(p. 224)**.

DÉBOUCHE-TUYAUX

Évitez le recours aux débouche-tuyaux toxiques, et épargnez-vous surtout les embêtements causés par les tuyaux de renvoi bouchés avec quelques trucs d'entretien pour les tuyaux de renvoi de la salle de bains **(p. 127)** et de la cuisine **(p. 126)**. Au besoin, consultez les procédés pour régler les problèmes de bouchons **(p. 124)**.

Les débouche-tuyaux commerciaux appartiennent à la bande des trois salopards du foyer, soit les trois produits nettoyants les plus polluants – avec le nettoyant à four et le nettoyant à cuvette à base d'acides. Les usines de traitement des eaux usées ne sont pas équipées pour éliminer ces produits. Les utiliser, c'est alimenter directement la soupe chimique environnementale qui alimente votre soupe corporelle.

DÉBOUCHE-TUYAUX COMMERCIAUX

Évitez-les carrément, jusqu'à ce qu'un fabricant s'avise qu'il est grand temps de prendre le train de la révolution en cours et d'offrir un produit efficace et certifié sécuritaire par le programme Choix environnemental et son Éco-Logo. Ce salopard n'appartient plus aux solutions raisonnables pour quiconque est conscient de l'urgence de cesser de contribuer à la soupe chimique environnementale et corporelle.

Mettez-le à la collecte des déchets dangereux pour éviter toute tentation de s'en servir dans des situations de panique et d'urgence. Rappelez-vous, si vous désirez tout de même y recourir, que les débouche-tuyaux en poudre se ramassent plus aisément et sans laisser de traces, en cas d'accident, que ceux qui sont sous forme liquide.

La majorité des plombiers eux-mêmes déconseillent l'utilisation des débouche-tuyaux commerciaux au profit des moyens mécaniques. Notez bien que la sécurité du plombier est mise en jeu lorsqu'il doit intervenir sur un renvoi plein d'un débouche-tuyaux corrosif qui n'a pas résolu le problème de bouchon. *Consumer Reports* jugeait dans une analyse qu'il est dangereux de les utiliser, en plus de les trouver très modérément efficaces.

Débouche-tuyaux maison

En cas de simple ralentissement de l'écoulement dans un évier, utilisez plutôt les nettoyants à tuyaux maison **(p. 233)**. En cas de bouchon **(p. 124)** bloquant carrément l'écoulement, voir les façons de procéder les plus efficaces à la rubrique en question.

DÉPÔTS MINÉRAUX

Voir la rubrique *Nettoyant à dépôts minéraux* **(p. 226)**.

DÉSINFECTANTS

Désinfectant commercial, solution

À part une lotion désinfectante maison à l'eau de Javel – décrite à la rubrique suivante –, il existe des désinfectants commerciaux pour qui souhaite éliminer l'utilisation de l'eau de Javel.

Par la vente en réseau et dans les commerces de produits naturels, vous pouvez obtenir, de la marque Nutribiotic, un Concentré liquide d'extrait de pépins de pample-mousse standardisé (Citricidal à 33 % avec glycérine végétale alimentaire) à 11,55 $ le format de 59 ml. Il s'agit bien d'un désinfectant capable d'éliminer la salmonelle, critère définissant un désinfectant.

C'est en fait un désinfectant accepté aux États-Unis, mais les analyses sur sa concentration sont moins récentes que celles qui servent à minimiser la quantité de javellisant utilisée pour confectionner la solution désinfectante maison décrite un peu plus loin.

Ajouter 30 gouttes de concentré d'extrait de pépins à l'eau où trempent les ustensiles les désinfecte. Avec 20 gouttes étendues sur la planche de travail avec une éponge humide et laissées à reposer 30 minutes on désinfecte aussi. La bouteille de 59 ml permet de désinfecter la planche de travail dans la cuisine à 60 reprises, au coût de 20 ¢ l'utilisation.

Dans un magasin de produits naturels comme la Coop La Maison verte, vous pouvez aussi trouver le Benefect: 9 $ le format de 400 ml. Pas un savon ni un détergent, mais spécifiquement un désinfectant. À base d'extraits de plantes.

Désinfectant maison, solution

La confection d'une solution désinfectante maison pour le comptoir de cuisine est pratiquement la seule utilisation de l'eau de Javel qui se justifie. Elle sert à désinfecter un comptoir mis en contact avec la viande et ses jus (volaille et poisson inclus), comme c'est expliqué à la rubrique sur ce qui requiert la désinfection **(p. 215)**. Une quantité minime est requise comme nous l'expliquons à la rubrique *Javel et blanchisseur* **(p. 211)**.

L'eau de Javel pose des problèmes de corrosivité, de santé et de pollution environnementale. Le présent guide conseille d'en limiter tant que faire se peut l'utilisation, tel qu'expliqué à la rubrique *Javel, eau de* **(p. 210)**. Notez que la chaleur de l'eau du lave-vaisselle est suffisante pour désinfecter les accessoires venus en contact avec les viandes.

DÉSINFECTANT, NETTOYANT À SALLE DE BAINS

Voir la rubrique *Désinfectez uniquement ce qui le requiert* **(p. 29)**.

DÉSODORISANT POUR L'AIR

Voir *Chasse-odeurs pour l'air* **(p. 187)**.

DÉTACHANTS POUR TAPIS

Existent en version commerciale et maison. Voir les explications en début de la section *Taches sur les tapis* **(p. 139)**.

DÉTACHANTS POUR TAPIS COMMERCIAUX

DÉTACHANT POUR TAPIS TOUT USAGE

Les marques courantes contiennent toutes des substances toxiques que l'on souhaite éviter. Plus encore, une analyse du *Consumer Reports* démontrait en 2004 qu'eau et nettoyant à vaisselle sont plus efficaces que les détachants commerciaux pour tapis, comme c'est indiqué dans les consignes pour enlever les taches sur les tissus de fauteuils **(p. 131)**. Complétés avec peroxyde et alcool blanc, ils suffisent pour la presque totalité des dégâts.

La marque Bio-Vert a récemment mis sur le marché un nettoyant à tapis et tissus de fauteuils qui a de plus la qualité de servir comme chasse-odeurs : les nettoyants de cette marque utilisent intelligemment une nouvelle approche qui recourt aux cultures bactériennes combinées à des extraits actifs de fermentation. Une marque comme Nature Clean offre des nettoyants pouvant servir à détacher. Appliquez sur un chiffon avec lequel vous épongez ensuite le dégât sur le tapis.

Pour les marques conventionnelles, préférez les formats liquide ou à pulvérisateur. Évitez le format aérosol, toujours à cause des particules en suspension qui peuvent être inhalées avec la bruine que produit le format aérosol.

Les ensembles de nettoyage pour tapis en vente un peu partout contiennent une protection antitache à exclure de vos achats. La protection contre les taches est l'une des substances qui s'attirent les critiques les plus unanimes chez les experts de la précaution, comme il est expliqué à la rubrique *CPF* **(p. 246)**.

À base d'enzymes, une version commerciale existe pour traiter les dégâts d'animaux. Préférez le Nettoyant détachant en pulvérisateur (Tissus et tapis) de la marque Bio-Vert qui digère littéralement les matières organiques de ces dégâts, et élimine simultanément les odeurs.

DÉTACHANTS POUR TAPIS MAISON

Des solutions simples, efficaces, économiques et sécuritaires sont données en début de section *Taches sur les tapis* **(p. 139)**.

DÉTACHANT POUR TISSU DE FAUTEUILS COMMERCIAL

Consultez les explications données avec les consignes pour enlever les taches sur les tissus de fauteuils **(p. 131)**. Utilisez un soupçon de détergent à tissus de fauteuils comme détachant.

La marque Bio-Vert **(p. 183)** a récemment mis sur le marché un nettoyant à tapis et tissus de fauteuils qui a de plus l'avantage de servir comme chasse-odeurs : les nettoyants de cette marque utilisent intelligemment une nouvelle approche qui recourt aux cultures bactériennes combinées à des extraits actifs de fermentation. La marque commerciale généralement sécuritaire Nature Clean offre une solution facile d'utilisation. Utilisez aussi les chasse-taches pour vêtements **(p. 190)**

Appliquez la solution sur un chiffon avec lequel éponger ensuite le dégât sur le tapis. Préférez les formats liquide ou à pulvérisateur. Évitez le format aérosol, toujours à cause des particules en suspension qui peuvent être inhalées avec la bruine que produit le format aérosol.

DÉTACHANT POUR TISSU DE FAUTEUILS MAISON

Voir les explications avec les consignes pour enlever les taches sur les tissus de fauteuils **(p. 131)**.

DÉTACHANT POUR VÊTEMENTS

Voir les consignes pour enlever les taches sur les vêtements **(p. 149)**.

DÉTACHANT TOUT USAGE

Voir les consignes pour enlever toutes les autres taches **(p. 85)**.

DÉTERGENT À DUVET DE CAMPING

Sacs de couchage, douillettes et vestes se lavent au cycle délicat du lave-linge avec un détergent à lessive *doux* – au pH équilibré. Le lave-linge à chargement frontal est idéal. Les savons et détergents prétendument conçus spécifiquement pour le duvet, et vendus à prix exorbitant, ne sont pas utilisés par les connaisseurs. Rincez à deux reprises si possible.

Attention : une chaleur excessive lors du séchage fait sortir l'huile des plumes. Séchez à chaleur douce ou moyenne, en plaçant au centre de la charge une espadrille enveloppée d'un tissu de coton ou six balles de tennis. Une opération bruyante mais qui redonne son volume et ses propriétés isolantes initiaux à l'article.

Les commerces de nettoyage à sec peuvent laver aussi le duvet au savon et non au produit de nettoyage à sec qui resterait imprégné. Bien le spécifier.

DÉTERGENT À TISSUS DE FAUTEUILS

Consultez la rubrique *Nettoyant à tissus de fauteuil* **(p. 131)**.

DÉTERGENT À LAVE-VAISSELLE

Le choix d'un lave-vaisselle **(p. 272)** à faible utilisation d'eau permet d'épargner jusqu'à 50 $ par année. Gratter les plats même sans les rincer avant de les placer à laver, comme c'est expliqué dans les consignes sur l'utilisation du lave-vaisselle **(p. 82)** permet d'épargner jusqu'à 124,80 $.

Les détergents à lave-vaisselle courants contiennent du chlore, des parfums et des colorants artificiels ainsi que des substances qui peuvent se dégrader en formaldéhyde. Les phosphates ont été initialement ajoutés aux détergents pour empêcher les minéraux présents dans l'eau d'amoindrir l'efficacité des détergents. Plus l'eau était dure, plus les phosphates étaient nécessaires.

L'élimination des phosphates a donné des détergents qui tendaient à laisser des dépôts minéraux, en particulier visibles sur les verres. Mais une nouvelle génération de détergents contenant des substituts aux phosphates permettent désormais d'obtenir une vaisselle impeccable.

L'environnementaliste réputé David Suzuki insiste sur l'utilisation d'un détergent à lave-vaisselle sans blanchisseur javellisant. Cette substance est expulsée dans l'air ambiant avec la vapeur et respirée par les utilisateurs. Préférer les marques sans colorants ni parfums.

Les détergents avec enzymes ont donné des résultats significativement supérieurs lors de tests par *Consumer Reports*[32]. Les enzymes aident à dissoudre protéines et féculents. La présence d'enzymes n'est pas toujours indiquée – on la retrouve parmi les ingrédients ou près des avertissements.

Les agents de rinçage diminuent parfois les taches d'eau sur le verre, mais pas toujours. Ajouter 15 ml (1 c à s) de vinaigre dans le godet de rinçage est réputé suffire pour amoindrir considérablement les résidus de minéraux sur la vaisselle.

Payer plus cher n'est pas un gage de qualité. Parmi les meilleurs détergents des tests de *Consumer Reports*, les coûts par charge variaient de 9 à 35 ¢ (US) – un facteur de 4 – le meilleur, mais non le plus sain, étant le moins cher. Diminuez la quantité de détergent que vous utilisez. *Consumer Reports* utilisait pour ses tests la quantité de détergent indiquée par le fabricant. *Protégez-Vous*, de son côté, ne remplissait les distributeurs qu'à moitié dans ses propres tests, plutôt qu'au complet, comme le suggèrent les fabricants. *Protégez-Vous* a ensuite refait le test en doublant la quantité de détergent. Les résultats n'ont montré qu'une minime variation de 1 %, en plus ou en moins !

En fait, les godets sont conçus pour contenir plus de détergent que ce qui est indiqué par les fabricants de détergents eux-mêmes. Et ces derniers recommandent déjà, sans motif valable, d'en mettre plutôt plus que moins.

Réduire la quantité de détergent a l'avantage d'être une solution économique. Tant que les détergents à lave-vaisselle conventionnels seront l'un des produits qui contiennent le plus de phosphates – contribuant à la prolifération d'algues dans les plans d'eau et à leur asphyxie – toute mesure qui en réduit l'utilisation est souhaitable.

Diminuez donc la quantité de détergent et pensez à ajouter 15 ml (1 c à s) de vinaigre blanc dans le godet de rinçage pour diminuer les dépôts minéraux.

Au besoin, vous pouvez essayer d'ajouter l'un des additifs suivants. L'additif adoucit l'eau dure et préserve l'efficacité du détergent.

Un fabricant de bicarbonate de soude affirme que saupoudrer environ 60 ml ($1/4$ t) de bicarbonate sur la vaisselle placée dans le lave-vaisselle permet de réduire de moitié la quantité de détergent nécessaire. L'efficacité de cet additif est corroborée par certains. Attention : n'utilisez pas le bicarbonate de soude avec les casseroles en aluminium, il les ternira.

Un autre additif maison est celui pour lequel est fourni un modèle d'étiquette **(p. 172)** à photocopier et à coller sur le contenant.

■ Ajoutez au détergent en poudre 5 ml (1 c à c) du mélange suivant : une part de bicarbonate de soude, deux parts de borax, ou encore moitié-moitié bicarbonate de soude et cristaux de soude. Gardez cette préparation dans un pot fermé avec une cuillère à mesurer de 5 ml (1 c à c) pour en faciliter l'usage régulier.

Le choix entre l'un ou l'autre de ces additifs dépendra de la dureté de votre eau, de vos habitudes de lavage ainsi que de la qualité et de l'état de votre lave-vaisselle. Un peu d'expérimentation sera nécessaire pour trouver ce qui conviendra le mieux à votre réalité. Il est possible que l'eau particulièrement dure ne permette pas d'obtenir une vaisselle étincelante même avec ces procédés. Notez, pour information, que l'eau de la région montréalaise était de dureté moyenne en 1997.

Il n'existe malheureusement pas encore sur le marché de marque commerciale de détergent certifiée Choix environnemental avec l'Éco-Logo ci-contre. Les trois détergents conventionnels ayant obtenu les meilleurs résultats lors de tests effectués par *Consumer Reports* étaient fabriqués à base d'enzymes : Great Value (9 ¢ par charge, vendu dans les Wal-Mart), Cascade Pure Rinse Formula (18 ¢ par charge), et Electrasol Dual Action Tabs avec bicarbonate de soude (14 ¢ par charge). Si vous devez utiliser ces détergents, cherchez à diminuer la quantité utilisée par lavage.

Certaines marques de détergent viennent de fabricants dont les produits respectent le plus souvent les règles de précaution. Les tests de *Protégez-Vous* montrent l'efficacité de certaines de ces marques qui sont sans phosphate[33].

Pour être plus précis, on devrait parler de détergent sans phosphore, substance causant la formation du phosphate dans les eaux de rejet. Pour faire plus simple, la convention actuelle de parler de détergent avec ou sans phosphate est ici respectée. Coupable principal, avec les rejets agricoles (engrais), de la prolifération des algues bleues dans les lacs, le phosphate des détergents est en voie d'être réglementé plus sévèrement un peu partout – à compter de 2010 au Québec –, mais ne l'est pas encore.

Le magazine note que, comme de coutume, l'affichage volontaire du contenu en phosphate par les marques offre une information insuffisante au consommateur concerné. Deux solutions possibles : le recours à un détergent certifié Choix Environnemental (Éco-Logo), ou le renforcement des règles d'étiquetage.

Le coût par charge, selon les tests de *Protégez-Vous*, allait de 10 à 60 ¢. Deux marques en poudre populaires au Québec, Cascade (15 ¢, cote au test de 90 %) et Electrasol (15 ¢, cote de 80 %) ont démontré une teneur moyenne en phosphate.

Deux (en poudre) des trois marques sans phosphate testées ont démontré une efficacité comparable – soit Nature Clean (26 ¢, cote de 81 %) et Lemieux (25 ¢, cote de 76 %). La troisième marque sans phosphate, Bio-Vert liquide, a affiché un piètre résultat (30 ¢, cote de 57 %).

Il y a mieux encore : l'émission *La vie en vert* de Télé-Québec a organisé un test maison et mis une famille à contribution, et a filmé le résultat de ses expériences. L'expérience est révélatrice, avec le test exhaustif de *Protégez-Vous* en fond.

La famille a accordé une cote excellente à une nouvelle formulation de la marque Bio-Vert (26 ¢) offerte en tablettes (monodoses). En comparaison, la famille n'a accordé qu'une cote moyenne à la marque Nature Clean, dont l'efficacité était significativement améliorée par l'addition de 15 ml (1 c à s) de vinaigre dans le godet de rinçage. La marque Lemieux n'a obtenu qu'une cote moyenne de la famille.

Bio-Vert en tablettes (monodoses) offre donc une solution efficace, plus saine pour l'environnement et la santé, et ce à un coût supérieur (26 ¢) mais non exorbitant, comparé aux marques populaires (15 ¢) avec phosphate. Ces marques populaires peuvent souvent contenir d'autres ingrédients douteux que le présent guide encourage à éviter – colorants et parfums artificiels, chlore, quarternium 15.

Eau dure : en plus d'encrasser pommes de douche, chauffe-eau et lave-vaisselle, l'eau dure empêche les détergents de mousser, ce qui diminue leur efficacité.

Protégez-Vous a constaté que deux appareils ayant offert de moins bonnes performances ont produit une vaisselle beaucoup plus propre en utilisant un adoucisseur à eau – et moins de détergent, comme il est en général recommandé avec une eau moins dure[34].

Conclusion : avec une eau dure, recherchez un lave-vaisselle plus performant. Ou améliorez l'efficacité d'un appareil moins performant en ajoutant un adoucisseur – 60 ml (¼ de t) de bicarbonate de soude saupoudré sur la vaisselle dans le lave-vaisselle peut suffire – et diminuez de moitié la quantité de détergent.

Le service d'aqueduc des municipalités peut indiquer la dureté de votre eau de même que les fournisseurs privés de système pour adoucir l'eau. Mesurée en nombre de grains, la dureté de l'eau d'une ville comme Montréal est de 7 grains, a constaté *Protégez-Vous,* qui a mené ses tests avec une eau de 13 grains, la moyenne des eaux au Québec.

Les tests de *Consumer Reports* montrent que quelques détergents sans phosphate font un boulot estimé de bon à excellent. Les marques suivantes sont parfois en vente au Canada, dans les magasins de produits naturels : Ecover tablet and powder, Citra-Dish, 365 Everyday Value et Seventh Generation[35]. Voici les marques moins nocives repérées par le *Guide des produits moins toxiques*[36] :

- Down East – Dishwashing Powder
- Nature Clean – Natural Dishwasher Powder
- Seventh Generation – Automatic Dishwashing Detergent
- Simply Unscented
- Shaklee Basic D

DÉTERGENTS À LESSIVE

Consultez la rubrique *Détergent*, dans la section *Lessive* **(p. 54)**, pour les façons de tirer le meilleur parti des détergents tout en vous protégeant.

RECOMMANDATIONS

Recherchez les marques à la fois certifiées sécuritaires par le programme Choix environnemental et son Éco-Logo, et des marques testées pour leur efficacité. Il existe maintenant quelques marques certifiées telles que Nature Clean et Bio-Vert, qui ont commencé à faire l'objet de tests d'efficacité indépendants.

Notez que l'efficacité et l'innocuité de l'un des produits d'une marque ne garantit en rien l'efficacité et la sécurité des autres produits de la même marque : elles varient grandement d'un produit à l'autre. Les généralisations sont impossibles : seuls les tests indépendants par des groupes comme *Protégez-Vous* et *Consumer Reports* donnent des indications fiables.

La marque Bio-Vert (Bio-Green) HE (29 ¢ / brassée) a reçu une note légèrement supérieure à celle du Nature Clean (27 ¢ / brassée), et une note bonne, lorsque additionnée de bicarbonate. Le résultat serait encore meilleur avec les cristaux de soude ou le mélange cristaux de soude et blanchisseur (coût total de 40 à 50 ¢). C'est à l'essai que vous pourrez trouver lequel de ces détergents portant l'Éco-Logo convient aux goûts et particularités de votre maisonnée.

Parce que l'on recherche un détergent dont des tests indépendants ont établi l'efficacité contre les taches, ces marques ne peuvent pourtant être recommandées sans réserve. De plus, la version liquide du Nature Clean est parfois d'un coût exagéré. Si une hypersensibilité vous oblige à utiliser ce genre de produits, une marque comme Bio-Vert peut être plus accessible.

L'utilisation d'un détergent dit efficace contre les taches permet d'éliminer plus de 90 % des taches – rappelons-le – en frottant au besoin un peu de détergent (liquide ou en pâte) sur les dégâts plus résistants, sans autre chasse-taches.

La marque Le Choix du Président (Provigo, Maxi, Loblaws) offre un détergent sans colorant ni parfum (liquide : 22 ¢ / brassée ; poudre : 24 ¢ / brassée) qui n'était pas inclus dans l'analyse de *Protégez-Vous*[37], contrairement à une autre formule de la même marque qui s'est bien classée. C'est malheureux, parce que ce détergent se dit efficace contre les taches, il est économique et facile à trouver.

Le Choix du Président Ultra en poudre avait été testé, révélant une efficacité (81 %) légèrement inférieure à celle des meilleurs (84 à 86 %). On peut présumer que le format plus puissant suggéré ici, et dit « avec action enzymatique », rejoindrait les résultats des leaders – qui, par ailleurs, ne présentent pas une différence notable à l'œil. Seule réserve : certaines personnes trouvent que la présence d'enzymes a tendance à user un peu plus rapidement les tissus d'origine végétale comme le coton, surtout si on fait tremper.

Comprendre l'enjeu, respirer profondément et se diriger graduellement vers des détergents plus sains paraît être l'attitude la plus indiquée.

Il en va de même pour choisir entre un détergent portant joyeusement l'Éco-Logo et le détergent Tide Eau froide (33 ¢ / brassée) qui s'est classé premier lors des tests d'efficacité de *Consumer Reports*[38]. D'une part, il est possible de diminuer la quantité de détergent du tiers (ce qui revient à 22 ¢ / brassée) ou de la moitié avec les cristaux de soude (16 ¢ / brassée, plus les cristaux de soude : 38 ¢).

D'autre part, l'utilisation d'un détergent efficace à l'eau froide permet d'épargner l'électricité. Or, la production d'électricité en Amérique du Nord, par les centrales au charbon, est la plus haute émettrice de ce même mercure qui contamine les poissons comme le thon. Le lien est irréfutable : détergent ⟶ énergie ⟶ thon contaminé.

Proportionnellement, une brassée lavée à l'eau chaude coûte 36 ¢ d'électricité, à l'eau tiède, 16 ¢, à l'eau froide, 2 ¢.

Ainsi, un détergent conventionnel comme le Tide Eau froide peut contribuer significativement à diminuer la contamination de l'environnement et de nos corps. De plus, le Tide ordinaire ne contenait aucune des substances à risque prioritaires déconseillées par le très respecté Labour Environmental Alliance Society.

Faute de pouvoir tirer une conclusion claire, il est indiqué de continuer à respirer et de suivre ce qui émergera comme solution commerciale saine.

Tide Ultra Liquide « Nature » gagne aussi à être considéré par les personnes qui tiennent à cette marque. Il n'est pas certifié Choix environnemental ; seule cette certification confirmerait que son efficacité n'est pas obtenue aux dépens des mesures de précaution souhaitables. Appelez la compagnie pour lui communiquer votre souhait d'un détergent ainsi certifié par l'Éco-Logo. Et surveillez les rabais qui ramènent le prix de ce détergent au niveau de celui du Choix du Président suggéré plus haut.

Les autres détergents ayant obtenu les meilleurs résultats, dans l'analyse de *Protégez-Vous*, contiennent du blanchisseur javellisant ou viennent avec parfum et colorant. Le désir de créer une zone *zéro toxique* autour de votre logis doit vous inciter à éviter ces marques et formules : c'est un choix réel qui s'offre quand vient le temps d'acheter un produit nettoyant.

COMMODITÉ POUR LES TACHES

Éliminez les taches de cacao, huile à moteur, tomates et épinards sur du coton sans efforts, en utilisant un détergent efficace – tous ne le sont pas, comme l'a démontré *Protégez-Vous*[39].

Éliminez facilement, comme suit, près de 90 % des taches incrustées sur les tissus lavables – comme rouge à lèvres, sang, gazon et un «mélange d'huile et de lait coloré avec un pigment», selon *Protégez-Vous*[40]. Il suffit de frotter légèrement la tache, avant de laver, avec un détergent liquide efficace contre les taches. Les détergents recommandés plus haut le sont. L'application d'une pâte de détergent en poudre s'est révélée «peu pratique» et moins efficace.

Le vin rouge est une exception notable à l'efficacité de ce chasse-taches. Voir quoi faire à la rubrique sur les taches de vin **(p. 166)**.

La différence d'efficacité entre les marques de détergents peut être atténuée en utilisant un additif sécuritaire comme les cristaux de soude **(p. 195)**.

Consultez les indications complémentaires pour éliminer les taches **(p. 153)** qui survivent à l'utilisation du détergent frotté sur le dégât.

TROP DE DÉTERGENT DIMINUE L'EFFICACITÉ

On utilise en général trop de détergent, ce qui a pour effet de laver moins bien, selon certains experts. Les résidus qui restent sur les vêtements contiennent la saleté que le détergent a pour fonction de garder en suspension.

La quantité de détergent suggérée par le fabricant est une moyenne. Vous pouvez la diminuer presque de moitié sans impact sur l'efficacité si l'eau de votre logis a une dureté normale. Diminuez d'autant pour les plus petites brassées.

S'il y a baisse d'efficacité, vous pouvez y remédier en ajoutant 75 ml ($1/_3$ t) de cristaux de soude **(p. 195)** par brassée. L'un dans l'autre, ajout de cristaux et diminution de détergent augmentent le prix d'environ 4 ¢ / brassée. Par mesure d'économie, vous pouvez réserver l'utilisation des cristaux de soude aux tissus particulièrement sales.

Un ajout de 125 ml ($1/_2$ t) de borax **(p. 186)** convient aussi, mais le prix plus élevé du borax, comparé à celui des cristaux de soude, augmente sans avantage le coût d'une brassée.

Question de sécurité pour la santé et l'environnement, il est préférable de diminuer votre utilisation du détergent des marques conventionnelles et de compenser au besoin avec les cristaux de soude.

POUDRE OU LIQUIDE, ULTRA OU ORIGINAL ?

Une analyse de *Protégez-Vous*[41] démontrait que les poudres lavent tantôt mieux, tantôt moins bien, tantôt aussi bien que le format liquide. La poudre n'est pas toujours plus économique que le liquide.

En ce qui concerne les résidus sur les vêtements lavés, il y en autant pour la poudre (ils sont visibles) que pour le liquide (ceux-là sont invisibles). Les résidus sont dus à l'emploi d'une trop grande quantité de détergent, à la surcharge du lave-linge qui empêche un bon rinçage et, pour ce qui est de la poudre, au fait de ne pas dissoudre le détergent dans l'eau de lavage, au début, avant d'ajouter les vêtements à laver.

LE SÉCURITAIRE ET LE TOXIQUE
Voir *Détergents à lessive à éviter* **(p. 25)**.

DÉTERGENT À LESSIVE DOUX MAISON
Les détergents à lessive *doux* commerciaux sont souvent inutilement chers. Une alternative toute simple est de laver les pièces délicates à la main **(p. 60)**, dans un évier empli d'eau tiède ou froide avec un petit jet de nettoyant à vaisselle liquide translucide et *doux* (pH équilibré). Consultez les autres explications sur la façon de procéder **(p. 141)**. N'utilisez pas le nettoyant à vaisselle dans le lave-linge.

La marque Nature Clean offre un détergent pour les tissus fins (liquide) très abordable. Se dit conçu pour soie, laine, cachemire et autres, comme tout détergent au pH équilibré. Les détergents pour tissus normaux sont alcalins et usent les fibres plus délicates d'origine animale comme la soie et la laine.

DÉTERGENT À TAPIS
Voir la rubrique *Nettoyant à tapis* **(p. 232)**.

DÉTERGENT LIQUIDE TOUT USAGE
Il se fait du savon liquide tout usage. Il existe aussi du détergent liquide tout usage à base végétale. Ils se trouvent sous forme concentrée ou non. Contrairement au détergent, le savon ne convient pas à la lessive lorsque l'eau est dure parce qu'il laisse des résidus et fait ternir les tissus. Il est alors nécessaire de compléter avec un adoucisseur pour lessive **(p. 180)**.

DISSOLVANT POUR VERNIS À ONGLES
Ces dissolvants contiennent des solvants toxiques avec lesquels les enfants s'empoisonnent encore trop souvent. Rangez-les soigneusement. Et évitez de vous démaquiller avant que le dissolvant soit bien sec.

Les solvants qu'ils contiennent peuvent aussi servir à dissoudre la colle du genre de celle qui est utilisée pour les modèles réduits.

Les dissolvants abîment les tissus contenant de l'acétate.

EAU
Elle suffit à nettoyer une majorité de dégâts par rinçage : c'est une solution souvent suffisante qu'il n'est ni illégal ni primaire d'essayer avant tout. Elle enlève la statique sur un vêtement qui en est affecté, lorsque l'on en vaporise une fine bruine.

Présente le meilleur rapport qualité-prix parmi les lave-vitres, selon des analyses d'efficacité, surtout utilisée en combinaison avec un chiffon de microfibres.

EAU DE JAVEL

Voir *Javel, eau de* **(p. 210)**.

EAU DURE

On peut constater que l'eau est dure lorsque détergents, shampooings et savons à mains ne moussent pas, et lorsque que les vêtements demeurent ternes après le lavage. La dureté de l'eau peut être confirmée par la ville qui fournit l'eau ou une analyse de votre source.

Parfois, il faudra installer un filtre mécanique à l'entrée d'eau de la maison. Pour les dépôts d'eau dure dans la cuvette, la douche, la baignoire et les éviers, voir la rubrique *Nettoyant à dépôts minéraux* **(p. 226)**.

En cas de pouvoir nettoyant insuffisant de votre détergent à lessive, voir la rubrique *Adoucisseur pour lessive* **(p. 180)**.

ENZYMES

Dévorent carrément certaines taches à base de matières organiques (sang, urine, etc.), mais aussi la soie, la laine et la rayonne ! À éviter donc.

Mangent l'effilochage léger du coton, lui donnant ainsi une allure plus *neuve*. En bâtonnets, les enzymes sont beaucoup moins efficaces qu'un détergent efficace contre les taches, appliqué et frotté avant de placer le tissu au lavage.

EMPOIS

Les vêtements neufs nous viennent pour la plupart couvert d'un enduit leur donnant une tenue qui ne résiste pas au passage du temps et aux lavages. Cet enduit est offert en magasin dans sa forme aérosol. Il est donc à proscrire, sinon pour des usages exceptionnels.

L'amidon est l'empois le plus connu. Il vient en format qui peut être ajouté rondement au rinçage, en s'en tenant aux indications du fabricant.

Le format aérosol qui s'applique si bien au repassage doit malheureusement être déconseillé à cause des dangers de l'aérosol (inhalation des composés chimiques présents dans la bruine fine), et il semble ne pas exister de format en pulvérisateur.

FAUTEUILS, TISSU DE RECOUVREMENT

Voir la rubrique *Nettoyant à tissu de fauteuils* **(p. 233)**.

FAUTEUILS, TRAITEMENT RÉGÉNÉRATEUR POUR LE CUIR

Voir la rubrique *Traitement régénérateur maison pour fauteuils en cuir* **(p. 257)**.

FOUR, NETTOYANT

Voir la rubrique *Nettoyant à four* **(p. 228)**.

GELÉE DE PÉTROLE

Souvent connue sous le nom de vaseline, la gelée de pétrole sert à réactiver des dégâts secs de façon à pouvoir les traiter ensuite.

Utile, mais constituée à base de ressources non renouvelables. La glycérine a un pouvoir similaire et il en existe qui est extraite d'une base végétale.

GLYCÉRINE

Il s'agit de celle qui est pure, sans savon. Utilisée pour réactiver les anciennes taches de nourriture desséchée.

Il en existe à base végétale renouvelable et à base de dérivés du pétrole, donc non renouvelable. La première se trouve dans les commerces de produits nettoyants sécuritaires et de produits naturels. La seconde est facile à trouver en pharmacie.

Appliquez. Laissez reposer deux ou trois minutes. Lavez ensuite selon les indications de ce guide pour la tache et le tissu en cause. Répétez en laissant reposer plus longtemps au besoin.

Elle est réputée efficace pour enlever moutarde et ketchup, goudron, gomme d'arbres résineux et jus.

GREEN WORKS – CLOROX, FABRIQUANT

La marque Clorox offre maintenant quatre nettoyants ménagers plus doux pour l'environnement sous la marque Green Works (nettoyant tout usage, nettoyant à cuvette, nettoyant à salle de bain, nettoyant à vitres, nettoyant ménager à diluer).

Les produits Green Works ont obtenu l'appui du réputé groupe environnementaliste Sierra Club (États-Unis), groupe heureux de souligner l'offre au grand public de nettoyants plus sûrs. L'endossement par un tel groupe démontre l'importance pour les fabricants et le public d'obtenir une reconnaissance indépendante des produits. Clorox se doit de rechercher dans les plus brefs délais la certification Choix environnemental (Éco-Logo), à laquelle les produits Green Works endossés par le Sierra Club sont sans doute éligibles.

HUILES ESSENTIELLES NATURELLES

Elles ne sont pas à éviter systématiquement comme les parfums synthétiques de tous les produits standards. Puissantes, parce que très concentrées, elles doivent être utilisées avec grande modération. Des études récentes ont constaté qu'elles peuvent à la longue causer une hypersensibilité, en plus de provoquer de fortes réactions chez les personnes plus sensibles. Auparavant, les recettes de nettoyants maison les utilisaient à profusion : aujourd'hui, la modération est recommandée. Ne pas les appliquer directement sur la peau.

Elles paraissent chères à l'achat à cause de leur concentration élevée. En réalité, utilisée avec les ingrédients nécessaires pour confectionner les nettoyants maison, elles font économiser de l'argent, comparé aux nettoyants commerciaux. Commencez par en acheter une polyvalente, comme la menthe poivrée, pour vous familiariser.

Achetez les marques naturelles et non les huiles de synthèse qui présentent le même problème que les parfums synthétiques.

Ajoutez-en au plus quelques gouttes aux divers nettoyants maison, comme c'est indiqué à la rubrique de chacun. À l'occasion, vous pouvez en humecter des tampons d'ouate dissimulés dans certains recoins du logis, hors de portée des petits.

En vente dans les magasins de produits naturels et certaines pharmacies à grande surface. L'huile d'eucalyptus est un désodorisant des plus agréables. L'huile de citron est réputée forte, celle de menthe poivrée conviendra à de nombreux usages. La lavande ou la rose embaumeront la maison si elles vous plaisent.

JAVEL, EAU DE

La langue anglaise parle de blanchisseur et de désinfectant au chlore (*chlorine bleach* et *chlorine disinfectant*). En fait, ce n'est pas le chlore mais l'hypochlorite de sodium qui donne son pouvoir au produit. La langue française parle de blanchisseur javellisant ou d'eau de Javel parce que ce produit était initialement fabriqué dans la localité française de Javel.

À cause de son efficacité et de son coût minime, l'eau de Javel est utilisée de multiples façons. On en ajoute à la lessive, on en verse dans la cuvette de la toilette, on l'utilise pour éliminer les moisissures sur les murs et dans l'humidificateur. Or, diverses raisons justifient que l'on restreigne au minimum l'utilisation de l'eau de Javel.

PRODUIT À USAGE CONTROVERSÉ

L'eau de Javel pose des problèmes de corrosivité et de santé. Elle abîme prématurément tissus et surfaces. Elle cause des irritations de la peau et des voies respiratoires. L'hypochlorite de sodium dont elle est composée produit du chlore et des émanations très toxiques lorsqu'elle est mélangée à l'ammoniaque ou à un produit contenant de l'ammoniaque (comme c'est le cas de nombreux nettoyants à vaisselle, à vitres et à cuvette).

Dans les eaux de rejet, elle peut s'associer à d'autres substances pour former des organochlorés à effet de perturbateur endocrinien et de cancérogène ; on ne connaît pas le risque exact associé à la diffusion de ces substances, mais on peut souhaiter faire preuve de précaution à la source quand un produit n'est pas indispensable. Elle est la bête noire des stations d'épuration, dont elle complique le fonctionnement.

C'est par ailleurs un ingrédient le plus souvent associé à d'autres composants nocifs lorsqu'il est présent dans les nettoyants maison commerciaux. L'eau de Javel possède deux propriétés qu'il importe de distinguer :
- c'est un blanchisseur qu'il est possible – et souhaitable – de remplacer par un blanchisseur dit sans danger pour les couleurs (ou sans javellisant) ou par les cristaux de soude ;
- c'est un désinfectant qui peut être utile et sécuritaire s'il est utilisé en quantité minimale (3 ml pour 1 l d'eau) et pour certains usages limités.

JAVEL ET BLANCHISSEUR

L'utilisation de l'eau de Javel comme blanchisseur est tentante à cause de son faible coût, mais elle n'est pas indispensable la plupart du temps.

Évitez de l'utiliser pour la lessive, puisque des tests de *Protégez-Vous* démontrent qu'un bon détergent suffit pour éliminer la plupart des salissures. L'addition de cristaux de soude (p. 195), au besoin, avec un blanchisseur pour les couleurs, éliminera les saletés que peut laisser le détergent – en ayant recours au trempage.

La marque de cristaux de soude Arm & Hammer Si net est facile à trouver avec les détergents. Le détachant en poudre de marque Brio Magic ou Bio-Vert (même fabricant) présente l'avantage important de réunir des cristaux de soude et un blanchisseur pour les couleurs (peroxyde) : très efficace.

Le blanchisseur javellisant peut ruiner les vêtements ne devant pas y être exposés, selon les indications de leur étiquette. Si vous tenez à l'utiliser de temps à autre, manipulez-le avec soin pour éviter d'en renverser sur des tapis ou sur des tissus qui seront abîmés à jamais. En règle générale, laine, soie, cuir et Spandex ne le tolèrent pas.

N'appliquez pas directement le blanchisseur javellisant sur les vêtements. Diluez-le dans l'eau pour ensuite intégrer les vêtements, ou attendez deux ou trois minutes après le début du cycle de lavage afin que les vêtements soient bien trempés avant de l'ajouter.

Comme solution de trempage pour les tissus, n'utilisez que 60 ml (4 c à s) d'eau de Javel par 4 l (16 t) d'eau, contrairement aux indications des fabricants qui suggèrent plutôt jusqu'à 250 ml (1 t) par 4 l (16 t) d'eau. Ne dépassez pas les quantités recommandées, sinon le blanc peut jaunir et ne l'utilisez que tous les trois lavages parce que l'usage continuel endommage les tissus.

Les marques se valent, sauf si l'on veut utiliser ce produit comme désinfectant. Le mot désinfectant doit alors apparaître sur l'étiquette.

Par ailleurs, la Société canadienne d'hypothèque et de logement (SCHL) déconseille maintenant l'usage de l'eau de Javel pour nettoyer les murs où se sont développées des moisissures : on nettoie simplement avec de l'eau chaude et du nettoyant ménager, puis on s'assure de bien faire sécher.

Le phosphate trisodique (PTS) peut remplacer l'eau de Javel pour nettoyer des surfaces très sales comme le plancher du garage. Le PTS ne peut éliminer les moisissures dans la salle de bains, selon son fabricant, et contrairement aux dires de certains experts des nettoyants sécuritaires. Le PTS est puissant mais sans émanations toxiques, comparé aux autres produits de sa classe.

La saleté sur le bois du patio peut aussi bien être éliminée à l'aide d'un compresseur à eau (p. 265), acheté ou loué, qui utilise de la simple eau sans la gaspiller.

Pour les surfaces, il est possible de confectionner un nettoyant maison (p. 221) efficace en utilisant simplement le blanchisseur qu'est le peroxyde d'hydrogène – la petite bouteille brune.

Enfin, la cuvette se nettoie efficacement avec les nettoyants à salle de bains, surtout avec un nettoyant biotechnologique comme nous l'expliquons plus loin à la rubrique *Nettoyant à salle de bains en pulvérisateur* **(p. 218)**.

JAVEL ET DÉSINFECTANT

Seul un comptoir de cuisine mis en contact avec la viande et ses jus (volaille et poisson inclus) requiert d'être désinfecté, comme nous l'expliquons à la rubrique *Désinfecter* **(p. 215)**.

Il s'agit pratiquement de la seule utilisation de l'eau de Javel qui se justifie : la confection d'une solution désinfectante maison pour le comptoir de cuisine. Et il n'en faut qu'une quantité minime.

À peine 3 ml (½ c à c) d'eau de Javel additionnée à 1 litre d'eau est une solution qui désinfecte. Le temps de séchage est suffisant pour assurer que la solution désinfecte la zone, environ cinq minutes. Elle ne laisse pas de résidu nocif sur comptoirs, planches de travail et ustensiles. C'est une solution sans rinçage et séchant à l'air approuvée par le gouvernement fédéral.

Après la préparation de la viande (volaille et poisson inclus), mettez votre petite planche de travail et les ustensiles au lave-vaisselle dont l'eau très chaude est un désinfectant efficace. À défaut de lave-vaisselle, lavez à la main planche et instruments, puis rincez-les dans une eau additionnée de Javel (la solution de 3 ml de Javel par litre d'eau). Le temps qu'ils sèchent ensuite assure la désinfection sans résidu. Rincez le comptoir préalablement nettoyé avec un chiffon trempé dans la solution.

Notez que le gros bouchon habituel des contenants à eau de Javel contient un peu plus de 15 ml (1 c à s), soit 5 fois la quantité de 3 ml requise pour 1 l de solution désinfectante. Un jet de pulvérisateur, positionné en mode gicleur, contient 2 ml de solution – donc trois jets fourniront les 6 ml d'eau de Javel nécessaires pour désinfecter les 2 l d'eau que contiennent souvent les cuvettes de salle de bains.

DEUX ÉTAPES SUR LES SURFACES

Les analyses démontrent qu'en conditions réelles, les nettoyants avec blanchisseur javellisant ne peuvent désinfecter, contrairement à ce qui est inscrit sur leurs contenants.

Il importe d'être ici très clair. Seul un nettoyage en deux étapes permet de désinfecter. Malgré ce que laissent croire les nettoyants désinfectants commerciaux, pulvériser et essuyer en une seule opération n'élimine pas les microbes qui peuvent vous rendre malades : *E. coli*, salmonelle et virus de la grippe. Cette procédure laisse en plus des résidus du nettoyant sur les surfaces qui participent à l'accumulation de produits chimiques à risques dans votre environnement. Les nettoyants commerciaux prétendument désinfectants sont en réalité mal conçus et inutilement corrosifs. Plus encore, les nettoyants qui se disent antibactériens n'éliminent que ce qui est inoffensif et sont soupçonnés de renforcer à la longue ce qui est à l'origine inoffensif.

Pour désinfecter réellement, la première étape est de laver la surface avec un nettoyant quelconque. La deuxième étape est d'appliquer une solution désinfectante – comme celle qui est donnée ci-dessus – avec un linge qui en est humecté.

Le temps de séchage est le même que ce qui est nécessaire pour désinfecter la surface et il ne subsiste aucun résidu néfaste.

Il existe des distributeurs permettant de calculer la quantité exacte requise pour 4 l (16 t) d'eau, ce qui protège les vêtements des éclaboussures, garantit les quantités et facilite suffisamment la vie pour qu'il soit praticable d'intégrer le nettoyage en deux étapes.

Placer l'eau de Javel dans un contenant à pulvérisateur en mode gicleur permet d'en ajouter rondement un jet à l'eau – encore faut-il faire quelques essais pour se familiariser avec les quantités. Un pulvérisateur de mauvaise qualité peut s'obstruer avec le temps ; un bouchon gicleur comme pour le nettoyant à vaisselle peut être préférable.

Pulvériser la solution est déconseillé parce que c'est susceptible de vous exposer à des vapeurs nocives. Plus encore, la quantité minimale d'eau de Javel utilisée dans la solution requiert d'être toujours bien mélangée à l'eau pour assurer son efficacité : dans le conduit du pulvérisateur, au gré d'usages occasionnels, il n'est pas assuré que le mélange soit adéquat. Enfin, l'utilisation d'un linge imprégné permet de s'assurer que la surface est bien humectée. Aérez la pièce dans laquelle vous utilisez un nettoyant avec javellisant.

JUS DE CITRON

En bouteille, c'est un blanchisseur, un nettoyant et un chasse-taches à multiples usages lorsque mélangé à du sel. Attention : il ternit les surfaces métalliques.

LOTION À MAINS DÉSINFECTANTE

Il existe un type de lotions à mains désinfectantes – des désinfectants hydro-alcooliques – capables d'éliminer les bactéries et virus qui transmettent les maladies. La lotion est efficace à la condition expresse que les mains soient visiblement propres avant de procéder. En pommade, gel et produit de rinçage pour les mains, elle doit contenir au moins 60 % d'alcool.

Au fait, c'est une lotion et non un savon. On doit donc se laver les mains avant de l'utiliser si elles sont le moindrement sales.

Il faut ensuite se frotter les mains durant 15 secondes avec la lotion pour qu'elle fasse effet. La lotion tue les germes au contact et son effet cesse dès qu'elle s'est évaporée – ce qui se produit en 15 secondes.

La plupart des lotions contiennent un agent émollient qui prévient le dessèchement de la peau causé par l'alcool. Elles ne contribuent pas à l'accroissement de la résistance microbienne parce qu'elles ne laissent pas de résidus, et ce, contrairement aux produits courants qui sont dits antibactériens. Un gel épais ou une mousse ne dégoulineront pas lors de l'usage et favoriseront un contact maximal entre l'alcool et la peau.

Si vous disposez de savon et d'eau chaude, il n'y a guère d'avantages à utiliser ce type de lotions. Le fabricant avoue d'ailleurs qu'elle est surtout utile quand on ne dispose pas de savon et d'eau. Encore là, les mains doivent être propres pour que la lotion soit efficace.

L'analyse d'une association de consommateurs suggère de restreindre l'utilisation de cette lotion à la cuisine, lorsque l'on risque de transférer les germes des viandes (poisson, volaille, crustacés) ou du nez d'un jeune à une nourriture sans cuisson que l'on doit manipuler immédiatement.

À la ville, quand les circonstances nous forcent à des contacts nombreux, la lotion peut aussi dépanner.

LUBRIFIANT ANTIROUILLE

La marque de lubrifiant ReleasAll, L'Original, en format pulvérisateur – qu'il faut utiliser au lieu du format en aérosol formant une bruine plus susceptible d'être inhalée – est très efficace et plus sécuritaire que la marque plus connue WD-40. À preuve, ReleasAll n'a pas sur son contenant les pictogrammes préventifs avec tête de mort (pour le danger d'empoisonnement) et flamme (pour le danger d'inflammabilité) qui apparaissent sur le WD-40. Le ReleasAll ne contient pas de butane-propane comme propulseur ni de solvant chlorant. Il ne sèche pas aussi vite que l'autre et offre une meilleure protection, pour un prix équivalent.

- Permet d'enlever la colle des étiquettes sur les pots avec une éponge à récurer en nylon en suivant les indications données à cette rubrique **(p. 157)**.
- Réactive le gras séché et incrusté sur les vêtements qui le tolèrent, de sorte que la tache peut à nouveau être traitée.
- Permet d'éliminer des taches de crayons de couleur **(p. 158)** sur les tissus lavables en suivant les indications données.

MOISISSURES, SALLE DE BAINS

Se rappeler que les moisissures ont besoin d'humidité pour se développer. Si la salle de bains est bien ventilée pour assurer un séchage prompt, les moisissures n'auront tout simplement pas la chance de se développer. Les moisissures s'éliminent sans utiliser un désinfectant comme l'eau de Javel. Lavez simplement à fond avec eau chaude et savon, puis asséchez soigneusement. C'est tout.

L'utilisation d'un rideau de douche en tissu plutôt qu'en plastique élimine presque le développement de la moisissure, d'autant que l'on laisse le rideau déployé pour sécher après usage, et non tassé dans un coin. Le chanvre est une fibre robuste convenant particulièrement à ce genre de rideau.

Les tapis de douche qui retiennent l'eau et sèchent mal sont un milieu propice au développement des moisissures et champignons. Plutôt que de s'acharner à les nettoyer continuellement et à les assécher, il vaut souvent mieux les éliminer.

NETTOYANTS MÉNAGERS

TRUCS

Essayez toujours le nettoyant le plus doux en premier. Des tests effectués par *Consumer Reports* montrent que de nombreux dégâts se nettoient simplement à l'eau si on agit sans attendre.

Enlevez ce qui peut l'être avec un chiffon, un grattoir ou une brosse. Imbibez la cible avec le nettoyant sans la noyer. Laissez dissoudre au besoin durant une minute ou deux, puis essuyez en va-et-vient et non en rond pour aider à rejoindre le fond du dégât. Rincez au besoin.

Quand vous utilisez un nettoyant dilué dans un seau d'eau, traînez un second seau dans lequel vous extrayez la saleté du chiffon en le rinçant : vous limitez les allées et venues, tout en gardant l'eau de nettoyage propre – comme on le fait pour laver les planchers.Utilisez sur les taches résistantes une éponge à récurer en nylon, de couleur pâle ou blanche, ou encore une brosse. Évitez absolument les abrasifs qui endommagent les surfaces, les rendant poreuses et portées par la suite à accumuler plus rapidement la saleté. Laissez au nettoyant un peu plus de temps pour dissoudre la saleté.

Au besoin, une solution plus puissante ou un détachant sera nécessaire.Appliquez-les directement sur la tache et essuyez avec un autre chiffon.

Malgré un réflexe courant, donnez au nettoyant le temps et la possibilité de faire son boulot plutôt que de frotter immédiatement. Il vous en restera d'autant moins à faire.

L'étude de *Consumer Reports* citée plus haut a permis de constater que les nettoyants les plus puissants sont aussi les plus toxiques, donc mal conçus quand la précaution chimique est une priorité.

Ils délogent effectivement des salissures que n'éliminent pas aussi bien ou aussi vite des nettoyants plus doux. Mais le léger déficit de propreté et de rapidité est largement compensé par le gain de précaution pour votre santé.

DÉSINFECTER

POURQUOI

Il n'est d'aucune utilité de vouloir stériliser notre environnement. Nous baignons dans une faune bactérienne naturelle qui a son utilité. Plus encore, souvent ce qui nous dégoûte n'est pas ce qui est dangereux pour notre santé. Serrer la main d'une personne ayant la grippe et manipuler de la viande hachée ou de la volaille ne sont pas des gestes rebutants. Ce sont pourtant deux des gestes courants les plus dangereux pour notre santé, si on met de côté les rapports sexuels non protégés.

L'utilité de la désinfection est d'éliminer ce qui met notre santé en danger. Or, premier repère, aucun des produits dits antibactériens n'a le pouvoir d'éliminer ces dangers. Pire, ils n'éliminent que ce qui est inoffensif et sont même soupçonnés de renforcer ce qui est à l'origine inoffensif. Les fabricants n'offrent ces produits que parce que nous les achetons, non parce qu'ils ont une réelle utilité. Éliminez donc de vos achats tous les produits se décrivant comme antibactériens.

Deuxième repère, une étude de l'Université Colombia menée dans plus de 240 foyers a démontré que l'utilisation de nettoyants désinfectants n'a aucun impact sur les infections microbiennes dans les foyers qui y recourent[42]. Donc aucune utilité pour protéger la santé.

Troisième repère, les analyses d'efficacité en conditions réelles démontrent qu'il est malheureusement impossible de nettoyer et désinfecter en une seule opération. Plus encore, il est même nuisible de tenter de le faire parce que les nettoyants doivent alors contenir une haute concentration d'ingrédients nocifs pour la peau, les surfaces, les poumons et éventuellement l'environnement. Il est donc nécessaire de procéder en deux étapes en utilisant une lotion désinfectante, comme nous l'expliquons à la rubrique *Javel et désinfectant* **(p. 211)**.

La solution désinfectante contient l'ingrédient actif sans le grand nombre additionnel d'agents chimiques qui lui sont habituellement associés dans les nettoyants dits désinfectants.

Quatrième repère, les moisissures et champignons sur les murs et dans les tapis libèrent dans l'air des substances pouvant affecter sérieusement notre santé et notre peau. Il est nécessaire d'y remédier. Pour ce faire il faut nettoyer et assécher la zone en plus d'éliminer la source d'humidité ayant causé le problème au départ. La SCHL (Société canadienne d'hypothèques et de logement) déconseille l'utilisation de l'eau de Javel pour nettoyer. Nettoyer à l'eau chaude savonneuse et bien assécher suffisent.

Les tapis de douche qui emmagasinent l'humidité sont déconseillés parce qu'ils sèchent difficilement, facilitant ainsi le développement des moisissures et champignons. Après la douche, le rideau ne doit pas être tassé dans un coin où il mettra du temps à sécher et favorisera lui aussi le développement de moisissures à l'odeur désagréable caractéristique. Le simple fait de déployer le rideau, y compris le rabat des extrémités, lui permet de sécher rondement et limite l'apparition des moisissures.

En définitive, qu'est-ce qui a besoin d'être désinfecté ? Peu de zones, et c'est aussi bien. Retenez en priorité les surfaces et accessoires de la cuisine venant en contact avec les viandes, les volailles et le poisson – une bonne raison pour éviter ce contact autant que possible en déplaçant les viandes directement de leur emballage au contenant de cuisson. Vous faites au mieux.

Au total, 20 % des empoisonnements alimentaires viennent de la contamination bactérienne dans la cuisine et de sa dispersion par les mains. La cuisine est plus dangereuse que la salle de bains.

Seuls les produits portant mention de leur capacité d'éliminer la salmonelle peuvent être qualifiés de désinfectant. La grande majorité des nettoyants dits naturels ne le peuvent pas. Le lave-vaisselle, lui, a la propriété de désinfecter à cause de son eau surchauffée par un mécanisme interne.

Le reste des zones, salle de bains incluse, ne requiert en réalité qu'un nettoyage régulier pour que vous soyez protégés. Veillez à remplacer quotidiennement les serviettes à mains de la cuisine et de la salle de bains, de même que les torchons d'évier. Portez attention aux poignées de portes, commutateurs et appareils téléphoniques quand quelqu'un a la grippe. Le dégoût pour la zone de la cuvette n'est pas lié à un danger de contamination mais à une éducation à la propreté dédaigneuse.

Voir les *Trucs pour désinfecter,* ci-dessous.

EAU DE JAVEL

Voir la rubrique *Javel, eau de* **(p. 210)**.

TRUCS POUR DÉSINFECTER

DANS LA CUISINE

Éliminez une grande part du besoin d'un désinfectant dans la cuisine en recourant à une petite planche de travail pour la préparation de la viande.

Dès que la préparation est terminée, vous déposez la planche et les accessoires qui ont été mis en contact avec la viande dans le lave-vaisselle. La température de l'eau du lave-vaisselle assure l'effet désinfectant. Lavez-vous les mains immédiatement en les brossant durant une vingtaine de secondes, et le tour est joué.

À défaut de lave-vaisselle ou de temps pour l'utiliser, lavez à la main la planche et les instruments.

Emplissez ensuite l'évier avec le désinfectant maison constitué de 3 ml (moins de 1 c à c qui contient 5 ml) d'eau de Javel par litre d'eau. Plongez planche et instruments. Le temps qu'ils sèchent à l'air est le même temps requis pour qu'ils soient désinfectés. Avec cette quantité, il ne reste aucun résidu nocif pour la santé sur les surfaces destinées à manipuler la nourriture.

La solution désinfectante à 3 ml ($^1/_2$ c à c) de javellisant par 1 l (4 t) d'eau est une solution sans rinçage et séchant à l'air approuvée par le gouvernement fédéral. Elle contient l'ingrédient actif sans le grand nombre additionnel d'agents chimiques qui lui sont habituellement associés dans les nettoyants commerciaux.

Vous pouvez substituer à l'eau de Javel 30 gouttes du concentré liquide d'extrait de pépins de pamplemousse standardisé Nutribiotic (Citricidal à 33 % avec glycérine végétale alimentaire) dans l'eau où trempent les accessoires. C'est un désinfectant accepté aux États-Unis, mais les analyses sur sa concentration sont moins récentes que celles qui servent à minimiser la quantité de javellisant utilisé.

CUVETTE DE LA SALLE DE BAINS

Les cultures bactériennes d'un nettoyant biotechnologique comme celui de la marque Bio-Vert **(p. 183)**, s'attaquent déjà aux résidus d'urine autour de la cuvette et dans les jointements de tuile environnants, de même qu'aux résidus d'excréments. Ils dégradent ces matières organiques et neutralisent leurs odeurs à la source. Utiliser l'eau de Javel ne présente aucun avantage réel et relève plutôt d'une habitude.

Les personnes qui souhaitent quand même désinfecter la zone intérieure de la cuvette et la brosse servant à la nettoyer doivent en premier lieu la nettoyer en s'aidant d'un nettoyant quelconque dépourvu de désinfectant.

Tirez ensuite la chasse, puis ajoutez la quantité minime de 3 ml (une cuillerée à café contient 5 ml) d'eau de Javel par litre d'eau contenu dans la cuvette – habituellement un à deux). Trois jets de pulvérisateur en mode gicleur donneront 6 ml (un peu plus de 1 c à c) d'eau de Javel, la quantité nécessaire pour rendre désinfectants 2 l (8 t) d'eau. Trempez la brosse et humectez la paroi avec la solution. Cuvette et brosse seront ainsi désinfectées en n'utilisant qu'environ 5 ml (1 c à c) d'eau de Javel, alors que traditionnellement on en versait facilement 30 fois plus (soit environ 125 ml ou $1/2$ t).

Il peut être très commode de transférer l'eau de Javel dans un plus petit contenant à pulvérisateur positionné en mode gicleur produisant un jet. Le bec gicleur du genre qui équipe les shampooings à cheveux versera plus que nécessaire mais s'obstruera moins facilement. N'utilisez pas les contenants de nettoyant à vaisselle liquide qui contiennent la plupart du temps de l'ammoniaque, lequel dégage des vapeurs toxiques au contact de l'eau de Javel. En plus d'être faciles à utiliser, de tels contenants favorisent l'utilisation d'une quantité limitée de ce produit potentiellement nocif pour les vêtements, la santé et l'environnement.

Nettoyant à salle de bains en pulvérisateur

Évitez les nettoyants qui se disent désinfectants avec javellisant. Ils nous induisent en erreur, puisque en condition réelle il est impossible de désinfecter en une seule opération. Ils sont inutilement puissants et contribuent à la soupe chimique de notre environnement sans bénéfices réels. La particularité d'un nettoyant à salle de bains est d'être plutôt acide (soit avec un pH inférieur à 7) pour dissoudre les taches d'eau – les dépôts minéraux laissés par l'eau – fréquentes dans cet environnement. Par comparaison, un nettoyant tout usage pour le reste du logis sera plutôt alcalin (avec un pH supérieur à 7), pour dissoudre les taches plutôt graisseuses qui s'y trouvent.

Confectionnez votre propre nettoyant à salle de bains maison en pulvérisateur avec des produits que vous avez déjà sous la main.

Incorporez à 500 ml (2 t) d'eau tiède, 60 ml (4 c à s) de peroxyde (3 %) et 60 ml (4 c à s) de vinaigre blanc. Agitez. Ajoutez 2,5 ml ($1/2$ c à c) de nettoyant à vaisselle sans colorant et *doux* (au pH équilibré). Complétez avec au plus une douzaine de gouttes d'huile essentielle – la menthe poivrée est une des préférées, elle dégage une *bonne odeur de propreté*. Agitez avant d'appliquer. Utilisez le modèle d'étiquette **(p. 172)** fourni pour identifier le contenant.

Le peroxyde est un blanchisseur et le vinaigre un acide doux mais efficace contre les résidus minéraux laissés par l'eau en séchant.

Les huiles essentielles naturelles doivent être utilisées avec modération parce qu'elles sont très puissantes et peuvent causer une hypersensibilité à long terme ou de fortes réactions immédiates chez certaines personnes. Il s'agit pourtant d'une solution qui se défend si l'utilisation du présent nettoyant à salle de bains vous aide à neutraliser votre dégoût de la cuvette et à limiter votre utilisation de l'eau de Javel.

Le nouveau Nettoyant à salle de bains de la marque Bio-Vert **(p. 183)**, conçu avec l'approche biotechnologique révolutionnaire, a un réel pouvoir de solubilisation du tartre et des dépôts minéraux, mais un pouvoir inférieur (pH 3,5 à 4) à celui du vinaigre (pH 2,9) – lequel est plus acide.

Les cultures bactériennes d'un nettoyant biotechnologique comme celui de la marque Bio-Vert s'attaquent déjà aux résidus d'urine autour de la cuvette et dans les jointements de tuile environnants, de même qu'aux résidus d'excréments sur la cuvette. Ils dégradent ces matières organiques et neutralisent leurs odeurs à la source.

Il est tout à fait inutile d'utiliser en plus un désinfectant comme l'eau de Javel. L'habitude d'utiliser généreusement l'eau de Javel cause des problèmes aux usines de traitement des eaux usées, produit des émanations toxiques quand elle se trouve mélangée à l'ammoniaque contenue dans plusieurs nettoyants à cuvette, peut contribuer à générer des organochlorés toxiques dans l'environnement, en plus d'abîmer par accident des tissus entourant la zone.

Nettoyant tout usage en pulvérisateur

Les analyses d'efficacité concluent que l'eau et une éponge peuvent éliminer bon nombre des salissures et des dégâts. L'addition de détergent, solvants et blanchisseurs permet d'y parvenir plus rapidement, en plus d'éliminer les salissures plus résistantes.

Il y a deux types de saleté dans la maison. Il y a les salissures de savon et d'eau de la salle de bains qui se nettoient mieux avec un nettoyant plus acide (au pH inférieur à 7), surtout si elles sont épaisses. Puis il y a la saleté du reste de la maison qui est plutôt graisseuse et se nettoie mieux avec un nettoyant plus alcalin (au pH supérieur à 7). Un même nettoyant ne peut donc être super performant pour les deux saletés, bien qu'il puisse être bien assez performant pour vos besoins courants. Les nettoyants conventionnels qui s'avèrent dans l'ensemble les plus efficaces sur les salissures plus résistantes, selon les tests, sont les nettoyants à salle de bains avec javellisant. Ce sont aussi, il faut insister, des nettoyants mal conçus quant à la protection de notre santé et de l'environnement.

Les grands fabricants nationaux n'ont pas encore opéré la mise à jour du contenu de leurs produits pour les rendre sécuritaires sans sacrifier leur efficacité. À preuve, aucun ne porte la certification idéale du programme Choix environnemental et son Éco-Logo, ci-contre.

Il ne s'agit pourtant pas d'un caprice, mains bien de l'enjeu critique, à l'heure actuelle, de la protection contre la contamination de nos corps par les multiples substances chimiques utilisées par l'industrie dans nos produits de consommation courante.

Lors de tests exhaustifs effectués par le magazine *Protégez-Vous*, les marques les plus efficaces se sont révélées être celles qui contiennent des javellisants. Ces marques sont donc malheureusement mal conçues.

Comme la cigarette ou les gras trans, un nettoyant est un produit qui peut être légal sans être sécuritaire. La présente décennie a ceci de passionnant que toutes les industries sont appelées à faire la mise à niveau sécuritaire des produits qu'elles nous offrent. C'est une démarche exigeante, significative et urgente. Les marques le reconnaissent d'ailleurs en utilisant des parfums aux appellations à consonances naturelles, sans pour autant réviser leurs ingrédients selon les consensus sur ce qui est sécuritaire.

Puisque les nettoyants les plus efficaces sont mal conçus, une façon économique d'envoyer un signal clair aux fabricants est de fabriquer un nettoyant tout usage maison simple et efficace. À défaut de temps ou d'intérêt pour les nettoyants maison, il est possible de privilégier les marques comme Nature Clean, Bio-Vert et Attitude qui ont fait l'effort d'éliminer un grand nombre d'ingrédients douteux.

Le nettoyant maison décrit plus loin est très économique de fabrication même en incluant le coût plus élevé à l'achat de l'huile essentielle – facultative – servant à parfumer de nombreuses recharges. Il est plaisant et conçu avec des ingrédients en nombre limité et faciles à trouver. Détail important, il contient le blanchisseur non javellisant qu'est le peroxyde (3 %, petite bouteille brune) parce que les nettoyants les plus efficaces contiennent un blanchisseur. Mais le blanchisseur qu'utilisent les nettoyants conventionnels est un javellisant inutilement corrosif et nocif.

Fabriquez plus de contenants des produits maison que nécessaire à la fois et étiquetez absolument ces contenants pour éviter la confusion et avoir à la main la recette. Utilisez les modèles d'étiquettes à photocopier, avec leur recette, illustrés à la section concernée (p. 172).

Le nettoyant maison, contenant un dégraisseur, un blanchisseur et un détergent, dégage une odeur de propreté plaisante. Il est assez efficace pour répondre à la majorité de vos besoins. Les taches plus résistantes peuvent demander de laisser reposer le nettoyant quelques minutes avant de l'essuyer. Deux exceptions résistent à ce nettoyant.

- Première exception, les accumulations de taches de savon et d'eau dans la salle de bains, qui se nettoient mieux avec du vinaigre comme nous l'expliquons plus loin.

  Ces taches sur les murs de la douche sont d'ailleurs pour ainsi dire éliminées si les utilisateurs prennent l'habitude de passer un bref coup de raclette sur les murs, sitôt la douche terminée. Les accumulations de taches étant ainsi évitées, la saleté résiduelle peut s'enlever avec le nettoyant tout usage ou le nettoyant à plancher en gicleur (p. 231) fait moitié-moitié de vinaigre et d'eau.

  L'usage de la raclette (squeegee), habitude hautement zen, participe à nous épargner un boulot d'entretien aussi fastidieux qu'inutile. Pour qui voudrait utiliser un nettoyant plutôt acide qui s'attaque mieux aux salissures d'eau, voir plus loin le nettoyant à salle de bains en pulvérisateur (p. 218).

- Deuxième exception, les taches de crayon feutre, qui s'enlèvent plus facilement avec le solvant qu'est l'huile de pin, et que l'on retrouve dans certains nettoyants ménagers. Elles s'enlèvent aussi avec de l'alcool à friction (isopropylique, 70 %).

Ces deux exceptions très limitées sont communes aux nettoyants commerciaux et ne doivent pas nous empêcher d'utiliser l'alternative maison tant que les fabricants n'offriront pas de produits mieux conçus.

Des tests en conditions réelles ont démontré qu'il est *impossible* de nettoyer et de désinfecter en une seule opération, malgré ce que laissent entendre les nettoyants qui se disent désinfectants. Il est nécessaire de nettoyer en premier avec le produit qui convient, puis de désinfecter avec la solution désinfectante **(p. 198)** décrite précédemment. Les nettoyants commerciaux qui se disent désinfectants ne le sont pas en conditions réelles, en plus d'être mal conçus quant à la protection de la santé et de l'environnement. Aucun, rappelons-le, ne respecte le programme Choix environnemental identifié par l'Éco-Logo.

NETTOYANT TOUT USAGE MAISON EN PULVÉRISATEUR

Un nettoyant tout usage maison en pulvérisateur est alcalin, pour s'attaquer aux salissures plutôt graisseuses qui se trouvent à l'extérieur de la salle de bains. La recette va comme suit. À un fond d'eau chaude, dans un contentant à pulvérisateur de 500 ml, ajoutez 2,5 ml ($^1/_2$ c à c) de cristaux de soude et 10 ml (2 c à c) de bicarbonate de soude. Agitez pour dissoudre. Complétez avec 500 ml (2 t) d'eau tiède, 60 ml (4 c à s) de peroxyde (3 %), 2,5 ml ($^1/_2$ c à c) de nettoyant à vaisselle translucide doux et au plus 10 gouttes d'huile essentielle (menthe poivrée). Mélangez avant d'appliquer. Utilisez le modèle d'étiquette fourni **(p. 172)** pour identifier le contenant.

Le peroxyde est un blanchisseur et les cristaux de soude sont un alcalin particulièrement efficace contre les taches de gras et de gomme comme celle des résineux. Le bicarbonate de soude complète sans le bouillonnement que créerait un surcroît de cristaux de soude. Les cristaux de soude étant fortement alcalins, ils peuvent assécher la peau, mais ne produisent pas d'émanations toxiques : portez des gants si vous devez utiliser le nettoyant pour plus qu'un simple coup de torchon.

Tout ce qui manque à une telle recette est un solvant pour les taches d'encre. Si de tels dégâts sont courants dans votre logis, ajoutez 45 ml (3 c à s) de vodka ou d'alcool isopropylique (à friction) au nettoyant.

221

NETTOYANT TOUT USAGE COMMERCIAL EN PULVÉRISATEUR

Les marques les plus efficaces contiennent entre autres un javellisant. Ces nettoyants commerciaux sont mal conçus et ne respectent pas les recommandations sécuritaires du programme Choix environnemental identifié par l'Éco-Logo ci-contre.

La recherche sur laquelle s'appuie ce guide en arrive à la conclusion que le nettoyant maison offre en ce moment la solution la plus économique, la plus efficace, la plus plaisante et la plus sécuritaire. Mais le mieux est parfois l'ennemi du bien, et certaines personnes préféreront un produit commercial déjà prêt. Voici donc trois suggestions : des marques comme Nature Clean, Bio-Vert et Attitude offrent des solutions plus sécuritaires.

Nettoyant tout usage liquide

Encore une fois, selon des tests du magazine *Protégez-Vous*, c'est un nettoyant contenant un blanchisseur javellisant qui est le plus efficace. Il ne peut être recommandé si l'on veut régler l'enjeu de l'innocuité de nos produits ménagers.

Il est contre-productif d'abuser de produits super puissants, mais aussi super corrosifs, sous prétexte de chercher une super efficacité qui n'a d'utilité qu'occasionnelle.

Notez qu'un nettoyant plus récent (le genre qui porte le préfixe oxy), comme le Vim Oxy-gel, ne s'est pas avéré plus efficace que le Hertel Multi, Nettoyant concentré tout usage, sans blanchisseur.

Une marque commerciale comme Nature Clean offre une Lotion de nettoyage certifiée Choix environnemental avec l'Éco-Logo. Bio-Vert est un autre exemple de marque offrant des nettoyants plus sécuritaires.

Nettoyant tout usage liquide désinfectant

Toutes les réflexions sur les produits sécuritaires déconseillent l'utilisation des nettoyants qui se disent « antibactériens ». Les bannir de votre panier d'achats.

De plus, puisqu'il est impossible de désinfecter et de nettoyer en une seule opération, selon des analyses en conditions réelles, il est inutile et même nocif pour les surfaces, l'environnement et la santé d'utiliser les nettoyants qui se disent désinfectants.

Si vous désirez désinfecter une surface, il faut procéder en deux opérations. Nettoyer avec un nettoyant adapté à la surface, puis humecter avec une lotion désinfectante **(p. 198)** constituée de 3 ml ($^1/_2$ c à c) d'eau de Javel dans 1 l (4 t) d'eau.

Nettoyant dégraisseur puissant liquide

Un nettoyant dégraisseur est utile pour éliminer les dépôts de graisse et les taches plus résistantes à des endroits comme le sol. Il est habituellement offert en liquide plutôt qu'avec pulvérisateur.

Même s'il est puissant, il n'a pas la propriété de désinfecter les zones qui le requièrent en conditions réelles. Sa puissance annoncée peut nous induire en erreur.

Les nettoyants dégraisseurs puissants commerciaux utilisant l'huile de pin sont constitués d'ingrédients de moindre qualité et réputés toxiques. Le d-limonène est un solvant extrait des agrumes qui a des effets toxiques même s'il est naturel. Son usage gagne à être limité, voire évité : c'est lui qui est présent dans les nettoyants au parfum d'orange. Le *Guide des produits moins toxiques* suggère d'utiliser une concentration plus élevée d'un nettoyant tout usage. Laissez le produit agir plus longtemps.

Il est aussi possible d'ajouter à 4 l (16 t) d'eau tiède additionnée d'un nettoyant tout usage, 30 ml (2 c à s) de cristaux de soude préalablement dissous dans un fond d'eau chaude. Le guide suggère comme nettoyants moins toxiques les marques habituellement plus sécuritaires, comme Nature Clean, qui contiennent du d-limonène.

NETTOYANTS PARTICULIERS
NETTOYANT À ARGENTERIE MAISON
NETTOYANT À ARGENTERIE SIMPLE
Polissez les pièces avec un chiffon humide sur lequel vous posez du bicarbonate de soude.

NETTOYANT À ARGENTERIE PLUS PUISSANT
Pour les bijoux, utilisez une autre variante de ce nettoyant, décrite plus bas. Il n'est pas beaucoup plus compliqué que le précédent. Certains experts affirment par contre qu'il finit par dépolir les surfaces et abîmer les finis antiques. Lorsque les avis divergent de cette façon, il ne reste qu'à faire preuve de prudence.

Conservez les lames de couteaux en acier inoxydable loin de la solution suivante. Posez les pièces d'argenterie sur des feuilles d'aluminium placées au fond d'une plaque à haut bord ou d'un plat large pour éviter un contact métal à métal dommageable pour l'argenterie.

Couvrez complètement les pièces avec de l'eau bouillante. Ajoutez 45 ml (3 c à s) de bicarbonate de soude et 15 ml (1 c à s) de sel. Agitez légèrement pour faire dissoudre. Laissez reposer une dizaine de minutes. Rincez. Séchez.

NETTOYANT À BARBECUE (GRILAUVENT)
Le barbecue (grilauvent) peut être nettoyé par sa propre chaleur. Voyez comment (p. 90).

Les brosses en laiton abîment la surface du gril et le rendent poreux, donc il se salit plus vite et se nettoie moins facilement. Pour nettoyer à la main, utilisez plutôt une brosse à poils de nylon sur les grilles refroidies et enlevez le surplus. Puis utilisez de l'eau savonneuse pour compléter.

Il existe un nettoyant à barbecue commercial sécuritaire, mais il est possible de simplement utiliser le nettoyant à four (p. 228) commercial sécuritaire pour compléter le nettoyage.

Si vous souhaitez utiliser un nettoyant, la marque Nature Clean offre un Produit à nettoyer fours et Bar-B-Q. Barbecue Genius Grill Cleaner est une marque de nettoyant à grilauvent certifiée Choix environnemental. La demander si votre commerce habituel ne l'a pas.

NETTOYANT À BIJOUX EN ARGENT
Dans un contenant de verre, intégrez 5 ml (1 c à c) de bicarbonate de soude et 5 ml (1 c à c) de sel. Emplissez à moitié de petits morceaux de feuille d'aluminium gros comme une pièce de un dollar. Emplissez d'eau chaude et agitez pour délayer sel et bicarbonate. Ajoutez les bijoux et laissez reposer entre un quart d'heure et une heure.

Sortez ensuite les bijoux avec un instrument quelconque et polissez-les avec un chiffon doux. Il est possible de conserver cette solution et de la réutiliser tant que les pièces d'aluminium ne sont pas tout à fait ternies. Refaites alors le mélange.

NETTOYANT À BROYEUR

Facile à utiliser. Emplissez l'évier de 5 cm (2 po) d'eau chaude additionnée de 250 ml (1 t) de bicarbonate de soude. Évacuez en lançant le broyeur.

NETTOYANT À CHAUDRONS ET CASSEROLES

Voir *Casseroles, marmites* **(p. 93)** pour les aliments collés au fond, ainsi que l'entretien des casseroles de cuivre, d'émail, d'aluminium et de fonte.

NETTOYANT À CAFETIÈRE À FILTRE

Voir *Cafetière à filtre* **(p. 92)**.

NETTOYANT À CUVETTE

Les nettoyants à cuvette avec distributeur, qui colorent l'eau, ont un certain pouvoir nettoyant mais n'éliminent pas la nécessité d'un récurage régulier. Ils nous réconfortent en masquant la saleté avec leur colorant et leur parfum beaucoup plus qu'ils ne nettoient. C'est le simple trempage offert par l'eau elle-même qui élimine déjà une majeure partie de la saleté.

Une marque nationale souvent citée comme plus sécuritaire est le Sani-Flush Nettoyant pour cuvette solide en rondelle.

Les nettoyants à dépôts minéraux, comme le CLR, sont inutilement puissants et chers. Ils peuvent être remplacés par des solutions maison toutes simples décrites dans cette rubrique.

Les nettoyants à cuvette en liquide épais jouent sur notre quête de produits puissants pour contrer le dégoût que nous inspire la cuvette. Ils n'ajoutent strictement rien au simple fait de pulvériser le nettoyant à salle de bains sur la cuvette et la brosse avant de frotter, pour évacuer ensuite l'eau après avoir laissé reposer deux minutes, au besoin.

Or, les nettoyants en liquide épais sont souvent inutilement puissants, acides et parfumés synthétiquement. Ils ne sont jamais assez sains pour mériter la certification sécuritaire du programme Choix environnemental – Éco-Logo – qui est notre garantie la plus fiable de précaution.

Les fabricants cherchent à se positionner, dans notre esprit, comme une solution au dégoût que nous inspire la cuvette. Or, celui-ci ne tient pas au fait que la cuvette soit contaminée : la serviette à mains dans la cuisine et la planche à découper la viande le sont beaucoup plus. La répulsion pour la cuvette tient plutôt à un entraînement à la propreté inutilement imprégné de dégoût.

Pour être populaires, les fabricants se positionnent donc comme une solution à cette répugnance en vantant la surpuissance désinfectante de leurs nettoyants. Le glissement du dégoût vers l'utilisation de produits inutilement puissants et toxiques est malsain pour la santé, l'environnement et le portefeuille.

Pour aider à composer avec cette répugnance, il faut savoir que le dégoût est hautement stimulé par l'odorat. Pulvériser un nettoyant en pulvérisateur parfumé avec un produit plus sain comme les huiles essentielles naturelles **(p. 209)** désamorce ce désagrément tout en procurant tout le pouvoir nettoyant requis. Si vous tenez à désinfecter la zone, il suffit de verser 3 ml ($1/2$ c à c) d'eau de Javel par litre d'eau dans la cuvette – qui en contient habituellement environ deux. Le gros bouchon utilisé sur les contenants d'origine pour l'eau de Javel contient un peu plus de 15 ml (1 c à s) – donc un cinquième du bouchon donne les 3 ml recherchés.

C'est une quantité minime de Javel et c'est bien, puisqu'il s'agit d'un produit dont on cherche à limiter l'utilisation. Voir les explications détaillées sur le procédé pour désinfecter à la rubrique *Laver avec nettoyant et brosse* **(p. 122)** de la section sur la salle de bains.

Avec les nettoyants à four et les débouche-tuyaux, les nettoyants à cuvette forment la bande des trois salopards du foyer : les trois produits nettoyants les plus toxiques.

NETTOYANT AVEC BROSSE

Voyez comment procéder avec nettoyant et brosse **(p. 122)** pour assurer propreté et hygiène selon un procédé simple mais précis – qui élimine le besoin de recourir à des nettoyants inutilement puissants, corrosifs et nocifs.

Pour les raisons énumérées plus haut, utilisez votre nettoyant à salle de bains en pulvérisateur, plutôt que les nettoyants commerciaux en liquide épais ou à dépôts minéraux. La base du nettoyant à salle de bains est plutôt acide pour dissoudre les dégâts d'eau et de savon – comparativement à celle du nettoyant tout usage pour le reste de la maison, qui est plutôt alcalin pour dissoudre les dégâts plutôt graisseux qu'on retrouve partout à l'extérieur de la salle de bains.

Le contenant de certains nettoyants à cuvettes commerciaux possède une forme recourbée ingénieuse qui permet de pulvériser le nettoyant sous le rebord de la cuvette. À la limite, achetez ce produit une fois, puis conserver le contenant pour l'emplir de votre propre nettoyant à salle de bains.

Pour nettoyer l'extérieur de la cuvette, il est possible d'utiliser le chiffon qui a servi pour nettoyer le reste de la salle de bains. Pour désinfecter le chiffon, rincez-le et placez-le dans l'évier, dans l'équivalent 1 l (4 t) d'eau additionnée de deux jets d'eau de Javel dans un contenant à pulvérisateur. Deux jets correspondent à 4 ml, soit un peu moins de 1 c à c, et un peu plus que les 3 ml nécessaires pour obtenir une solution qui désinfecte. Laissez le chiffon tremper durant cinq minutes et il sera désinfecté de ce qu'il a pu ramasser sur la cuvette.

NETTOYANT PAR TREMPAGE POUR SALETÉ INCRUSTÉE

Au besoin, délogez la saleté incrustée en procédant comme suit. Versez dans l'eau de la cuvette 250 ml (1 t) de borax ou 80 ml ($1/3$ t) de cristaux de soude. Ajoutez ensuite 60 ml ($1/4$ t) de vinaigre blanc dans l'eau de la cuvette – ce qui produira un bouillonnement inoffensif. Rabattez le couvercle et laissez reposer durant la nuit. Brossez vigoureusement les parois le lendemain. Évacuez l'eau. Une variante proposée parfois consiste à vider l'eau de la cuvette en donnant quelques coups de pompe. Aspergez la paroi de vinaigre, puis saupoudrez-la de borax ou de cristaux de soude. Laissez reposer durant 30 minutes. Récurez avec une éponge à récurer pour grosses besognes. Rincez.

NETTOYANT À TRACES D'EAU JAUNE

Voyez plus loin le nettoyant à dépôts minéraux pour porcelaine d'évier, de cuvette et de baignoire.

NETTOYANTS À DÉPÔTS MINÉRAUX, ROUILLE ET TARTRE

L'eau contient des minéraux qui se déposent au fil du temps sur les robinets, éviers, baignoires, douches, cuvettes, humidificateurs, rideaux de douche. Le simple nettoyage courant ne suffit pas. Voyez-y à l'occasion, avant qu'il se produise trop d'accumulation, et cela, pour vous faciliter la tâche.

Les nettoyants à dépôts minéraux commerciaux contiennent des substances à risques et sont onéreux, alors qu'il existe des alternatives maison simples, efficaces et économiques.

POUR JOINTS DE TUILES

Une solution maison simple est faite de 125 ml ($^1/_2$ t) de bicarbonate de soude à laquelle vous ajoutez un peu d'eau pour obtenir une pâte. Appliquez et frottez avec une brosse à poils durs entre les tuiles et dans les interstices.

Dans l'esprit de la recherche d'un juste milieu entre efficacité, simplicité et protection de la santé et de l'environnement, il faut préciser que cette solution exige de l'effort. Elle en exige d'autant que les traces d'eau dure s'accumulent depuis longtemps.

POUR PORCELAINE D'ÉVIER, DE CUVETTE ET DE BAIGNOIRE

Essentiellement, les nettoyants commerciaux sont constitués d'acides qui s'attaquent à la rouille – la couleur jaune de la tache – et au calcaire – le dépôt blanchâtre de la tache.

Enlevez les traces jaunes causées par la rouille même incrustée depuis des années en saupoudrant du sel de citron (acide oxalique) **(p. 255)**, après avoir humecté les parois. Laissez reposer 5-10 minutes et la rouille se sera volatilisée. Au besoin, frottez légèrement le pourtour intérieur plus difficile à rejoindre de la cuvette avec une brosse à dents saupoudrée de sel de citron. Celui-ci est économique et facile à trouver en pharmacie.

Consumer Reports a constaté que les traces jaunes de rouille posaient un défi à la majorité de ces nettoyants commerciaux puissants qui exigent d'aérer la pièce lorsqu'ils sont utilisés et qui peuvent facilement abîmer les surfaces[43].

Nettoyez les dépôts de minéraux, calcaire et tartre en pulvérisant du vinaigre réchauffé – durant une vingtaine de secondes au micro-ondes, selon la quantité. Laissez reposer durant 10 minutes. Frottez avec une éponge à récurer trempée de vinaigre. Rincez. Au besoin, recommencez.

Au besoin, les traces de tartre (ou dépôts calcaires) peuvent être ramollies en appliquant un gras quelconque – beurre, huile ; enlevez ensuite les résidus graisseux avec un simple nettoyant et rincer.

Une pierre ponce mouillée peut aussi déloger bien des dépôts sur les cuvettes de porcelaine. Elle n'éraflera pas la porcelaine si elle est gardée mouillée : laissez-la tremper deux minutes avant de commencer, pour qu'elle s'imbibe.

Pour un entretien régulier de la cuvette, des experts recommandent de laisser reposer 60 ml ($^1/_4$ t) de vinaigre et 250 ml (1 t) de borax (ou 80 ml ($^1/_3$ t) de cristaux de soude) pendant deux heures – le bouillonnement est inoffensif –, puis de brosser fermement.

Avec le temps, une partie des traces d'eau peut être devenue irréductible, bien que ce soit l'exception. Les équipements peuvent tout de même servir encore longtemps. Évitez absolument de vous acharner à les frotter avec un tampon ou une poudre abrasive, ou encore avec quelque nettoyant javellisant. Ils ne font qu'ajouter à l'usure et rendre les parois plus poreuses. La saleté s'accumule alors plus rapidement.

L'entretien continu évite d'aboutir à cette extrémité où la saleté s'est mise à attirer la saleté en se sédimentant au point d'exiger des efforts fastidieux pour l'enlever.

POUR RIDEAUX ET PAROIS DE DOUCHE

Nettoyez les rideaux de douche en plastique d'une grande part de leurs dépôts minéraux, moisissures et savon avec une éponge imbibée de vinaigre blanc, légèrement chauffé. Pour faciliter le passage de l'éponge, appuyez le rideau contre un mur attenant.

Si vous en faites grand usage, il est possible de placer le vinaigre blanc dans un contenant à pulvérisateur. Enlever le bec pulvérisateur et chauffer légèrement le vinaigre au micro-ondes aidera à dissoudre les dépôts plus épais de savon et de minéraux. Pour les parois de fibre de verre, chauffez le vinaigre avant l'application. Laissez reposer 10 minutes sur la surface. Frottez avec une éponge à récurer trempée dans le vinaigre chaud. Séchez avec un chiffon. Recommencez au besoin.

Parfumer le vinaigre est moins indiqué, maintenant que l'on sait que les huiles essentielles peuvent à la longue causer une hypersensibilité et irriter les personnes plus sensibles. Or, il faut en plus une bonne quantité d'huile essentielle pour couvrir l'odeur du vinaigre. Au besoin, le rideau en plastique peut être lavé avec le cycle délicat du lave-linge, en même temps que les serviettes non colorées. Ajoutez 375 ml ($1^1/_2$ t) de vinaigre blanc au détergent à lessive, avec une eau tiède. Sortez le rideau et accrochez-le avant l'essorage final, pour que les restants de saleté et de savon s'égouttent. Les rideaux de tissus ont moins tendance à accumuler la moisissure et ne contiennent pas de plastifiants ; le chanvre est une fibre particulièrement résistante. Mais il est aussi indispensable de leur permettre de sécher en les laissant déployés après usage, plutôt qu'entassés dans un coin.

POUR HUMIDIFICATEUR

Voir *Nettoyant à humidificateur* **(p. 229)**.

POUR LAVE-VAISSELLE

Videz le lave-vaisselle. Placez un bol propre sur l'étage du haut. Versez-y 125 ml ($^1/_2$ t) de vinaigre blanc. Lancez le cycle régulier sans ajouter de détergent. Au besoin, répétez et augmentez la quantité de vinaigre.

POUR MACHINE À CAFÉ FILTRE

Voir *Cafetière à filtre* **(p. 92)**.

POUR POMME DE DOUCHE

Lorsque des dépôts deviennent apparents ou que le jet semble obstrué, ficelez un sac de plastique empli de vinaigre blanc autour de la pomme de douche durant 6-8 heures. Retirez et brossez. En cas de dépôts persistants qui nuisent au jet, dévissez la pomme de douche et brossez chacun de ses éléments. Vous obtiendrez un meilleur résultat en faisant tremper la pomme avant de brosser.

NETTOYANTS À FOUR

Le four autonettoyant demeure la solution idéale : elle est simple et sécuritaire. Le four conventionnel se nettoie une ou deux fois par an si vous n'en faites pas un usage intensif ou si vous en prenez soin au fur et à mesure. Ne le laissez pas s'encrasser outrement.Une de ces plaques d'aluminium vendues en épicerie que l'on pose au fond limitera l'entretien au nettoyage des parois et des grils, sans recours à des nettoyants corrosifs et puissants. Quand la plaque est abîmée, grattez-la, enlevez le surplus de gras avec le nettoyant tout usage et une poudre à récurer dégraissante maison **(p. 250)** avant de la placer à la récupération.

NETTOYANTS À FOUR COMMERCIAUX

La plupart sont aussi corrosifs qu'efficaces. Avec les débouche-tuyaux et les nettoyants à base d'acide pour cuvette, ils forment la bande des trois salopards du foyer : les trois produits nettoyants les plus toxiques. Easy-Off Nettoyant pour le four, Sans vapeurs (en pompe), 3,79 $ le format de 400 g, est un produit acceptable selon divers spécialistes de la sécurité. Nature Clean Produit à nettoyer fours et Bar-B-Q vient d'une compagnie ayant plusieurs produits certifiés Choix environnemental. Il n'existe pas d'analyse d'efficacité indépendante pour ces produits.

NETTOYANT À FOUR MAISON AU BICARBONATE DE SOUDE

Cette solution fait le bonheur de nombreuses gens. Couvrez le fond du four d'un filet d'eau. Saupoudrez du bicarbonate de soude. Rajoutez un filet d'eau pour couvrir. Fermez la porte. Laissez reposer durant la nuit. Le lendemain, essuyez le résidu graisseux. Passez une éponge savonneuse partout. Rincez.

Mettez plaques et grilles à tremper dans de l'eau chaude avec un peu de nettoyant à vaisselle pendant 30 minutes. Frottez avec un tampon à récurer de plastique sur lequel est saupoudré la poudre à récurer maison dégraissante **(p. 250)**.

NETTOYANT À FOUR MAISON À L'AMMONIAQUE

Ce guide offre consciemment toutes sortes d'alternatives à l'utilisation de l'ammoniaque. Rappelons que ses émanations sont nocives pour la santé. De plus, il est dangereux de mélanger l'ammoniaque par inadvertance à d'autres produits qui la rendent encore plus toxique, comme le blanchisseur javellisant. Or, l'ammoniaque est un produit efficace et moins toxique que les décape-four commerciaux conventionnels. Peut-être que le nettoyant au bicarbonate peut vous convenir. Sinon, celui-ci, à l'ammoniaque, offre un choix, à condition de bien suivre les consignes pour se protéger des émanations.

Enfilez de bons gants, aérez en ouvrant portes et fenêtres et évitez d'inspirer les émanations. Si le four fonctionne au gaz, éteignez la veilleuse. Déposez un bol contenant 250 ml (1 t) d'ammoniaque sur la grille du haut, et 500 ml (2 t) d'eau bouillante dans un plat sur la grille du bas. Fermez la porte du four avec soin. Laissez reposer durant la nuit.

Au moment d'ouvrir la porte, le lendemain, aérez à nouveau la pièce et n'inhalez pas les effluves. Jetez l'eau. Dans un seau, mélangez l'ammoniaque avec 250 ml (1 t) de vinaigre et 125 ml ($^1/_2$ t) de bicarbonate de soude. Appliquez sur les parois, la fenêtre, les plaques et les grilles. Frottez avec une éponge à récurer après avoir laissé reposer 15 minutes. Rincez avec une eau additionnée d'un peu de vinaigre, puis à l'eau claire.

Nettoyant à hotte

Voyez comment procéder à la rubrique sur la hotte **(p. 270)**.

Nettoyant à humidificateur

Si l'humidificateur n'est pas entretenu, bactéries et champignons prolifèrent rapidement, sont propulsés par la ventilation et se diffusent dans l'habitation jusqu'à vous fragiliser et vous rendre éventuellement malade. L'élément chauffant s'encrasse au point de présenter des risques d'incendie. Les joints d'étanchéité et le filtre à mèche s'encrassent.

L'humidificateur n'est pas un accessoire facile d'utilisation. Point. Ne l'utilisez qu'au besoin, et soignez alors sans faute son entretien. Suivez les instructions du manuel et maintenez le taux d'humidité du logis entre 30 et 50 %.

L'entretien continu inclut un changement quotidien de l'eau : videz entièrement le réservoir, passez une éponge à récurer humide sur les parois, rincez.

L'élément chauffant des humidificateurs à air chaud requiert d'être détartré régulièrement pour éviter toute surchauffe. Utilisez du vinaigre de préférence, car les nettoyants proposés par les fabricants sont habituellement toxiques. Enlevez les joints d'étanchéité et nettoyez-les soigneusement avec du nettoyant à vaisselle translucide et *doux*. Toujours bien rincer le tout.

Un trempage dans une eau très vinaigrée suffit à désencrasser le filtre à mèche des résidus qu'il a pour fonction de retenir. Le nettoyer comme suit en même temps que le réservoir.

Toutes les deux semaines, au minimum, il faut nettoyer à fond le réservoir de tous les types d'humidificateurs pour le débarrasser des moisissures et champignons.

Deux solutions s'offrent à vous – et il est malheureusement impossible de conclure en faveur de l'une ou de l'autre. L'une utilise le vinaigre, l'autre utilise le blanchisseur javellisant (eau de Javel).

Certains experts de la sécurité craignent que l'on se retrouve à inhaler les résidus de l'eau de Javel dans l'air propulsé par l'humidificateur. Ils croient suffisant le recours à une solution de vinaigre et d'eau. Au crédit de cette option, on peut porter la consigne de la SCHL pour les moisissures sur les murs et plafonds – qui consiste à bien nettoyer avec eau chaude et savon, puis à bien assécher. La SCHL suggère de ne pas utiliser l'eau de Javel dans ce cas, justement à cause des émanations et d'une surpuissance inutile.

En attendant une clarification, il reste à essayer et voir ce qui vous convient. La précaution suggérerait de commencer avec la solution plus douce, au vinaigre.

Videz le réservoir. Chauffez légèrement le vinaigre blanc avant d'en appliquer généreusement sur les parois. Laissez reposer 10 minutes. Frottez avec une éponge à récurer trempée de vinaigre chaud. Séchez avec un chiffon. Avec l'eau de Javel, utilisez la solution suivante. Videz le réservoir avant de verser 4 l (16 t) d'eau et 15 ml (1 c à s) d'eau de Javel. Laissez reposer 20 minutes. Rincez. Asséchez pour éliminer tant que faire se peut les résidus.

Il existe une alternative au blanchisseur javellisant (l'eau de Javel) et au vinaigre, alternative qui possède de réelles propriétés désinfectantes. Bien que supérieur à celui du blanchisseur javellisant, le coût de ce concentré demeure raisonnable.

Ajoutez aux 4 l (16 t) d'eau 15 gouttes de concentré liquide d'extrait de pépins de pamplemousse standardisé de la marque Nutribiotic (Citricidal à 33 % avec glycérine végétale alimentaire). Le contenant de 60 ml de Citricidal est assez onéreux (11,55 $), mais il permet de nettoyer l'humidificateur près de 80 fois, à un coût de 15 ¢ par opération.

Nettoyant à joints de tuiles

Le ciment des jointements de tuiles est une substance poreuse qui retient la saleté même lorsque l'on applique le scellant vendu pour la protéger. Il est d'ailleurs souvent spécifié en petits caractères que le scellant ne protège que contre les taches d'eau, d'humidité, de calcaire, de moisissure, mais pas contre les saletés courantes. On parle donc d'une protection très minimale.

Les jointements se nettoient avec une brosse à joints et un nettoyant dont la version maison suivante est excellente : 250 ml (1 t) de bicarbonate de soude, 60 ml ($^1/_4$ t) de cristaux de soude ou 125 ml ($^1/_2$ t) de borax agités dans 125 ml ($^1/_2$ t) d'eau chaude. L'eau chaude est nécessaire pour que les cristaux de soude se dissolvent suffisamment. Utilisez des gants avec les cristaux de soude.

Le ciment de jointement est en réalité très friable et se déloge si on frotte avec trop d'insistance. Après avoir lavé, il serait temps d'appliquer sans tarder une nouvelle couche de scellant pour la protection (même limitée) qu'elle procure.

Nettoyant à mains

Voir la rubrique *Lotion à mains désinfectante* **(p. 213)**.

Nettoyant à planchers

Les nettoyants à planchers commerciaux sont chers et n'offrent pratiquement rien de plus que la solution maison, toute simple, présentée ci-dessous. Il est beaucoup plus important de ne pas utiliser trop d'eau et de changer l'eau au besoin pour ne pas étendre la saleté laissée dans la chaudière lors du rinçage. Voyez les trucs pour les planchers **(p. 69)**.

L'utilisation d'un nettoyant domestique liquide laisse une pellicule savonneuse qu'il faut ensuite rincer avec un nettoyant au vinaigre comme celui qui est décrit ci-dessous), sinon la pellicule attirera la saleté beaucoup plus rapidement.

NETTOYANT À PLANCHERS EN CHAUDIÈRE

Un nettoyant tout simple convient en réalité à la majorité des types de surfaces. On comprend pourquoi lorsque l'on réalise que l'eau est déjà suffisante pour nettoyer la majorité de la saleté – constituée de poussière plus ou moins abondante et incrustée.

Ce nettoyant simple est le suivant : 4 l (16 t) d'eau additionnée de 125 ml (1/2 t) de vinaigre. C'est tout. Au besoin, détachez les traces tenaces avec un chiffon humide et un peu de bicarbonate de soude ou le nettoyant tout usage.

NETTOYANT À PLANCHERS EN GICLEUR

Similaire à celui qui s'utilise avec une chaudière, il a l'avantage d'être conservé en bouteille, prêt à être utilisé tel quel : mélangez 250 ml (1 t) d'eau et 250 ml (1 t) de vinaigre dans un contenant à gicleur. En mode gicleur, vous appliquez le nettoyant sur le plancher et l'épongez ensuite avec une vadrouille mouillée et bien essorée, pour limiter les résidus d'eau sur le plancher et les traces qu'ils laisseront en séchant. Rincez la vadrouille de sa saleté régulièrement.

NETTOYANT À PLANCHERS DÉGRAISSEUR

À l'occasion, quand le plancher est particulièrement sale et graisseux, il peut être utile de recourir au nettoyant suivant.

Versez un peu d'eau très chaude sur 60 ml (1/4 t) de cristaux de soude dans une chaudière et agitez pour bien dissoudre. Ajoutez 8 l (32 t) d'eau chaude, 60 ml (1/4 t) de vinaigre blanc puis 15 ml (1 c à s) de nettoyant à vaisselle liquide ou de savon/détergent liquide ménager : le savon se rince plus facilement.

Il importe de rincer ensuite avec le nettoyant au vinaigre décrit précédemment, pour éliminer les résidus de savon. Le rinçage est nécessaire pour éliminer la pellicule savonneuse que laisse le nettoyant et qui accumule la saleté plus rapidement.

Il est aussi possible de nettoyer en profondeur un plancher encroûté avec une sorte de crème à récurer maison. Si le plancher est fragile, testez le nettoyant sur un coin caché avant de procéder.

Délayez 500 ml (2 t) de bicarbonate de soude avec 120 ml ($^1/_2$ t) de savon liquide qui se rince mieux que le détergent, et 160 ml ($^2/_3$ t) d'eau. Placez dans un contenant à gicleur et agitez avant d'utiliser.

Il est aussi possible d'utiliser une crème à récurer commerciale, mais inutile d'utiliser un produit trop puissant. Appliquez au sol et brosser vigoureusement. Laissez reposer quelques minutes et brosser à nouveau. Essuyez avec de vieilles serviettes à mettre au lavage. Rincez abondamment avec du vinaigre et essuyez de nouveau avec d'autres serviettes.

Nettoyant à salle de bains en pulvérisateur
Voyez cette rubrique **(p. 218)** plus haut.

Nettoyant à tapis

NETTOYANT À TAPIS, DÉTERGENT
Il n'est pas aisé de trouver un détergent dont les composants sont inspirés par la précaution. C'est d'autant plus malheureux que le nettoyage d'un tapis a un impact significatif sur l'air ambiant. À défaut de trouver un tel détergent, assurez-vous d'aérer le logis généreusement après le nettoyage. Recherchez, comme pour tous les nettoyants ménagers, des produits au moins sans parfum et sans colorant.

La marque Nature Clean Nettoyeur pour tapis et meubles rembourrés vient d'un fabricant de plusieurs produits certifiés sécuritaires par le logo Choix environnemental ci-contre. L'absence d'analyse d'efficacité pour cette marque ne permet cependant pas de porter un jugement sur sa commodité.

Demandez à votre commerce préféré de trouver un produit moins nocif, au moins sans parfum. C'est le boulot du commerce de trouver un fournisseur pour les produits que vous souhaitez. Nettoyants, antimoussants et chasse-taches vendus pour être utilisés avec le système de nettoyage en location, dans une quincaillerie ou une épicerie à grande surface, contiennent des parfums ; ils ne sont pas conçus sur une base douce. Recherchez et demandez aux loueurs d'équipements des nettoyants à tout le moins sans colorant ni parfum. Un antitaches, ou protège-tissus et tapis, est aussi offert, mais contenant un ingrédient à base de CPF qu'il faut à tout prix éviter et ne plus laisser entrer dans la maison : voyez les explications sur les CPF **(p. 246)**.

Suivez soigneusement les indications sur le dosage des nettoyants. Rincez et asséchez avec soin, sans quoi la saleté pourrait s'incruster davantage par la suite, s'attachant aux résidus de nettoyant.

NETTOYANT À TAPIS, SHAMPOOING
La marque Bissell Shampooing pour tapis est facile à trouver et généralement acceptée comme sécuritaire.

NETTOYANT À TAPIS MAISON

Une solution maison est aussi proposée par certains experts des procédés sécuritaires. Saupoudrez sur le tapis du bicarbonate de soude – il en faudra une bonne quantité. Frottez ensuite pour le faire pénétrer. Laissez agir durant 24 heures. Ramassez à l'aspirateur. En cas d'odeurs persistantes, répétez l'opération.

Nettoyant à tissu de fauteuils

Comme nous l'avons expliqué plus en détail à la rubrique sur les consignes pour nettoyer un recouvrement en tissu **(p. 132-133)**, le principal danger posé par l'utilisation d'un nettoyant est la décoloration irréparable du tissu. Ne tentez pas la chance et testez le nettoyant sur un coin caché du tissu en l'appliquant avec un chiffon blanc. Si de la couleur apparaît sur le chiffon, consultez un professionnel. Sinon, laissez ensuite reposer 5 à 10 minutes et vérifiez s'il y a altération de la couleur sur le tissu avant de continuer. Consultez les trucs et détachants **(p. 132)** suggérés en général et pour les taches spécifiques.

NETTOYANT À TISSUS DE FAUTEUILS, SHAMPOOING ET DÉTERGENT

Le nettoyage en profondeur peut se faire avec des appareils à vapeur proposés en location. Les spécialistes n'utilisent habituellement pas d'alternative sécuritaire au détergent et elles sont rares. Il est aussi possible de procéder avec un shampooing.

Ce type de produit offre vraiment très peu de choix quand on en recherche un plus sécuritaire. La marque commerciale Nature Clean Nettoyeur pour tapis et meubles rembourrés vient d'un fabricant de produits généralement sains. Pas d'analyse d'efficacité. La marque Bissel Nettoyant à capitonnage est la même qui offre le nettoyant à tapis en shampooing généralement considéré comme sécuritaire. Pas d'analyse de sécurité ni d'efficacité.

NETTOYANT À TISSUS DE FAUTEUILS MAISON

Un nettoyant maison efficace est une version un peu moins concentrée du détachant. Toujours vérifier la résistance des couleurs comme indiqué plus haut.

233

Ajoutez un jet ou 3 ml ($^1/_2$ c à c) de savon à vaisselle liquide translucide dans 250 ml (1 t) d'eau. Faites mousser en brassant ou en fouettant. Appliquez avec une brosse douce ou une éponge en frottant très légèrement dans le sens du droit-fil du tissu. Ne détrempez pas le tissu et allez-y par petites sections. Rincez à l'eau avec une éponge de façon à éliminer tout à fait le savon, sinon la saleté adhérera plus vite au tissu par la suite.

Nettoyant à tuiles de salle de bains

Voir la rubrique *Pour rideaux et parois de douche* **(p. 227)**.

Nettoyants à tuyaux de renvoi préventif

Utilisez-les tant qu'il y a écoulement, pour prévenir la consolidation d'un bouchon en train de se former. Préviennent aussi les ralentissements d'écoulement.

L'entretien des tuyaux de renvoi de la cuisine **(p. 126)** et de la salle de bains **(p. 127)** est un faible prix à payer pour éviter les embêtements plus gênants. Une fois le tuyau bel et bien bouché, il faut passer aux trucs pour le déboucher **(p. 197)**.

Appliquez le nettoyant une fois par mois ou plus, selon l'état de la plomberie et les habitudes de la maisonnée.

Les nettoyants à tuyaux, ou débouche-tuyaux chimiques commerciaux appartiennent à la bande des trois salopards du foyer, les trois produits nettoyants les plus polluants – avec le nettoyant à four et le nettoyant à cuvette. Les usines de traitement des eaux usées ne sont pas équipées pour éliminer ces produits. Les utiliser, c'est alimenter directement la soupe chimique environnementale qui nourrit notre contamination corporelle. En un sens à peine exagéré, verser un débouche-tuyaux super polluant dans la cuvette, c'est se le verser sur la tête – même en cachette…

Consumer Reports aussi bien que tous les experts de la précaution chimique déconseillent donc vigoureusement l'utilisation des nettoyants et débouche-tuyaux chimiques[44]. Les nettoyants à tuyaux dits biologiques sont onéreux et guère plus efficaces que les nettoyants maison suivants.

NETTOYANT À L'EAU CHAUDE

Consumer Reports suggère de chauffer et verser 2 l (8 t) d'eau bouillante, puis encore 2 l (8 t) après quelques minutes. Versé une fois la semaine, un tel nettoyant ne peut évacuer un bouchon, mais il peut contribuer à le prévenir en dissolvant les dépôts graisseux communs à tous les renvois.

Important : versez l'eau directement au-dessus du renvoi et non sur la porcelaine qui peut fissurer sous l'effet de la chaleur.

NETTOYANT AUX CRISTAUX DE SOUDE

Les cristaux de soude de ce nettoyant peuvent aider à transformer les gras en substances savonneuses plus faciles à évacuer. Faites couler l'équivalent de 250 ml (1 t) d'eau chaude après avoir versé 60 ml (4 c à s) de cristaux de soude dans l'ouverture du tuyau. Laisser agir 15 minutes. Faites couler l'eau chaude pendant 20 secondes.

N'utilisez jamais ce nettoyant pour un tuyau bouché, parce que si le bouchon n'est pas débloqué, la soude sera toujours dans le renvoi lorsque l'on voudra intervenir avec une ventouse ou un fichoir (furet de dégorgement).

NETTOYANT AU BICARBONATE ET VINAIGRE

Un peu plus élaboré, ce nettoyant agit de deux façons. La nature alcaline du bicarbonate aide à rendre savonneux et plus faciles à évacuer les dépôts de gras. L'action mécanique du bouillonnement causé par le contact entre vinaigre et bicarbonate aide à déloger ce qui obstrue. Réservez-le aux renvois à l'écoulement ralenti, pour aider à déloger les débuts de bouchons.

Dans un contenant d'au moins 500 ml (2 t) – idéalement une tasse à mesurer de ce volume – versez 125 ml ($1/2$ t) de bicarbonate de soude, 125 ml ($1/2$ t) de sel, puis 180 ml

($^3/_4$ t) d'eau à température normale pour délayer les deux premiers. Versez tout le mélange dans le tuyau de renvoi. Attendez une minute pour que le mélange se dépose sur les saletés. Versez par la suite 60 ml ($^1/_4$ t) de vinaigre blanc, qui bouillonnera au contact du bicarbonate. Laissez agir 15 minutes pour déloger un début de bouchon, mais laissez toute la nuit, avant de passer à l'étape suivante, si vous procédez à un entretien préventif. Versez enfin une pleine bouilloire d'eau chaude en vous protégeant des éclaboussures, ou faites couler l'eau du robinet durant une minute si l'évacuation le permet.

NETTOYANT À VAISSELLE

Conçu pour laver à la main, il est différent du détergent à lave-vaisselle, plus puissant. Il est utilisé pour confectionner de nombreux nettoyants maison, est facile à trouver et économique. Son utilisation est suggérée dans le présent guide en lieu et place du savon liquide ou du détergent liquide *naturels* – que l'on trouvera plutôt dans les commerces de produits *naturels*. Un compromis légitime.

Recherchez une marque dite *douce* ou pour *peaux sensibles* – donc avec un pH équilibré – sans colorant (translucide), sans parfum et qui ne se dit pas *antibactérienne*. Évitez aussi les marques qui portent mention, en petits caractères, de ne pas mélanger ce nettoyant avec un blanchisseur javellisant (eau de Javel), ce qui signifie qu'elles contiennent de l'ammoniaque.

Une marque comme Bio-Vert porte la certification Choix environnemental (logo ci-contre) : un argument massue en sa faveur. Une marque comme Nature Clean offre en général des nettoyants plus sécuritaires.

Un test de *Consumer Reports* révélait que la plupart des nettoyants soulèvent assez bien la graisse[45]. Pour ce qui est de déloger les salissures incrustées, le bras mécanique prenait de 184 à 402 frottements selon la marque utilisée. Donc les moins efficaces exigeaient de frotter deux fois plus. Palmolive Peau sensible avec aloès se situait dans les meilleurs, avec un prix intéressant.

Voici les explications justifiant les critères de choix énumérés plus haut.

Les formules dites *douces* (ou pour peaux sensibles) de diverses marques ont un pH neutre de 7, contrairement aux nettoyants habituels dont le pH est supérieur à 7.

235

En bas de 7, le pH signifie que le nettoyant est acide. En haut de 7, le pH signifie que le nettoyant est alcalin, donc qu'il s'attaque au gras de la saleté mais aussi aux huiles de la peau : raison pour laquelle un nettoyant *doux* n'est pas alcalin. L'eau pure a un pH équilibré, le vinaigre est acide, avec un pH inférieur à 7.

Autre bénéfice du pH équilibré d'un nettoyant dit *doux* et sans colorant, il peut être utilisé comme détergent pour les tissus délicats – soie, laine et rayonne. Il fait aussi partie des solutions commodes proposées dans le présent guide pour détacher les mêmes tissus délicats, en plus des tissus de fauteuils et des tapis. Le colorant risque de tacher les tissus pâles.

Les marques portant mention, en petits caractères, de ne pas mélanger ce nettoyant avec un blanchisseur javellisant (eau de Javel), contiennent de l'ammoniaque. Un détail comme celui-ci illustre bien l'illogisme d'introduire toutes sortes de produits plus ou moins sécuritaires dans notre environnement. Ce n'est pas la petite quantité d'ammoniaque dans le nettoyant qui peut nous affecter directement, mais son mélange éventuel et très probable avec d'autres produits courants contenant du blanchisseur javellisant.

À cela s'ajoute que le nettoyant à vaisselle translucide *doux* (pH équilibré) est très utile pour confectionner divers nettoyants maison, dont les chasse-taches, lesquels peuvent se retrouver mélangés avec un blanchisseur javellisant dans le lave-linge. Puisque l'eau de Javel peut être à l'occasion utile comme désinfectant, mieux vaut éliminer de notre environnement l'ammoniaque qui n'est pas indispensable; cette mesure de précaution empêche la confection par inadvertance de mélanges toxiques.

Évitez sans exception les nettoyants à vaisselle qui se disent *antibactériens*, tout comme les savons à mains et autres nettoyants du même genre. Ils éliminent les bactéries inoffensives sans être conçus pour éliminer les bactéries et virus réellement susceptibles de nous rendre malades : ils ratent la cible. Pire encore, la majorité des spécialistes les soupçonnent de causer le développement de bactéries plus résistantes – ce qu'ils nomment l'antibiorésistance.

Peu de choses nécessitent d'être désinfectées : il s'agit des ustensiles, surfaces et planches à découper mis en contact avec les viandes, la volaille, le poisson et leurs jus. Ce sont les seuls aliments susceptibles de causer les empoisonnements alimentaires.

Puisqu'il est exclu et inutile de tenter de désinfecter avec les nettoyants antibactériens, il est nécessaire de procéder autrement. Voir les rubriques *Trucs* et *Désinfecter* **(p. 215)**.

Nettoyant à vitres

Nettoyant qui sert aussi pour toutes les surfaces de verre. Utilisez, comme les professionnels, des nettoyants tout simples de fabrication maison. Des analyses d'efficacité accordent à l'eau le meilleur rapport qualité-prix parmi les nettoyants à vitres. À la limite, l'eau tiède suffit pour la saleté normale et évite les stries que produisent les solutions commerciales à l'ammoniaque.

236

Le plus difficile est de laisser tomber notre accoutumance à la couleur bleue des nettoyants commerciaux. C'est au point où on la croit indissociable de quelque pouvoir nettoyant. Ce n'est que du colorant sans aucun pouvoir nettoyant. L'odeur caractéristique de ces nettoyants vient de l'évaporation de l'ammoniaque qu'ils contiennent.

Certaines marques contiennent de la cire. Éliminez-la avec de l'alcool à friction sur les surfaces qui ont été nettoyées avec ces marques, sinon le nettoyant maison donnera l'impression de ne pas fonctionner. La cire s'enlève aussi avec le nettoyant tout usage, en appliquant un peu de bicarbonate de soude aux pires endroits; rincez avec une solution de vinaigre et d'eau. C'est un peu fastidieux mais définitif.

Retenez que la saleté intérieure est plutôt graisseuse et requiert un nettoyant légèrement savonneux et plutôt alcalin. La saleté extérieure est plutôt constituée de sels minéraux qui s'éliminent plus facilement avec un nettoyant acide, donc additionné de vinaigre. Les nettoyants les plus souvent recommandés pour le commun des mortels sont énumérés ci-après. Faites votre choix selon ce que vous avez sous la main et la tâche à accomplir.

NETTOYANT À VITRES COMMERCIAL

Évitez absolument les nettoyants en format aérosol : la fine bruine qu'ils émettent facilite l'absorption de leurs ingrédients douteux par la respiration. La marque Nature Clean Nettoyant à vitres est un exemple de nettoyant offert par une compagnie dont de nombreux produits sont certifiés Choix environnemental par l'Éco-Logo.

NETTOYANTS À VITRES MAISON

Nettoyant à vitres d'intérieur (en pulvérisateur)

L'eau suffit si vous utilisez un chiffon de microfibres. Deux à trois gouttes de nettoyant à vaisselle liquide ajoutées à l'eau d'un contenant à pulvérisateur d'environ 750 ml (3 t) offrira tout le pouvoir nettoyant requis pour la saleté plutôt graisseuse des vitres intérieures. Pour le plaisir, ajoutez au maximum quatre gouttes d'huile essentielle naturelle à la menthe poivrée comme parfum : agitez chaque fois avant utilisation. Limitez le nombre de gouttes, parce que les huiles essentielles peuvent agresser certaines personnes et en fragiliser d'autres à long terme.

Des auteurs suggèrent l'utilisation du soda club **(p. 255)** (*club soda* ou eau gazéifiée) dans un pulvérisateur : légèrement alcalin, le soda club aide à dissoudre la saleté graisseuse des vitres intérieures. La disparition de l'effervescence n'affecte rien.

Lorsqu'il y a un surplus de gras sur le verre, commencez par le nettoyer avec le nettoyant tout usage et terminez avec le nettoyant à soda club.

Nettoyant à vitres PLUS, pour l'extérieur (en pulvérisateur)

Un mélange moitié-moitié de vinaigre blanc et d'eau dans un contenant à pulvérisateur. Le vinaigre facilite la dissolution des sels minéraux présents sur la surface extérieure des fenêtres, mais il est moins efficace contre la saleté graisseuse que l'on retrouve à l'intérieur.

237

Nettoyant à vitres d'intérieur, grandes surfaces (en chaudière)

Pour nettoyer de grandes surfaces de vitres intérieures, utilisez une solution faite d'un petit jet de nettoyant liquide à vaisselle dans un seau d'eau chaude.

Nettoyant à vitres pour l'extérieur, grandes surfaces (en chaudière)

Pour nettoyer de grandes surfaces de vitres extérieures, utilisez une solution faite de 60 ml ($1/4$ t) de vinaigre dans un sceau d'eau chaude.

Nettoyant à vitres commercial

Rappelez-vous que les nettoyants maison sont les préférés des professionnels et des analyses d'efficacité. Les nettoyants commerciaux sont souvent de piètre qualité et laissent des stries. Ils contiennent de l'ammoniaque – leur odeur caractéristique – dont la présence est indésirable dans la perspective du présent guide.

À défaut de trouver les marques ci-dessous et pour faire vite, recherchez un produit sans colorant. Sinon, des marques comme Nature Clean et Bio-Vert ont quelques produits certifiés Choix environnemental avec l'Éco-Logo, et leurs autres produits démontrent un parti pris pour la sécurité.

La marque Windex offre maintenant un Nettoyant Multi-Surface Vinaigre sans ammoniaque et sans odeur de vinaigre. La présence de vinaigre apparente ce nettoyant aux solutions maison, mais la présence de parfum et l'absence d'odeur de vinaigre soulève des doutes. Windex enverrait un message vraiment clair en faisant certifier ce nettoyant et les autres par le programme Choix environnemental (Éco-Logo).

Nettoyant à voitures

Les spécialistes déconseillent d'utiliser n'importe quel nettoyant ménager dont la puissance peut s'attaquer à la couche de cire couvrant la peinture de votre automobile. Le nettoyant pour laver la vaisselle à la main qui est dit *doux* – donc avec un pH équilibré indiquant qu'il n'est pas trop alcalin – est en ce sens efficace, simple et économique. Toujours laver le véhicule à l'ombre, en commençant par le haut avec de gros torchons, gants ou éponges. Séchez pour éliminer les taches d'eau après avoir rincé.

Peu importe le nettoyant que l'on utilise, c'est l'action de frotter après l'avoir appliqué et avant de rincer qui permet d'éliminer la fine couche de saleté terne qui se dépose en roulant avec le véhicule. Le nettoyage sous pression avec un compresseur délogera en partie cette couche, mais n'évite pas d'avoir à passer un chamois pour éviter que des taches d'eau se forment au séchage. Les lave-auto avec brosses combinent tous ces éléments.

ODEURS DANS L'AIR, SUR LES SURFACES ET LES TISSUS

Voir *Chasse-odeurs* **(p. 187)**.

PAPIERS TISSUS

Cette expression désigne tous les produits papier d'usage courant, à l'exclusion du papier pour écrire. Essuie-tout, papier hygiénique, papier-mouchoir, serviettes et lingettes appartiennent donc à cette catégorie.

Papier essuie-tout

Les explications sur l'importance de rechercher une marque certifiée Choix environnemental avec son Éco-Logo sont données à la rubrique suivante sur le papier hygiénique. Elles valent tout aussi bien pour le papier essuie-tout. Dans un pays où les industries papetières et forestières occupent une place prépondérante, il s'agit d'un enjeu significatif parce que la certification garantit que la fabrication du produit fait l'objet de bonnes pratiques. Les marques April Soft (chez Zellers), Fiesta, Whisper et Atlantic fabriquées par Atlantic Produits d'emballage affichaient encore l'Éco-Logo il y a peu. La marque Produit Vert, Le Choix du Président (Provigo, Maxi, Loblaws) a cessé d'afficher l'Éco-Logo.

Greenpeace a lancé en avril 2004 un *Guide d'achat sur les papiers jetables* (www.greenpeace.ca/f/) pour encourager l'utilisation des marques de papier tissu dont la fabrication ne nuit pas aux forêts anciennes, utilise au maximum les fibres recyclées et n'utilise pas de chlore. Le critère retenu est la norme de qualité Forest Stewardship Council (FSC). Ce guide présente l'avantage d'élargir le choix des marques de papier qui méritent notre appui. Les listes mises à jour en continu sont disponibles sur Internet (www.greenpeace.ca/papiers/).

Les produits sont classés en trois listes : verte (à préférer), jaune (à éviter lorsque les produits de la liste verte sont disponibles), rouge (à éviter toujours). Sont ici énumérées les marques à préférer de la **liste verte** et celles de la **liste rouge** à éviter : celles de la liste jaune peuvent être consultées sur Internet (www.greenpeace.ca/papiers/), pour éviter d'allonger le présent texte.

PAPIER ESSUIE-TOUT

LISTE VERTE (À PRÉFÉRER)

- **Cascades :**
  Cascades, Cascades Ultra
- **Seventh Generation :**
  Seventh Generation
- **Metro / Briska :**
  Econochoix, Selection Merit
- **Super C :**
  Super C
- **Atlantic Packaging :**
  Fiesta, Atlantic, Atlantic Extra Absorbent

- **Dominion / A&P :**
  Equality
- **Loblaws / Sunfresh / Provigo / Maxi :**
  PC Vert
- **Sobeys :**
  Compliments Value
- **Earth Friendly Products :**
  Earth Friendly Products
- **Safeway Canada :**
  Recycled

LISTE ROUGE (À ÉVITER)

- **Loblaws / Sunfresh / Provigo / Maxi :**
  Sans Nom, PC Ultra Absorbent
- **Sobeys :**
  Compliments Jumbo
- **Jean Coutu :**
  Personnnelle
- **Rexal :**
  Soak Up!
- **Uniprix :**
  Option +
- **Shoppers Drug Mart / Pharmaprix :**
  Life Extra Strong, Life, Life Thirsty

- **Irving Paper :**
  Royale Premier, Majesta
- **Papiers Scott :**
  Scott Towels, Scott Towels Ultra, Scott Towels Super Mega, Viva, White Swan
- **Procter and Gamble :**
  Bounty, Bounty Ultra, Bounty White, Bounty Big Sheets, Bounty Cooking, Bounty Designer's Touch.
- **Costco :**
  Kirkland Signature

239

PAPIER HYGIÉNIQUE

Protégez-Vous a trouvé que les formats de papier hygiénique sont si variés que seul le poids permet de comparer les prix des diverses marques[46].

Avec ce critère, on voit que les prix varient du simple au *triple* (0,21 à 0,63 $ le rouleau standardisé de 80 g). On constate aussi qu'il vaut la peine de rechercher les rabais et que ce sont les grands formats qui offrent les meilleurs prix. Il s'avère enfin qu'il ne faut pas croire que les rouleaux doubles sont toujours deux fois plus lourds que les rouleaux simples.

En plus de l'économie, un critère important pour le choix d'une marque est la certification Choix environnemental avec l'Éco-Logo ci-contre. Non seulement la certification garantit l'utilisation de fibres recyclées, elle garantit aussi l'innocuité de la fabrication – pas de blanchiment au chlore, efficacité énergétique et autres. Il s'agit d'un critère significatif dans un pays où les industries papetières et forestières occupent une place prépondérante. Donnez à votre arrière-train l'occasion d'exprimer son idéal d'un monde meilleur.

Les études de marché des fabricants leur disaient il y a peu que nous souhaitions avant tout de la *douceur*, et que certains d'entre nous peuvent être rebutés par le papier de fibre recyclée quand il est perçu comme un papier de moindre qualité. Les temps changent et les compagnies tentent de s'afficher plus vertes, ce qui ne signifie pas qu'elles le soient, à moins d'être identifiées par un mécanisme de certification ou par les recherches d'un groupe comme Greenpeace.

L'utilisation systématique de fibres recyclées semble diminuer, plus ou moins, la douceur et la résistance du papier. Au besoin, éduquons notre coussin fessier à la douceur supérieure des produits certifiés, qui sont plus *doux* pour la santé et l'environnement.

Les marques April Soft (chez Zellers), Fiesta, Whisper et Atlantic fabriquées par Atlantic Produits d'emballage affichaient encore l'Éco-Logo il y a peu. Ce sont des marques plutôt économiques.

La marque Produit vert, Le Choix du Président (chez Loblaws, Provigo, Maxi) a cessé d'afficher l'Éco-Logo.

Le choix d'un papier non blanchi au chlore abaisse la diffusion de dioxines dans l'environnement, lesquelles sont susceptibles de remonter la chaîne alimentaire et d'aboutir dans nos corps par la nourriture.

Les dioxines présentent un enjeu majeur : ce sont des cancérogènes reconnus, des perturbateurs endocriniens et des polluants persistants. Notre popotin a bel et bien le pouvoir de diminuer notre soupe chimique corporelle en utilisant les marques de la **liste verte** et en évitant celles de la **liste rouge** (la liste jaune peut être consultée sur Internet).

Papier hygiénique

LISTE VERTE (À PRÉFÉRER)

- **Cascades:**
  Cascades
- **Dollarama:**
  Fluffs
- **Basic Choice:**
  Basic Choice
- **Seventh Generation:**
  Seventh Generation
- **Metro/Briska:**
  Econochoix, Selection Merit
- **Super C:**
  Super C
- **Atlantic Packaging:**
  Fiesta, April Soft, Ambiance
- **Dominion/A&P:**
  Equality

- **Loblaws/Sunfresh/Provigo/Maxi:**
  PC Vert
- **Sobeys:**
  Compliments Value
- **Basics for Less:**
  Basics for Less
- **Best Buy:**
  Best Buy
- **Twice as Soft:**
  Twice as Soft
- **Earth Friendly Products:**
  Earth Friendly Products
- **Safeway Canada:**
  Recycled

LISTE ROUGE (À ÉVITER)

- **Zellers:**
  Truly
- **Dominion/A&P:**
  Master Choice
- **Loblaws/Sunfresh/Provigo/Maxi:**
  Choix du President (PC), PC Super Soft,
  PC 3 Plis, Sans Nom, Sans Nom Premium
- **Sobeys:**
  Compliments
- **Jean Coutu:**
  Personnelle
- **Rexal:**
  Soft Touch
- **Uniprix:**
  Option +
- **Shoppers Drug Mart/Pharmaprix:**
  Life, Life Cuddly Soft

- **Irving Paper:**
  Royale, Royale Ultra,
  Royale Kitten Soft, Majesta
- **Papiers Scott:**
  Cottonelle, White Swan, Purex,
  Purex Pillowy Soft, Scott Premium,
  Soft and Pure, Capri, Cottonelle Ultra
- **Procter and Gamble:**
  Charmin, Charmin Ultra,
  Charmin Scents, Charmin Plus,
  Charmin Fresh Mates
- **Kimberly-Clark:**
  Kleenex, Kleenex Ultra Soft
- **Costco:**
  Kirkland Signature
- **Safeway Canada:**
  Safeway Select Thirsty, Safeway Soft,
  Safeway Select Softly Ultra,
  Safeway Select Softly.

Un simple achat de 4 rouleaux de papier hygiénique recyclé par tous les foyers canadiens préserve 72 900 arbres, évite l'enfouissement de 334 camions à ordures de pulpe, élimine 58 295 kg de pollution et sauve l'eau nécessaire à 854 familles de 4 personnes pendant 1 an. De plus, les papiers blanchis au chlore émettent dans l'environnement des dioxines, cancérogènes, qui font leur chemin jusque dans notre nourriture et notre corps. Combien de rouleaux utilisez-vous?

L'expression papier recyclé prête à confusion. Soyons clairs : le papier hygiénique dit recyclé n'est **jamais** constitué de papier hygiénique usagé! Le doute à cet égard semble alimenter, chez certaines personnes, une réticence à utiliser ce type de produit. En fait, on devrait plutôt dire *papier fait de fibres recyclées*, fibres qui sont en réalité de toute première qualité. La matière recyclée servant à la fabrication vient de la collecte dans les résidences et bureaux, ce que signifie l'expression fait de papier recyclé postconsommation.

PAPIER-MOUCHOIR

Les marques April Soft (chez Zellers), Fiesta, Whisper et Atlantic fabriquées par Atlantic Produits d'emballage affichaient encore il y a peu l'Éco-Logo de la certification Choix environnemental. Consultez le *Guide d'achat sur les papiers jetables* de Greenpeace (voir la rubrique sur le papier essuie-tout plus haut).

On remarquera que la plupart des grandes marques comme Scotties, Royale, Puffs, Kleenex sont dans la liste à éviter. Il est plus que temps que ces grands investissent une part de leur génie pour protéger notre santé : dites-le-leur. Malheureusement, les papiers-mouchoirs des marques à préférer n'offrent pas la variété plus douce et épaisse (3 épaisseurs).

SERVIETTES DE PAPIER

Les marques April Soft (chez Zellers), Fiesta, Whisper et Atlantic fabriquées par Atlantic Produits d'emballage portaient il y a peu l'Éco-Logo de la certification Choix environnemental. D'après le *Guide d'achat sur les papiers jetables* (voir la section sur le papier essuie-tout).

PAPIERS, LINGETTES ET CHIFFONS PRÉHUMECTÉS

Ce type de produits connaît depuis peu un développement exponentiel. De nouvelles marques et de nouveaux formats déboulent sur les étagères des commerces chaque semaine. On les retrouve aussi bien dans les produits d'entretien, de soins pour bébé, de démaquillage, de soins pour l'incontinence et d'hygiène féminine.

Les prix unitaires varient de 6 à 91 ¢, les grands formats à 80 et 140 unités offrant les plus bas. Les dimensions varient aussi beaucoup, seules les plus petites pouvant être éliminées dans la cuvette : vérifiez l'indication sur l'emballage. Les textures varient du type papier-mouchoir au type papier essuie-tout.

PAPIER-MOUCHOIR

LISTE VERTE (À PRÉFÉRER)

- **Cascades:**
  Cascades, Cascades Ultra

- **Seventh Generation:**
  Seventh Generation

LISTE ROUGE (À ÉVITER)

- **Kimberly-Clark:**
  Kleenex Anti-Viral, Kleenex,
  Kleenex Expressions,
  Kleenex Family, Kleenex Ultra
- **Metro/Briska:** Selection Merit
- **Super C:** Super C
- **Dominion/A&P:**
  Equality, Master Choice
- **Loblaws/Sunfresh/Provigo/Maxi:**
  Choix du President (PC), PC plus lotion,
  Sans Nom
- **Sobeys:** Smartchoice, Nos compliments
- **Jean Coutu:** Personnnelle
- **Rexal:** Rexal

- **Uniprix:** Option +
- **Safeway Canada:**
  Safeway Select Softly, Safeway Soft
- **Shoppers Drug Mart / Pharmaprix:**
  Life, Life Ultra
- **Irving Paper:**
  Royale, Royale Ultra, Majesta
- **Papiers Scott:**
  Scotties Supreme, White Swan,
  Scotties Lotion, Scotties
- **Procter and Gamble:**
  Puffs, Puffs plus lotion,
  Puffs Extra Strength,
  Plus Extra Large

SERVIETTES DE PAPIER

LISTE VERTE (À PRÉFÉRER)

- **Cascades:** Décor
- **Seventh Generation:**
  Seventh Generation
- **Metro/Briska:**
  Econochoix, Selection Merit

- **Super C:** Super C
- **Atlantic Packaging:** Atlantic, Champion
- **Loblaws/Sunfresh/Provigo/Maxi:**
  No Name. Safeway Canada: Recycled.

LISTE ROUGE (À ÉVITER)

- **Loblaws/Sunfresh/Provigo/Maxi:**
  Choix du President (PC)
- **Sobeys:** Compliments Premium
- **Shoppers Drug Mart/Pharmaprix:** Life
- **Irving Paper:**
  Royale, Royale Ultra

- **Papiers Scott:** Scott, White Swan
- **Procter and Gamble:** Bounty
- **Kimberly-Clark:** Kleenex, Kleenex
  Boutique, Kleenex Hi-Dri
- **Safeway Canada:** Safeway Soft, Safeway
  Select Premium Dinner Napkin.

SERVIETTES POUR SOINS PERSONNELS

Elles servent pour les foufounes de bébé, les débordements de l'incontinence, les soins d'hygiène féminine et le démaquillage. Attention : certaines marques ne peuvent être jetées à la cuvette, d'autres si – et on les préfère. Retenez les marques dépourvues de parfums synthétiques.

Il existe des formats de poche pour l'hygiène féminine et pour se dégommer les mains à l'extérieur, en voiture et ailleurs.

Le récent développement de l'offre des serviettes préhumectées est peut-être annonciateur d'une réconciliation entre l'Occident industrialisé et le reste du monde.

En la rebaptisant sous le nom de *torchette*, la lingette préhumectée pourrait contribuer à amoindrir le déficit d'hygiène dont font preuve les habitants des pays industrialisés parce qu'ils utilisent du papier hygiénique sec pour se dégarnir l'arrière-train des résidus de déféquât. Déficit d'hygiène qui n'est pas sans lien avec les irritations et démangeaisons de ladite zone. Il s'agit bien là d'un enjeu transculturel d'hygiène publique qui n'a pas fini de faire jaser dans les chaumières. Des fabricants offrent déjà une variété de lingettes susceptibles de contribuer à la solution ou au débat.

Qui songerait à se laver les mains à sec, sans eau et avec un essuie-tout ? C'est pourtant ce que l'on fait avec nos brioches et le papier hygiénique. Pareille négligence soulève un véritable dégoût dans la plupart des pays moins développés, dégoût qui est évidemment à la hauteur exacte de celui qui a cours dans l'Occident industrialisé face à la découverte de la technique des ablutions avec la main gauche pratiquée ailleurs.

À défaut d'avoir accès à un bidet, certains avaient déjà importé en Occident une sorte de douchette attachée au réservoir de la toilette : avec l'habitude, cet accessoire permet d'améliorer significativement l'hygiène postérieure.

Autrement, combiner papier hygiénique sec et lingette préhumectée est peut-être de nature à réduire les montagnes de papier hygiénique utilisées par certaines personnes pour s'astiquer la carrosserie subdorsale. Elle ne représenterait donc pas, en ce sens, un gaspillage de ressources.

Attention, n'utilisez pas sur la peau intime un produit parfumé ou corrosif comme les serviettes préhumectées conçues pour l'entretien des surfaces.

La *torchette* s'éliminera aisément dans la cuvette si elle est conçue pour l'être. Vérifiez que les lingettes que vous avez choisies à cet effet peuvent effectivement être jetées à la toilette : seule une minorité des serviettes préhumectées le peuvent. Les autres risquent d'obstruer les canalisations.

Consumer Reports a analysé les torchettes de grandes marques comme Charmin et Cottonelle, par ailleurs difficiles à trouver au Québec[47]. Toutes les marques s'évacuaient par la cuvette, mais seule la marque Cottonelle se désintégrait rondement – ce qui est important pour les fosses septiques et champs d'écoulement. Souvent plus solides que les essuie-tout, elles étaient offertes en format de 100 feuilles pour 1 à 4 $. Solution à un problème que l'on ignorait avoir, comme le dit *Consumer Reports*, ce produit n'est pas à écarter sans essai raisonnable pour limiter le gaspillage.

244

À l'aube de ce qui constitue peut-être une percée majeure de la civilisation, un défi est donc lancé au complexe industriel pour qu'il mobilise ses ressources en recherche et développement sur la conception d'une torchette susceptible d'endiguer les irritations anales de l'Occident industrialisé. À moins que le concept de douchette adjointe à la cuvette séduise les démangés.

CHIFFONS POUR L'ENTRETIEN

Ils servent pour les dégâts, l'époussetage, le nettoyage des planchers, de la vaisselle et d'un endroit moins attrayant comme la cuvette.

La commodité des serviettes est indéniable mais certains usages sont déconseillés parce qu'ils s'apparentent à un gaspillage de ressources.

Ne les utilisez pas pour l'époussetage humide. Un simple chiffon rincé et essoré fait un excellent boulot, sans les parfums déconseillés qui accompagnent les serviettes spécifiquement conçues pour l'époussetage.

Les formats prévus pour le nettoyage des planchers ne peuvent laver qu'une surface très restreinte sans être surchargés de saletés; un simple linge rincé et essoré fera beaucoup mieux.

Comme une lotion à mains désinfectante, un chiffon préhumecté avec de l'alcool à au moins 60 % est suggéré par les chercheurs pour nous protéger de la contamination microbienne au bureau. Le combiné téléphonique est l'élément sur lequel on a noté la faune microbienne la plus importante; et la poignée de porte arrive en second. Bureau et dessus de clavier gagneront aussi à être essuyés avec le chiffon. Tous ces éléments ne doivent pas présenter de saleté visible. Si tel est le cas, les nettoyer avant d'essuyer avec le chiffon à l'alcool.

PARFUMS DANS LES NETTOYANTS

Le terme «fragrance» dans la liste des ingrédients d'un produit indique la présence de substances en grande partie synthétiques qui soulèvent aujourd'hui de multiples appréhensions. Bien qu'utilisées en quantités minimales, nombre d'entre elles sont des neurotoxiques et des cancérogènes, en plus de pouvoir déclencher l'asthme.

245

Une évaluation du National Institute of Occupational Safety and Health des États-Unis établissait en 1989 que 884 des 2 983 fragrances testées pouvaient être considérées comme toxiques pour la santé humaine[48]. Or, une seule fragrance peut facilement être constituée de 100 à 400 substances.

La Food and Drug Administration signale que les réactions aux fragrances incluent maux de tête, étourdissements, démangeaisons, toux, vomissements et réactions cutanées allergiques.

Les parfums présents dans les produits d'entretien sont suffisamment nocifs pour que la Société canadienne d'hypothèques et de logement (SCHL) conseille de les éviter pour empêcher l'apparition et l'exacerbation de l'asthme[49].

■ Éliminez les détergents chimiques puissants et les produits de nettoyage parfumés.

- Évitez les assainisseurs d'air et les désodorisants. Ils masquent les odeurs au lieu de les éliminer et ils ajoutent des polluants dans l'air.
- Éliminez des chambres les sources d'émanations chimiques, dont les parfums et les meubles en panneaux de particules (…).

Assainisseurs d'air et assouplissants à lessive sont des produits d'entretien particulièrement chargés de parfum.

PEROXYDE D'HYDROGÈNE (À 3%)

Il s'agit de celui-là même que l'on utilise pour désinfecter les plaies, embouteillé dans sa petite fiole brune et facile à trouver en pharmacie. C'est un blanchisseur non javellisant, non corrosif et non toxique dans les eaux de rejet, à l'inverse de l'eau de Javel.

C'est une variante de ce blanchisseur qui est utilisé dans les blanchisseurs sans danger pour les couleurs, de même que dans ces nettoyants avec le préfixe « oxy ».

Il peut créer de la décoloration même s'il est doux. Vérifiez avant de l'utiliser, pour éliminer par exemple le résidu de couleur rouge laissé par une tache de vin, après l'avoir épongé : consultez la section sur les taches pour la façon de procéder.

CPF[50] – PROTECTION CONTRE LES TACHES

Les fluorotélomères sont un type de composés polyfluorés (CPF ou PFC, en anglais) qui se dégraderaient dans l'organisme en acides perfluorés (APF ou PFA, en anglais), dont l'acide perfluorooctanoïque (APFO). On qualifie donc les fluorotélomères de précurseurs de l'APFO[51].

À quoi servent les fluorotélomères ? À une multitude d'usages. Ils imperméabilisent les vêtements, protègent les tapis et les tissus contre les taches, servent à imperméabiliser les contenants pour la nourriture grasse comme les frites et la pizza, aident à démêler les cheveux lorsqu'on les ajoute aux shampooings et empêchent les aliments d'adhérer au fond des casseroles. On en trouve également dans certains produits de nettoyage (toilettes et douche), ce qui réduit l'adhérence de la saleté et facilite l'entretien. En somme, l'utilisation des fluorotélomères est maintenant généralisée.

En quoi l'APFO généré par les fluorotélomères est-il nocif ? L'APFO est persistant dans l'environnement et dans l'organisme, et il est omniprésent dans les analyses de sang humain partout dans le monde. L'APFO a divers effets sur la santé, notamment un moindre poids à la naissance[52], mais ce serait surtout un cancérogène probable, selon un avis de l'Environmental Protection Agency (EPA) des États-Unis émis en janvier 2006. Selon cet avis, des mesures plus strictes doivent être adoptées pour protéger la santé de la population[53]. Peu avant, l'EPA avait signé une entente volontaire avec le fabricant de Téflon DuPont et sept autres compagnies pour réduire de 95 % l'utilisation de ce produit d'ici cinq ans, puis l'éliminer d'ici 2015.

Le Environmental Working Group (EWG) des États-Unis a accompli un travail de pionnier pour faire comprendre en quoi la santé de la population est mise en jeu par l'APFO. Sa consigne générale pour le public est d'éviter les protections contre les taches sur tapis, fauteuils et vêtements, les accessoires de cuisine avec un antiadhésif comme le Téflon, les préparations de maïs soufflé pour micro-ondes dont le sac est imprégné de protection, les nettoyants comprenant un antiadhésif, souvent annoncé comme du genre Téflon, pour empêcher la saleté de se fixer sur les surfaces.

pH

Il s'agit d'une échelle de 1 (très acide) à 14 (très alcalin), avec 7 comme valeur neutre (ni acide ni alcalin), décrivant une propriété importante des substances utilisées comme nettoyants, entre autres.

Un savon à mains dit *doux* ou un nettoyant à vaisselle dit *doux* auront un pH légèrement supérieur à 7; leur version normale aura un pH d'environ 10. Un nettoyant à tuyaux (débouche-tuyaux) aura un pH jusqu'à 14.

Ajouter du bicarbonate de soude (pH de 8,4) à du vinaigre (pH de 2,9) causera un bouillonnement au terme duquel les deux substances se seront neutralisées.

Le pH ne dit pas tout du pouvoir et de la nature d'une substance, mais il donne une de ses caractéristiques très utiles dans la confection de nettoyants.

VALEURS MOYENNES DE DIVERSES SUBSTANCES
- Acide chlorhydrique (HCl) = 0
- Jus gastrique = 1
- Jus de lime = 1
- Jus de citron = 2,5
- Vinaigre = 2,9
- Coca-cola = 3
- Vin = 3,5
- Jus d'orange = 4
- Jus de tomate = 4,1
- Café noir = 5
- Pluie acide = 5,6
- Urine = 6
- Eau de pluie = 6,5
- Lait = 6,6
- Eau pure = 7 (pH équilibré)
- Sang = 7,4
- Bicarbonate de soude = 8,4
- Borax = 9,2
- Dentifrice = 9,9
- Lait de magnésie = 10,5
- Eau de Javel = 10,5
- Cristaux de soude = 11
- Ammoniaque domestique = 11,9
- Soude caustique (hydroxyde de sodium) = 14

PHOSPHATES

Ce sont les agents de renfort les plus efficaces dans les produits nettoyants. Mais ils ont le redoutable défaut de causer la prolifération d'algues dans les bassins d'eau, lesquelles asphyxient les bassins, à la longue. Heureusement, il existe des substituts.

La Loi canadienne sur la protection de l'environnement n'autorise plus, depuis mars 2000, que des quantités minimales de phosphates dans les détergents à lessive (preuve que les gouvernements sont en partie sensibles aux risques pour la santé et l'environnement).

La mention *sans phosphate* que l'on trouve encore sur les emballages de certains détergents n'est qu'un attrape-nigaud qui joue sur l'ignorance fort compréhensible de la majorité des gens.

En fait, les phosphates ont commencé à être éliminés des détergents à vaisselle par l'intégration de substituts, faute de quoi les minéraux de l'eau dure annulent le pouvoir nettoyant des détergents.

PHOSPHATE TRISODIQUE (PTS)

Il s'agit d'un nettoyant puissant et fortement alcalin, il peut causer des irritations mais ne présente pas de dangers à long terme connus pour la santé.

Il ne désinfecte pas en soi, mais son action nettoyante puissante débarrasse les surfaces des salissures humides qui génèrent les moisissures.

Pour nettoyer les surfaces après un dégât d'eau – murs, planchers en béton – la Croix-Rouge suggère par exemple d'utiliser indifféremment une solution de 75 ml (5 c à s) de cristaux de soude ou de phosphate trisodique dans 4,5 l (1 gallon) d'eau.

Bien que passé de mode chez les particuliers, il est toujours disponible en quincaillerie et dans les magasins de produits naturels. Fréquemment utilisé dans la construction pour nettoyer les murs. Ne pas mélanger le phosphate trisodique avec l'eau de Javel.

PLANTES, SCELLANT DE SOUS-PLATS

Voir *Scellant à sous-plats à plantes* **(p. 255)**.

POLI À ARGENTERIE ET MÉTAL

Il existe un nettoyant à argenterie et métal commercial réputé relativement moins nocif que les autres. Évitez absolument le format aérosol. Sa bruine vous expose à l'inhalation des fines particules du produit. Or, la marque Hagerty & Son offre son poli à argenterie en lotion. Utilisez tant que faire se peut le Nettoyant à argenterie maison simple et le Nettoyant à argenterie maison, plus puissant **(p. 223)**.

POLI À MEUBLES

Utilisez toujours des chiffons doux. Appliquer et polir sont deux opérations différentes qui nécessitent deux chiffons doux différents. Évitez les polis à meubles commerciaux qui n'ont le plus souvent d'autre fonction que d'humidifier la surface et de la parfumer brièvement : les parfums de synthèse sont déconseillés.

Le poli à meuble ne facilite pas la tâche en humidifiant la surface, puisqu'il faut de toute façon rincer notre chiffon au gré de l'accumulation de la poussière. Plus encore, la plupart des surfaces d'utilisation intense sont peintes ou vernies et ne requièrent pas de protection supplémentaire, comme peut en avoir besoin le bois brut.

Le poli contient un gras qui laisse un film et attire la poussière. Il importe d'éviter impérativement les polis en format aérosol à cause des risques d'inhalation.

Pour les irréductibles du poli, ou pour traiter occasionnellement les surfaces non vernies ou non peintes, un poli ramasse-poussière maison facile à fabriquer est décrit un peu plus loin. Son efficacité a été prouvée.

POLIS À MEUBLES COMMERCIAUX

Évitez le format aérosol ; toujours choisir le format en pulvérisateur. De nombreux polis commerciaux peuvent causer des irritations et tous doivent être utilisés de façon à éviter un contact avec la peau.

Des analyses d'efficacité ont démontré la supériorité des polis à meubles confectionnés maison, et tout simples à créer.

POLIS À MEUBLES MAISON

MEUBLES DE BOIS VERNI

L'essence d'un poli étant d'être constitué d'un corps gras qui revitalise le bois, il est contradictoire de vouloir appliquer un poli sur un bois scellé par un vernis. Mais c'est une habitude tellement ancrée chez certaines personnes qu'il vaut mieux proposer la solution suivante – qui a au moins le mérite d'être entièrement sécuritaire et de faire office de ramasse-poussière. Elle ne contient qu'une quantité minimale de gras.

Mélangez dans un contenant à pulvérisateur 5 ml (1 c à c) d'huile d'olive, 60 ml (4 c à s) de vinaigre blanc et 500 ml (2 t) d'eau chaude. Ajoutez au goût pas plus de 10 gouttes d'huile essentielle naturelle – plutôt celle de menthe poivrée, qui sert ailleurs, que celle de citron, réputée fragilisante. Agitez et appliquez directement ou sur un chiffon doux. Essuyez immédiatement.

Utiliser le modèle d'étiquette (p. 173) fourni pour identifier le contenant.

MEUBLES DE BOIS NON VERNI

Nettoyez régulièrement avec un chiffon à peine humide. À l'occasion, utilisez le poli à meubles suivant, le même que pour le bois verni en réalité.

Mélangez dans un contenant à pulvérisateur 5 ml (1 c à c) d'huile d'olive, 60 ml (4 c à s) de vinaigre blanc et 500 ml (2 t) d'eau chaude. Ajoutez au goût pas plus de 10 gouttes d'huile essentielle naturelle – plutôt celle de menthe poivrée, qui sert ailleurs, que celle de citron, réputée fragilisante. Agitez et appliquez directement ou sur un chiffon doux. Essuyez immédiatement.

Pour un traitement en profondeur, utilisez le poli maison suivant. Emplir un contenant à bec gicleur de 250 ml (1 t) avec 75 % (190 ml) d'huile d'olive et 25 % (60 ml) de vinaigre blanc. Ajoutez au goût au plus 10 gouttes d'huile essentielle – plutôt celle de menthe poivrée, qui sert ailleurs, que celle de citron, réputée fragilisante. Agitez assez pour bien mélanger avant utilisation. Appliquez sur un chiffon doux ou directement. Polir à fond. Utilisez le modèle d'étiquette **(p. 173)** fourni pour identifier le contenant.

MEUBLES DE BAMBOU

Frottez avec un chiffon doux trempé dans une solution d'eau chaude salée. Le sel aide à préserver la couleur d'origine.

POUDRE À RÉCURER

POUDRE À RÉCURER COMMERCIALE

Les marques commerciales nationales contiennent toutes, sauf exception, un blanchisseur javellisant corrosif, nuisible et nocif dans les eaux de renvoi. La plupart des marques contiennent aussi un cancérogène, la silice cristallisée. La marque Bon Ami, seulement aux États-Unis, est dépourvue de blanchisseur javellisant.

POUDRE À RÉCURER MAISON

Pour les taches occasionnelles qui requièrent le pouvoir abrasif d'une poudre à récurer, saupoudrez simplement un peu de bicarbonate de soude sur une éponge à récurer humide – le bicarbonate est un abrasif doux. Vous éliminez ainsi un autre nettoyant qui ne sert souvent qu'à l'occasion.

Facilitez-vous la tâche en perforant le dessus de la boîte de bicarbonate avec un tournevis. Laissez-la dans le panier de produits nettoyants, prête pour utilisation. Mieux, conservez le bicarbonate de soude dans un contenant à saupoudrer **(p. 266)**.

Vous pouvez parfumer le bicarbonate avec au plus une dizaine de gouttes d'huile essentielle à la menthe poivrée. Mais les huiles sont puissantes et peuvent à long terme causer une hypersensibilité. Mieux vaut limiter leur utilisation. Notez qu'il est possible de se confectionner une crème à récurer simple et efficace, à base de bicarbonate et de nettoyant **(p. 194)**.

Il est aussi possible de préparer des poudres à récurer maison plus puissantes que le seul bicarbonate de soude. Les conserver dans les contenants à saupoudrer **(p. 266)** achetés en conséquence.

POUDRE À RÉCURER DÉGRAISSANTE

Mélangez 125 ml ($^1/_2$ t) de cristaux de soude **(p. 195)** à 500 ml (2 t) de bicarbonate de soude. Conservez dans un contenant à saupoudrer.

Très alcalins, les cristaux de soude ajoutent un pouvoir dégraisseur très efficace sur les taches de tout ordre. Toujours porter des gants lorsque vous manipulez les cristaux de soude parce qu'ils dissolvent les huiles naturelles de la peau. Utilisez le modèle d'étiquette **(p. 174)** fourni pour identifier le contenant.

POUSSIÈRE, ENDUIT RAMASSE-POUSSIÈRE

Voir la rubrique *Ramasse-poussière, enduit* **(p. 251)**.

PROTÈGE-SURFACE, SURFACES DURES

Les enduits protecteurs à pulvériser qui sont dits à base de Téflon doivent être éliminés de nos produits. La commodité relative qu'il procurent est compensée par leur contribution inacceptable à la soupe chimique environnementale et corporelle. Voyez les explications sur les CPF (p. 246) contenus dans ces produits.

PROTÈGE-TAPIS

N'appliquez pas d'antitache, ou protège-tapis, qui appartient aux produits totalement déconseillés par les experts de la contamination chimique corporelle. Voyez les explications sur les CPF (p. 246) contenus dans ces produits.

PROTÈGE-TISSUS

Toutes les marques nationales connues sont fortement déconseillées pour des raisons de pollution permanente de l'environnement, de toxicité et d'apparition dans la soupe chimique corporelle d'une majorité de gens… à travers le monde. Voyez les explications sur les CPF (p. 246) contenus dans ces produits.

RAFRAÎCHISSANT POUR L'AIR

Voir la rubrique *Chasse-odeurs* (p. 187).

RAMASSE-POUSSIÈRE, ENDUIT

Ramasse-poussière commercial

Conçus pour faciliter la collecte de la poussière et réduire l'électricité statique qui l'attire, les enduits ramasse-poussière commerciaux ne sont pas nécessaires. Ils ne doivent surtout pas être achetés en format aérosol à cause du danger d'inhalation.

Les analyses d'efficacité donnent l'avantage aux polis à meubles ramasse-poussière maison. Pour les utiliser, humectez légèrement le chiffon et placez-le dans un sac après usage, pour éviter qu'il ne dépose l'huile dont il est imbibé là où vous le rangez.

Un simple chiffon de coton doux, comme en flanelle, légèrement humide et rincé au fur et à mesure, fait déjà une bonne part du travail nécessaire pour ramasser la poussière sans l'attirer par son fini huileux. L'humidité élimine l'électricité statique. Le poli à meubles ramasse-poussière maison ci-dessous est à ce titre très efficace, économique, sécuritaire et sympathique.

Les produits commerciaux sans huile ni cire, surtout s'ils sont en format aérosol, n'offrent rien qu'un chiffon légèrement humide ne donne. Certaines marques en aérosol sont recommandées par les revues d'informatique qui, à l'évidence, ne sont pas familières avec l'art ménager sécuritaire.

Ramasse-poussière maison

La solution maison a l'avantage d'être sécuritaire. Elle est aussi dite la plus efficace par les analyses d'efficacité. Elle est en outre économique. Trempez le chiffon à épousseter dans la solution suivante conçue pour le bois verni.

Mélangez dans un contenant à pulvérisateur 10 ml (2 c à c) d'huile d'olive, 60 ml (4 c à s) de vinaigre blanc et 500 ml (2 t) d'eau chaude. Ajoutez au plus 10 gouttes d'huile essentielle (menthe poivrée) – les huiles sont puissantes et peuvent causer à la longue une hypersensibilité. Agitez et appliquez directement ou sur un chiffon doux. Essuyez immédiatement.

Identifiez le contenant avec une photocopie de l'étiquette fournie à la rubrique *Utilisez ces étiquettes* **(p. 171)**. Laissez le chiffon sécher à l'air libre avant de l'utiliser.

SACS À ORDURES
SACS VERTS
L'achat par tous les foyers canadiens d'un seul paquet de 30 sacs verts à ordures constitué de résine recyclée sauve le pétrole nécessaire pour chauffer 1 550 maisons durant 1 an (37 500 barils d'huile). Il évite l'enfouissement du contenu de 190 camions à ordures. Il limite donc l'accroissement de la soupe chimique environnementale et corporelle.

Malheureusement, la grande majorité des sacs verts offerts en magasins pour usage domestique sont de résine vierge. Un problème d'approvisionnement en résine recyclée propre, non mélangée et abordable, limite l'offre de sacs à ordures verts pour usage domestique. Il semble qu'il va falloir attendre l'introduction de sacs à résine végétale largement utilisés en Europe pour avoir une alternative sensée. Certains commerces de produits naturels les offrent déjà.

Les sacs bruns compostables Biosak du fabricant Ralston, à base de résine végétale, offrent une partie de la solution.

Selon une revue des analyses du cycle de vie des sacs d'épicerie menée par Recyc-Québec, le gestionnaire des programmes de recyclage au Québec, le sac en plastique conventionnel présente un meilleur bilan que le sac en papier et le sac biodégradable (s'il est réutilisé ou recyclé). La raison en est que lorsqu'on met au recyclage un sac biodégradable, cela peut entraîner des problèmes importants pour le reste du plastique recyclé; et lorsqu'on le jette aux ordures (qui seront enfouies), cela entraîne des répercussions négatives pour l'environnement. Mais est-il vraiment préférable d'utiliser des sacs qui mettent des centaines d'années à se dégrader? Beaucoup de questions en suspens donc, mais l'enjeu des sacs en plastique fait l'objet d'études sérieuses, et on ne devrait pas tarder à avoir des conclusions plus claires.

Ne jetez pas les sacs conventionnels si vous en utilisez. Continuez à les recycler.

Ne mettez pas au recyclage les sacs en résine à base de carburant fossile, mais biodégradables : ils contamineraient le plastique recyclable.

Ne jetez pas aux ordures les sacs en résine végétale (maïs). Selon certains experts, ils contribueraient aux rejets des sites d'enfouissement qui contaminent le milieu souterrain. Qu'en faire? Ils pourraient se joindre au compost sans problème, mais que faire en attendant? Ce qui est passionnant, c'est que la question est enfin posée et une réponse ne devrait pas tarder à émerger.

Sacs à ordures pour la cuisine

Les commerces de produits nettoyants verts **(p. 285)** offrent des sacs pour la cuisine en matériau recyclé qui se vendent à des prix équivalents à ceux des marques en résine vierge.

SACS À EMPLETTES, USAGE UNIQUE

Les sacs en plastique à usage unique se fabriquent en une seconde, sont utilisés pendant 20 minutes et prennent de 100 à 400 ans à se dégrader dans la nature, à moins d'être brûlés à l'incinération en produisant dioxines cancérogènes et rejets à effets de serre.

On a évalué qu'à Delhi – il n'y a pas de sot métier –, chaque vache trimballe en moyenne 300 sacs de plastique dans son estomac.

Il s'en utilisait environ 2 milliards par année au Québec – 12 tonnes de plastique – avant qu'un mouvement s'engage pour en diminuer l'utilisation, ces dernières années.

SACS POUR ASPIRATEURS

Les sacs semblent appartenir au passé : une bonne part des nouveaux modèles d'aspirateurs utilisent une forme de technologie dite cyclonique, à l'initiative du fabricant Dyson, qui fut le premier à les introduire. Ce type d'aspirateur n'utilise pas de sacs.

Les sacs de moindre qualité sont moins susceptibles de retenir les particules fines de la poussière qui nous disposent aux irritations des voies respiratoires et maux de tête, en plus d'inclure les contaminants chimiques de la poussière. Ils ne font qu'agiter et projeter cette partie nocive de la poussière.

SAVON À MAINS ORDINAIRE LIQUIDE

Recherchez les marques sans parfum et sans produit antibactérien, pour les motifs donnés à la rubrique suivante.

Il existe des marques de qualité, sans ingrédients dérivés des animaux ou du pétrole, comme Nature Clean.

SAVON À MAINS DÉSINFECTANT

Savons à mains dits antibactériens

Les savons à mains vendus avec la notation *antibactérien* sont constitués avec du triclosan. Ils éliminent des bactéries avec lesquelles on vit très bien, mais n'éliminent pas les bactéries et virus pouvant nous rendre malades. Pire encore, la majorité des spécialistes les soupçonnent de causer le développement de bactéries plus résistantes.

Les fabricants de ces savons soulignent que les centres de prévention des maladies contagieuses affirment que 80 % des maladies infectieuses sont transmises par les mains. De quoi inquiéter le client, en effet. Mais ils ne spécifient pas que leur savon à base de triclosan ne peut rien contre les bactéries et virus qui nous rendent malades. On n'est pas loin ici de la fausse représentation.

Se frotter les mains durant 20 secondes avec de l'eau chaude savonneuse est la seule façon, en conditions réelles, de déloger 99 % des bactéries et virus porteurs de maladies lorsque nos mains sont visiblement sales. Lorsque nos mains ne sont pas visiblement sales, il est aussi possible d'utiliser une lotion désinfectante **(p. 213)** – qui requiert elle aussi de se frotter les mains durant au moins 15 secondes.

LOTION À MAINS DÉSINFECTANTE

Il existe des lotions à mains désinfectantes **(p. 213)** avec un réel pouvoir désinfectant. Elles ne sont par contre utiles que lorsque l'on ne dispose pas d'eau chaude et de savon. Par contre, les mains ne doivent pas être sales. Elles demandent que l'on se frotte les mains durant 15 secondes. Pas grande économie de temps à gagner ici.

Il tombe sous le sens de s'en tenir au savon et à l'eau chaude à moins d'un usage très particulier. La lotion est utile à l'extérieur, lorsque l'on ne dispose pas d'eau et de savon.

SAVON EN FLOCONS

Le savon ne convient pas à la lessive lorsque l'eau est dure parce qu'il laisse des résidus et fait ternir les tissus. Il est alors nécessaire de compléter avec un adoucisseur pour la lessive **(p. 180)**.

On trouve les deux marques mentionnées dans le paragraphe qui suit dans les commerces de produits nettoyants verts et de produits naturels. Notez que le coût moyen par brassée des détergents conventionnels est de 24 ¢.

Pure Source Flocons de savon en est une. Dr. Bronner's Sal Suds est plutôt un détergent qu'un savon. Ce produit utilise de l'huile de pin de la plus haute qualité. Les commerces de produits nettoyants verts vendent souvent d'autres produits de cette marque, mais pas celui-ci, qui est pourtant très apprécié comme détergent à lessive. À un coût de revient d'environ 25 ¢.

SAVON EN PAIN

254

Il ne s'agit pas de la savonnette habituelle, mais du pain de savon *nature* que l'on trouve avec les nettoyants ménagers. Ce n'est pas un détergent, dont il diffère tout à fait par sa composition.

Il n'est pas recommandé avec l'eau dure parce qu'il laisse un film sur tout. Il est bon avec les tissus délicats comme la soie et le Spandex, mais aussi avec les couches et le linge de bébé. Efficace lorsque frotté sur les taches de produits assouplissants. En vente un peu partout.

SAVON LIQUIDE

Il existe du savon liquide tout usage à base végétale. Il se fait aussi du détergent liquide tout usage à base végétale. Ils se trouvent sous forme concentrée ou non, dans les commerces de produits nettoyants verts et de produits naturels.

Le savon ne convient pas à la lessive lorsque l'eau est dure parce qu'il laisse des résidus et fait ternir les tissus. Il est alors nécessaire de compléter avec un adoucisseur pour la lessive **(p. 180)**.

Le savon Pur-Castille liquide est un ingrédient qui peut se substituer à l'occasion au nettoyant à vaisselle translucide dans les nettoyants maison proposés par le présent guide. Il paraît cher mais c'est parce qu'il est concentré. Une petite quantité suffit pour la majorité des recettes.

Nature Clean offre un Savon pur liquide, 100 % Castille, pour mains, visage et corps. Dr. Bronner's Magic Soap est un Savon Pure-Castille.

SCELLANT À SOUS-PLAT DE PLANTES

Il existe des scellants à appliquer sur les sous-plats de plantes en terre cuite. Ils présentent l'avantage significatif d'éviter la formation de taches d'eau sous les sous-plats.

N'utilisez pas le format aérosol. Certaines marques sont présentées en liquide à appliquer au pinceau et d'autres, en pulvérisateurs – qui diffère de l'aérosol et est acceptable.

Il existe un imperméabilisant à base de silicone pour les tentes de camping qui est moins onéreux et qui est réputé aussi efficace. Évitez là aussi le format aérosol.

SCELLANT À TUILES DE DOUCHE ET DE PLANCHER

Évitez les tuiles à fini poreux exigeant un entretien qui n'a pas sa place dans nos vies occupées. N'utilisez pas sur les tuiles les protège-surfaces ou nettoyants contenant un protège-surface comme le Téflon. Ils contiennent parmi leurs ingrédients des CPF toxiques qui aboutissent dans notre soupe chimique corporelle. Voir les explications à la rubrique *CPF* **(p. 246)**.

SEL DE CITRON (ACIDE OXALIQUE)

Il est en vente en pharmacie, dans un petit contenant d'environ 25 g qui est facile à glisser dans une trousse de voyage. Très efficace contre les taches de rouille sur les tissus : mouillez la tache, appliquez le sel, laissez reposer de une à deux heures. Élimine aussi les taches de rouille sur la porcelaine des cuvettes, éviers et baignoires.

SERVIETTES DE PAPIER

Voir la rubrique *Papiers tissus* **(p. 238)**.

SODA À NETTOYER

Voir la rubrique *Cristaux de soude* **(p. 195)**.

SODA CLUB OU *CLUB SODA* (ET NON LE SODA TONIQUE)

C'est une simple eau gazéifiée, qui peut servir comme excellent lave-vitres maison en pulvérisateur – même après que l'effervescence a disparu.

Légèrement alcalin, comme le sont les lave-vitres commerciaux à cause de la présence d'ammoniaque (l'ammoniaque est la substance dégageant l'odeur caractéristique de ces nettoyants).

S'essuie facilement avec un chiffon de microfibres sec et propre. Il fait moins de stries que certaines marques de lave-vitres commercial. Aide aussi à *soulever*, sur les tissus, les dégâts liquides de toutes sortes – avant qu'ils ne se transforment en tache. Ses minéraux alcalins permettent de dissoudre les dégâts.

Testez sur un coin caché pour les tissus qui se nettoient à sec, certaines teintures ne tolérant même pas le contact avec l'eau. L'antiacide digestif Alka Seltzer fait aussi bien sur les tissus. Son format en pastilles se conserve discrètement.

SOLUTION DÉSINFECTANTE

Voir la rubrique *Désinfectant maison, solution* (p. 198).

SOLVANTS, SUBSTITUT

Des solvants dérivés du pétrole sont utilisés pour confectionner divers détachants. La plupart sont évalués comme toxiques, en plus d'être dérivés du pétrole (une ressource non renouvelable) et de constituer des polluants persistants.

Peroxyde d'hydrogène (3 %), alcool isopropylique (à friction), cristaux de soude et vinaigre permettent d'obtenir d'excellents résultats pour de nombreux dégâts, comme c'est indiqué dans la section *Taches* (p. 129): consultez la façon de les utiliser sur les vêtements, fauteuils, tapis et surfaces.

Le D-limonène extrait de la pelure d'orange s'est avéré douteux à l'étude, même s'il est de source végétale. Le *Guide des produits moins toxiques* relève qu'il contribue aux hypersensibilités. C'est une substance neurotoxique, un irritant pour les yeux et il peut provoquer une détresse respiratoire chez les personnes plus sensibles. C'est un cancérogène possible.

En ce sens, les nettoyants dits à base d'agrumes, souvent d'orange, ne méritent pas l'aura de sécurité que leur valent leur nouveauté et leur source végétale. À utiliser avec modération, en assurant une bonne aération.

SOUDE CAUSTIQUE

Différente des cristaux de soude (*washing soda*, en anglais), elle est un sous-produit de la fabrication du chlore et donc d'une tout autre famille que les cristaux de soude.

L'utilisation de la soude caustique n'est pas recommandée dans le présent guide. Avec un pH alcalin très élevé (14), c'est un produit qui servait comme débouche-tuyaux et que l'on retrouve dans les débouche-tuyaux commerciaux. Assez puissante pour décaper la peinture et le vernis.

STATIQUE

Consultez la rubrique *Ramasse-poussière* (p. 251) pour les surfaces. Peut être quasi éliminée au séchage des vêtements, dans le sèche-linge, en plaçant une boule de papier d'aluminium avec la brassée. C'est une bonne façon de limiter l'utilisation des assouplissants riches en substances douteuses et nocives. Sur les tissus, un léger jet d'eau vaporisée avec un brumisateur élimine l'électricité statique.

TORCHETTE
Ne manquez pas la subtilité des explications sur cet accessoire pour arrière-train fragile, à la rubrique des serviettes de papier préhumectées pour les soins personnels **(p. 242)**.

TRAITEMENT AUX ENZYMES, PRÉLAVAGE
Les détergents à lessive avec enzymes permettent, avant de laver, un trempage efficace contre les dégâts à base de protéines tels que l'herbe, les produits laitiers, le sang, l'urine, les œufs ou le chocolat.

Les experts de la précaution n'expriment pas de réticences quant à l'utilisation de ce composé.

TRAITEMENT RÉGÉNÉRATEUR MAISON POUR FAUTEUILS EN CUIR
Selon l'intensité de l'usage dont ils font l'objet, appliquez sur les fauteuils un traitement régénérateur une ou deux fois l'an, avec le mélange suivant : 250 ml (1 t) d'huile de lin pour 125 ml ($1/2$ t) de vinaigre blanc. Bien agiter.

Appliquez avec un chiffon, polissez soigneusement avec un autre. Changez de chiffon au besoin. Laissez reposer et polissez à nouveau le lendemain avant de réutiliser le fauteuil.

TUYAUTERIE BOUCHÉE
Voir la rubrique *Débouche-tuyaux* **(p. 197)**.

TISSUS DE RECOUVREMENT DE FAUTEUILS
Voir la rubrique *Nettoyant à tissu de fauteuils* **(p. 233)**.

TUILES
TUILES DE LA SALLE DE BAINS
Voir la rubrique *Nettoyant à tuiles de salle de bains* **(p. 233)**.

TUILES DE PLANCHER
Voir la rubrique *Planchers de tuile en céramique* **(p. 73)**.

VAISSELLE, NETTOYANTS À
Voir la rubrique *Nettoyant à vaisselle* **(p. 235)**.

VERNIS À ONGLES
Voir la rubrique *Dissolvant pour vernis à ongles* **(p. 207)**.

VINAIGRE BLANC

Il ne s'agit pas des vinaigres colorés et parfumés avec diverses herbes mais simplement du vinaigre blanc, en vente un peu partout pour deux fois rien. Seules quelques marques sont créées à base de ressources végétales renouvelables comme les céréales. Par exemple, le vinaigre blanc de marque Heinz est fabriqué à partir de maïs.

Attention : ne mélangez jamais le vinaigre blanc avec un blanchisseur javellisant (l'eau de Javel), ce qui causerait des vapeurs toxiques.

Très bon nettoyant et chasse-taches, seul ou en solution avec d'autres produits. Bon chasse-odeurs contre la fumée. Bon assouplissant qui réduirait même l'électricité statique en le plaçant dans le godet pour l'assouplissant. Mais placer une boule de papier d'aluminium dans le sèche-linge en même temps que les articles à sécher produit un bon résultat facilement. Au besoin, complétez en vaporisant avec un brumisateur un fin nuage d'eau pour éliminer tout à fait l'électricité statique. Peut abîmer coton et lin. En vente partout.

VITRES, NETTOYANTS À

Voir la rubrique *Nettoyant à vitres* **(p. 236)**.

Les ACCESSOIRES

Rendez-vous service : mettez de l'ordre dans l'armoire sous l'évier et le placard des accessoires d'entretien. Dans le placard, accrochez tout ce qui peut l'être pour éliminer le fouillis au sol : balai, vadrouille, porte-poussière, tuyau d'aspirateur, raclette, planche à repasser, « sac à sacs ».

Utiliser un panier **(p. 275)** pour contenir un ensemble de nettoyage (nettoyants à vitres et tout usage en pulvérisateur, éponges à récurer, chiffons, brosse) évite l'éparpillement, ce qui compte pour beaucoup. Le panier permet de s'activer sans perte de temps ni dégâts. Prévoyez un panier général qui sera rangé sous l'évier de la cuisine, un autre pour la salle de bains, un pour la salle de lavage et un pour le bureau, s'il y en a un.

ASPIRATEURS

Aspirateurs, contaminants et allergènes peuvent s'allier pour polluer votre corps. Il existe des aspirateurs plus efficaces et mieux conçus pour vous protéger contre les contaminants présents dans la poussière ambiante. Faute d'un bon appareil, vous pouvez porter un masque lorsque vous nettoyez une grande surface. Voir *Procurez-vous un bon aspirateur* (p. 76).

La meilleure solution est un aspirateur central avec évacuation à l'extérieur parce que la plupart des modèles mobiles pulvérisent les allergènes et contaminants chimiques dans l'air que vous aspirez. Recherchez un appareil central qui minimise aussi les émissions au passage de l'air dans ses composantes.

Les aspirateurs sur pied demeurent un peu moins onéreux que les modèles à chariot. Plus faciles à ranger, ils sont un peu plus bruyants et moins stables sur les marches d'escalier, mais un peu plus efficaces sur les tapis. *Consumer Reports* a constaté que les modèles à chariot vraiment efficaces sur les tapis sont plutôt rares et méritent d'être choisis pour cet usage. Les nouveaux modèles sur pied sont souvent munis d'une rallonge qui les rendent aussi polyvalents que les modèles à chariot ; ils permettent de nettoyer facilement les escaliers, les rideaux et les murs, le dessus et le dessous des canapés, ainsi que tous les recoins requérant des buses particulières.

Parmi les autres innovations introduites par la marque Dyson, et reprises en masse par la compétition mais souvent avec moins de qualité, il y a une ingénieuse buse souple pour l'époussetage. Assurez-vous que la buse motorisée sur le modèle que vous convoitez est facile à retirer pour utiliser les autres buses.

⊕ ASPIRATEURS, CONTAMINANTS, ALLERGÈNES

‼ Pas moins des deux tiers des aspirateurs ne retiennent pas les poussières fines que sont les allergènes naturels (pollen, spores de moisissures, squames de peau). Faute d'être ramassées, ces particules alimentent en plus les mites de poussière.

‼ Les allergènes sont des particules fines qui mesurent en général de 2,5 à 10 microns. Les contaminants chimiques sont plutôt des particules très fines qui mesurent moins de 2,5 microns – ce qui inclut les retardateurs de flamme dans les tapis, les plastifiants des équipements électroniques, les herbicides du terrain de golf dans le voisinage. Donc, deux tiers des aspirateurs ne retiennent ni les allergènes ni les contaminants, selon le programme CRI géré par l'industrie elle-même, aux États-Unis.

‼ L'aspirateur se trouve alors à propulser les poussières dans l'air que vous respirez en vous activant. L'odeur légère de moisissure humide expulsée par certains aspirateurs vient des composés plus ou moins malsains de la poussière propulsée.

‼ Il existe des systèmes et filtres certifiés HEPA dont les pores plus fins sont censés retenir les poussières allergènes. *Consumer Reports* faisait remarquer en 2005 que plusieurs modèles dépourvus de filtres HEPA ont affiché une quantité d'émissions similaire lors de ses tests.

‼ De plus, la norme HEPA ne couvre que la qualité des filtres, non celle de l'ensemble de l'aspirateur qui expulse aussi des poussières. De par sa capacité élevée de rétention, un filtre HEPA pose cependant le problème d'amoindrir la capacité d'aspiration. Et le coût des accessoires HEPA est élevé. La norme HEPA qui semblait à première vue une idée intéressante se révèle moins concluante dans la réalité.

Les filtres et sacs à jeter n'ont d'autre vertu que d'enrichir leurs fabricants, qui les vendent à gros prix. Il y a de plus en plus de filtres permanents : assurez-vous qu'ils soient faciles à vider sans vous exposer à leur contenu. Videz-les autant que possible à l'extérieur du logis. Dépourvu de sac, le Dyson est doté d'un mécanisme ingénieux pour disposer de la poussière en limitant sa dispersion.

Consumer Reports proposait il y a peu comme Meilleur Achat, pour un aspirateur sur pied, le Kenmore (Sears) Progressive with Direct Drive 30801C (300 $), avec une évaluation générale de 79 : une preuve que ce ne sont pas les modèles les plus chers qui offrent un meilleur rendement. Plus encore, ce modèle ne dispose pas du mécanisme cyclonique et vient avec sac. Le Dyson, récemment introduit en Amérique, n'obtient qu'une note de 63, même si l'une de ses variantes a obtenu 67. Un autre Meilleur Achat plus économique, selon *Consumer Reports*, est le Eureka Boss Smart Vac Ultra 4870 à 165 $ sans mécanisme cyclonique et avec sac comme le Kenmore.

Les tests de *Consumer Reports* démontrent que le Dyson DC14 est un bon appareil dans son ensemble. Étonnamment, il ne s'est pas révélé aussi bon que de nombreuses autres marques, en plus d'être pénalisé par son prix plutôt élevé (540 $). Il s'est même révélé un peu moins efficace sur les tapis et un peu plus bruyant.

Rappelons ici que ces tests ne prennent pas en compte la grosseur des particules émises ou pulvérisées dans l'air à la sortie autant que tout au long du passage de l'air dans l'appareil. Seule la quantité de particules a été évaluées – ce qui ne rend pas justice au Dyson, qui prétend émettre beaucoup moins de ces poussières très fines auxquelles appartiennent les contaminants chimiques.

À la base, le prix plus élevé du Dyson le pénalise. Dans la mesure où l'usage de tapis est déconseillé dans tout logis, la moindre efficacité du Dyson sur ce type de surface ne pose pas problème. Notez que, selon *Consumer Reports*, le mécanisme du tuyau détachable du modèle DC14 est significativement plus facile d'utilisation que celui du DC07. Le DC14 est aussi un peu plus petit et léger – ce qui est souvent primordial pour les femmes.

TAILLE DES PARTICULES ÉMISES

Dans son analyse disponible sur Internet en date de juin 2006, *Consumer Reports* ne fournit pas de précisions sur la taille des poussières contenues dans les émissions évaluées par ses tests : seules les quantités sont évaluées. Les aspirateurs avec les plus faibles émissions sont tout de même susceptibles de mieux protéger les personnes allergiques. Ces personnes gagneront à vérifier à l'usage si leur aspirateur neuf (et recommandé par *Consumer Reports*) leur cause ou non des réactions – auquel cas, elles peuvent le retourner au vendeur pour en essayer un autre.

Rien n'indique par contre que les aspirateurs aux émissions faibles soient capables de retenir les particules très fines, incluant les contaminants chimiques.

Seule la marque Dyson affirme apporter une solution à la rétention des particules très fines. La technologie cyclonique est maintenant utilisée par d'autres marques, mais rien d'équivalent au système de filtrage propre au Dyson ne semble disponible.

Remarquez que les prétentions de la marque Dyson sur la capacité de son système de filtration demandent à être corroborées par une évaluation indépendante. À chacun de prendre en compte son contexte particulier.

BALAIS À TÊTE AMOVIBLE

Voir la rubrique des vadrouilles humides à microfibres (p. 281).

BALAI-ÉPONGE

Voir la rubrique des vadrouilles humides à microfibres (p. 281).

BOL À MÉLANGER

Choisissez-le en verre, porcelaine ou terre cuite, mais non poreux pour qu'il se lave aisément. Un bol de un litre permettra de mélanger la plupart des solutions proposées, et même de faire tremper des taches sur des vêtements. Sert à confectionner rondement des pâtes comme celle du chasse-taches avec bicarbonate de soude et nettoyant à vaisselle liquide.

BROSSE À RÉCURER

Une brosse tout usage en nylon et à manche long se nettoie facilement et dépanne un peu partout, mais une vieille brosse à dents fait des merveilles entre les tuiles, autour des robinets mal conçus et autres petits recoins. Rincer toujours avec soin la brosse après usage. On ne brosse pas en rond, mais en va-et-vient.

Préférez une brosse de toilette à tête d'ogive ronde plutôt que le modèle à anneau ovale en métal qui peut érafler la porcelaine.

Une brosse plus petite, conçue pour récurer les joints de tuiles dans la salle de bains et sur les planchers de tuiles est très utile.

Une brosse ingénieuse permet de déloger la saleté dans les fonds de pots hauts, les interstices enfoncées du support à vaisselle et autres. Il s'agit du pinceau qui sert pour l'application de la teinture dans les cheveux. Il a des poils plus raides que les pinceaux ordinaires, des poils longs et dirigés vers le bas. Il se trouve facilement en pharmacie.

CASSEROLES

Voir la rubrique *Poêles à frire, casseroles, marmites* **(p. 276)**.

CHAUDIÈRES

Les chaudières rectangulaires sont idéales pour recevoir facilement balais-éponge et raclettes à laver les vitres. Toujours en prévoir deux : une pour la solution nettoyante, une pour extraire la saleté de l'éponge, de la vadrouille ou du torchon.

Le procédé des deux chaudières peut sembler exagéré. En réalité, il nous garantit une juste récompense pour les efforts fournis à laver vitres et planchers.

CHAUDRONS, CASSEROLES, POÊLES, MARMITES

Voir la rubrique *Poêles à frire, casseroles, marmites* **(p. 276)**.

CHIFFONS

Toujours en laisser une ample provision dans les paniers contenant les nécessaires de nettoyage, pour supporter plutôt que de freiner chaque *élan récurant*, chaque impulsion *nettoyante* des membres de la maisonnée…

Couches usagées et serviettes de ratine usées fournissent des chiffons épais et absorbants. La plupart du temps, les chiffons en fibres synthétiques ne sont pas absorbants, mais les chiffons de microfibres font des merveilles, entre autres pour laver vitres et miroirs sans autre nettoyant que l'eau. Les commerces fournissant les couches à la maison offrent des couches recyclées et propres très abordables.

CHIFFONS À NETTOYER

Les meilleurs chiffons pour éponger la saleté sont les vieilles serviettes épaisses en ratine, que vous taillez en format de 45 x 45 cm (1,5 pi^2), repliées. Mais pour nettoyer, les chiffons de microfibres sont très efficaces. En garder à disposition pour éponger aisément les immanquables dégâts. Contrairement aux tissus synthétiques, le coton absorbe l'humidité.

CHIFFON À ÉPOUSSETER

Un linge de coton doux comme en flanelle est excellent pour la poussière. Si vous avez pulvérisé dessus un enduit ramasse-poussière commercial, rangez le chiffon dans un sac après son usage pour éviter qu'il ne dépose l'huile du produit là où vous le rangez. Un chiffon humide – humecté et bien essoré – fait tout aussi bien que les ramasse-poussière commerciaux, sans le parfum synthétique déconseillé.

CHIFFON À POLIR

Couches et flanelle de coton sont le genre de chiffons convenant au cirage et au polissage, jamais les tissus synthétiques qui n'absorbent toujours pas plus qu'au paragraphe précédent. Notez : appliquez avec un chiffon, polissez avec un autre.

Des chiffons à usage précis et délicat se vendent pour les tâches comme le polissage d'argenterie.

CHIFFONS À VITRES

Éviter d'utiliser le papier journal, qui a le défaut de laisser des marques d'encre sur le pourtour de la vitre, en plus de créer de l'électricité statique qui accélère par la suite l'accumulation de la poussière sur la surface vitrée.

Utilisez des chiffons de microfibres ou des chiffons en coton, qui sont beaucoup plus absorbants que ceux qui sont en fibres synthétiques.

Une raclette qui adhère bien à la vitre – donc d'assez bonne qualité – fait l'unanimité, chez les spécialistes, pour assécher les vitres quand elles sont assez larges pour en permettre l'utilisation. Elle fait épargner bien du temps quand il faut laver des vitres abondantes. Dès qu'un chiffon est un peu sale, il crée des stries, alors que la raclette fait toujours un boulot impeccable.

Légèrement humide et rincé au fur et à mesure, un chiffon doux, comme en flanelle, par exemple, fait du bon travail pour ramasser la poussière un peu partout autour des fenêtres.

CHIFFONS PRÉHUMECTÉES

Les lavettes préhumectées, ces chiffons humides que l'on extrait d'un distributeur et que l'on jette après usage seraient, selon leurs fabricants, parfaites pour les éternels pressés et les nettoyages d'appoint. La réalité est qu'ils requièrent de se laver les mains après usage, qu'il faut rincer les surfaces servant à la consommation d'aliments après les avoir essuyées avec ces chiffons, et qu'il faut éviter tout contact prolongé avec la peau.

Il s'agit d'un produit non sécuritaire, facile à remplacer avec chiffons et nettoyant tout usage sécuritaires, des articles tout aussi faciles d'utilisation si l'on s'est organisé pour en avoir à portée de main dans les endroits stratégiques.

CLIMATISATEUR

Les équipements affichant le symbole Energy Star sont les plus éconergétiques. Ils doivent permettre des économies de 10 à 50 %. On trouve sur Internet – www.energystar.gc.ca – les recommandations de marques, ou au 1 800 622-6232. C'est la révolution.

COMPRESSEUR À EAU (SURFACES EXTÉRIEURES)

Solution sécuritaire et commode pour nettoyer l'extérieur entier de la maison : les diverses surfaces de briques et autres, les moustiquaires, escaliers et trottoirs, les clôtures, les rambardes, l'entrée de garage, la piscine. La voiture, même. Un outil qui enlève la moisissure et 90 % des taches sur le patio.

Le compresseur à eau ne nécessite parfois aucun produit nettoyant et utilise de l'eau froide. La location du compresseur ne coûtera guère plus que les produits nettoyants et brosse, sans compter le temps de frottage.

Il y a des modèles portables et des modèles à roulettes. Des accessoires comme une brosse sont nécessaires pour nettoyer mobilier de jardin et automobile, mais tous les appareils n'en ont pas. Les modèles plus puissants sont nécessaires pour les travaux de nettoyage extérieur ; un modèle moins puissant ne conviendra que pour laver la voiture, par exemple. Les prix varient d'un magasin à l'autre et il importe de s'assurer de la qualité du bon service après-vente.

Lors d'un test, il y a quelques années, *Protégez-Vous* a constaté que certains modèles se distinguaient. Parmi les petits, c'est le Kärcher K 205M (180 $) ; parmi les plus gros, c'est le Powerwasher Husky 1650 (300 $) ; parmi les portables, c'est le Craftsman Clean Master (250 $)[54].

Attention : la pression peut être assez forte pour endommager les surfaces ou se blesser ; le jet le plus fin, le « jet crayon » est capable de décaper la peinture.

Ne touchez jamais la machine ou la prise de courant avec les mains mouillées. Nettoyez régulièrement le filtre d'eau et le tuyau. Suivez les instructions.

Si vous utilisez l'injecteur de détergent qui vient avec plusieurs modèles, mouillez simplement la surface à nettoyer avec le nettoyant sans utiliser la pression. Laissez reposer cinq minutes. Rincez avec la pression. Attention à la pression sur les vitres.

CONGÉLATEUR

Les équipements affichant le symbole Energy Star sont les plus éconergétiques. Ils doivent permettre des économies de 10 à 50 %.

On trouve sur Internet – www.energystar.gc.ca – des recommandations de marques, ou au 1 800 622-6232. Voir aussi la rubrique *Réfrigérateur* **(p. 277)**.

CONTENANTS POUR NETTOYANTS MAISON

Ces contenants sont simples mais nécessaires pour rendre l'utilisation des nettoyants maison agréable et facile. Prenez soin d'identifier la nature de chaque nettoyant sur son contenant. Pour vous aider, vous pouvez photocopier les modèles d'étiquettes **(p. 172)** offerts dans ce guide et fixer les photocopies avec du ruban gommé à large bande pour les protéger. Le remplissage des contenants vides sera d'autant plus facile la fois suivante.

CONTENANT À GICLEUR

Ils se trouvent dans les commerces de produits nettoyants sécuritaires, mais il est possible de recycler un contenant de nettoyant à vaisselle commercial ou de shampooing ; enlever l'étiquette et le laver avec soin. Il est utile pour le nettoyant à planchers en gicleur, pour le poli à meubles en bois non verni.

Pour les nettoyants dont la texture n'est pas épaisse, tel que le nettoyant à planchers au vinaigre, il est tout aussi bien d'utiliser un contenant à pulvérisateur placé en mode gicleur – il verse 2 ml ($^1/_2$ c à c) de solution par jet.

CONTENANT À SAUPOUDRER

Ils sont utiles pour conserver et appliquer la poudre à récurer maison au bicarbonate de soude, avec ou sans agents renforçants. Des sucriers avec bec verseur central ou, mieux, des distributeurs à épices ou à fromage râpé conviennent. Prenez soin de bien les identifier.

CONTENANT À PULVÉRISATEUR

Ils sont indispensables pour divers nettoyants maison. Il en existe en formats de 250 ml à 1 l (1 à 4 t). Utilisez le format à 500 ml (2 t), léger et agréable à manipuler pour la plupart des gens. Recherchez des becs à pulvériser de meilleure qualité, sinon le bec se bouchera, coulera ou la clenche sera difficile à actionner. Ils se trouvent en quincaillerie ou dans les commerces de nettoyants naturels.

Procurez-vous-en de surplus pour confectionner plus d'une bouteille du même nettoyant à la fois. Confectionner les nettoyants est simple, mais ce n'est pas tous les jours qu'on a le goût de s'y mettre. Identifiez-les avec une étiquette contenant leur recette, comme les modèles à photocopier donnés dans ce guide **(p. 172)**.

Il arrive souvent que l'on garde un nettoyant à vitres sous l'évier de la cuisine et un autre sous celui de la salle de bains. On garde un nettoyant tout usage dans la cuisine, un nettoyant à salle de bains sous le lavabo. On garde un chasse-taches dans la salle de lavage. Ce qui fait déjà cinq contenants, et le double si on veut en préparer d'avance. Allez-y selon votre budget et vos habitudes. Ces nettoyants sont si économiques, efficaces et simples à utiliser que vous les adopterez rapidement.

CRAYONS DE CIRE

Efficaces pour corriger les éraflures sur les meubles de bois. Ils existent dans diverses nuances de couleurs et se trouvent en quincaillerie. Problème : ils devront être décapés avant un prochain vernissage.

CUILLÈRES À MESURER

Gardez à portée de main un ensemble de cuillères à mesurer et une tasse à mesurer d'un litre pour préparer les solutions maison. Facilitez-vous la vie en prévoyant les divers formats de cuillères nécessaires pour des éléments comme les cristaux de soude avec la lessive – 80 ml (1/3 t).

Les huiles essentielles abîment le plastique des cuillères. Mieux vaut calculer la quantité goutte à goutte ou utiliser des cuillères en métal.

CUISINIÈRE, SURFACE DE CUISSON, FOUR, MICRO-ONDES

Il n'est pas nécessaire de payer les prix les plus élevés pour obtenir les meilleurs performances, a constaté *Consumer Reports*[55]. Des appareils de milieu de gamme bien choisis offrent même un grand nombre des caractéristiques les plus recherchées. On trouve aussi sur les modèles économiques plusieurs caractéristiques qui facilitent l'entretien et diminuent le coût d'utilisation – en argent et en énergie.

Les équipements affichant le symbole Energy Star ci-contre sont les plus éconergétiques. Ils doivent permettre des économies de 10 à 50 % – plus près de 10 %, selon l'analyse de *Consumer Reports*. On trouve sur Internet – www.energystar.gc.ca – des recommandations de marques éconergétiques, ou au 1 800 622-6232. Il se fait maintenant des équipements avec surfaces similaires à l'acier inoxydable, mais qui minimisent les empreintes de doigts et laissent adhérer les aimants des pense-bête.

Les feux au gaz chauffent instantanément et permettent un contrôle relativement précis de la chaleur. Mais les éléments électriques, les plus vendus, chauffent plus rapidement (12 minutes) une quantité d'eau donnée – bien que certains équipements haut de gamme ont des composantes si massives qu'elles prennent jusqu'à 21 minutes. Les éléments électriques offrent de meilleures performances pour mijoter les plats.

Les dessus plats sont plus rapides à nettoyer et chauffent presque aussi vite que les éléments électriques – préférez un modèle avec un voyant par feu pour signaler qu'il est chaud. Mais tous les modèles à éléments découverts et au gaz étaient relativement aisés à nettoyer.

La présence d'au moins deux éléments de 2 000 W contribue à chauffer rapidement les aliments – et permet de griller au besoin. Les fours les mieux notés possédaient assez de dégagement pour loger une marmite fermée sur la grille du haut. La capacité de cuire uniformément plus d'un étage de pâtisseries est à rechercher pour les amateurs.

L'option de la convection, avec ventilateur facilitant la circulation de l'air chaud, a pour seules vertus de diminuer le temps de cuisson et de faciliter le brunissage, lors du rôtissage, en plus de permettre la cuisson de grandes quantités de pâtisseries.

La plupart des modèles de four autonettoyants exécutaient très bien leur tâche. Cette option facilite la vie et élimine tout recours aux nettoyants à four commerciaux – l'un des trois salopards de l'entretien, avec les débouche-tuyaux et nettoyants à cuvette. Les fours encastrés sont un peu plus chers, mais facilitent la tâche en étant situés à hauteur du regard.

Une option intéressante sur les four micro-ondes interrompt la cuisson lorsque la chaleur de la nourriture atteint un certain point – pour un coût additionnel de 30-40 $. Cette option est susceptible de limiter la baisse de nutritivité des aliments cuits par ce procédé et qui serait reliée à la surchauffe.

CUISSON, ENSEMBLES DE (POÊLES, CASSEROLES, MARMITES)

Voir la rubrique *Poêles à frire, casseroles, marmites* **(p. 276)**.

DÉSHUMIDIFICATEUR

Les équipements affichant le symbole Energy Star sont les plus éconergétiques. Ils doivent permettre des économies de 10 à 50 %. On trouve sur Internet – www.energystar.gc.ca – des recommandations de marques, ou au 1 800 622-6232.

EFFACE À TABLEAU

Lorsque l'on lave les vitres, elle aide à donner un fini étincelant et à éliminer les stries occasionnelles.

ÉLECTROMÉNAGERS

Voyez, à leurs rubriques respectives, filtre à piscine **(p. 270)**, hotte de cuisine **(p. 270)**, lave-linge **(p. 271)**, lave-vaisselle **(p. 272)**, réfrigérateur **(p. 277)**, congélateur **(p. 265)**, sèche-linge **(p. 278)** et ventilateur de salle de bains **(p. 283)**.

ÉPONGES À RÉCURER

Recherchez une éponge à récurer de couleur plutôt pâle, de 10 x 15 cm (4 x 6 po), pour appliquer la solution et récurer les saletés ordinaires sans érafler comme le font les laines d'acier. Une éponge à récurer plus abrasive peut éliminer les taches résistantes sans risque d'éraflures non plus.

ENTONNOIRS

Pour confectionner vos nettoyants maison, prévoyez deux entonnoirs (un pour le sec et un pour le liquide). Ils doivent être assez petits pour entrer dans le goulot des contenants à pulvérisateurs. S'ils sont rangés dans un panier avec le reste des accessoires, vous ne les égarerez pas.

ÉPOUSSETTE (PLUMEAU)

Éviter les plumeaux synthétiques habituels qui ne font que déplacer et agiter la poussière. Les époussettes de laine d'agneau (12-15 $) durent des années et transforment l'époussetage en une expérience simple et rapide. Elles permettent de couvrir les zones plus éloignées et petits objets rondement, de même que tentures et fauteuils (qui peuvent, eux, être passés à la brosse de l'aspirateur). Mieux, elles ne requièrent pas d'enduit ramasse-poussière nocifs.

Elles sont offertes dans les magasins à grande surface, avec une rallonge très utile pour atteindre les hauts de murs. Les secouer dehors ou les passer à la balayeuse ; à l'occasion, les secouer dans une eau légèrement savonnée, puis les égoutter légèrement avant de les accrocher. L'époussette peut laisser un fin résidu de poussière, à la longue, qu'il faudra éliminer avec un époussetage au chiffon humide.

Les plumeaux à recharge sont très efficaces pour épousseter les petits objets comme les bibelots. En revanche, ils transmettent leur charge magnétique à la surface, qui attire du coup la poussière plus rapidement. Ils s'encrassent vite et demandent d'être changés pratiquement à chaque utilisation si on les utilise partout. Au prix de 1 $ par recharge, on calcule plus de 50 $ par année, en plus de générer des déchets non recyclables. Réservez-les à un usage complémentaire, pour les petits objets.

FICHOIR (FURET DE DÉGORGEMENT)

Le fichoir ou furet de dégorgement pour évier existe avec boîtier (17 $) ou sans (10 $), boîtier qui est très commode pour loger la longueur de tige non utilisée.

Le modèle de fichoir pour cuvette est plus gros (et cher, 12 $) que celui pour évier et ne pourra être inséré dans ce dernier. Plus polyvalent, le modèle de fichoir pour évier débloquera aussi de nombreux bouchons de cuvettes. Il existe même une variété de furets pour déloger les jouets d'enfants.

FILET À FERMETURE ÉCLAIR

Il permet de protéger les articles délicats contre les torsions de l'agitateur lorsqu'on les lave à la machine à chargement par le dessus, donc de laver au cycle délicat de nombreux articles qui ne pourraient l'être autrement – voyez les indications à la rubrique pour laver les articles délicats (p. 60).

Il évite que ne s'emmêlent les bas de nylon et autres articles en longueur.

Il regroupe les chaussettes et élimine leur éparpillement autant au lavage qu'au séchage. Coûte deux fois rien, entre autres dans les magasins à 1 $. Il existe des formats petits, moyens et grands, selon les articles.

FILET DE SÉCHAGE MONTÉ SUR PIEDS

Un tel filet n'est pas fait haut sur pieds, il est plutôt conçu pour se déposer sur la sécheuse, par exemple. Il permet de disposer des articles en tissu délicat, et surtout en laine, selon leur forme originale ; en les plaçant ainsi durant le séchage, ils retrouvent cette forme plutôt que de se déstructurer. Il existe aussi un modèle de séchoir pour divers articles, avec un filet monté sur le dessus pour les articles délicats.

FILTRES À PISCINE

Pour une utilisation de 120 jours, le fonctionnement d'un filtre à piscine sans minuterie coûte 176 $, soit 70 % de plus qu'un filtre avec minuterie – 103 $.

FILTRES POUR ASPIRATEURS

Voir la rubrique *Sacs pour aspirateurs* **(p. 278)**.

GANTS MÉNAGERS

En porter dès qu'il est nécessaire de manipuler les diverses solutions. Il faut qu'ils soient assez larges pour être enfilés et enlevés sans acrobaties. Il en existe qui sont conçus pour les personnes qui souffrent d'allergie au latex.

Vérifiez, lorsque vous manipulez une substance dangereuse, si la substance dont les gants sont faits (latex, néoprène) n'est pas contre-indiquée. Jetez-les dès qu'apparaît le moindre trou par lequel peut pénétrer du liquide.

GANTS DE CUISINE EN SILICONE

Consumer Reports confirme que ces nouveaux gants protègent du contact avec les flammes, les grilles brûlantes, le charbon de bois incandescent, les éclats d'huile et l'eau bouillante[56]. La protection d'au moins 5 secondes, selon la substance chauffée, est suffisante pour toucher ou déplacer un objet sans danger, mais elle cesse ensuite. Lors de l'essai, des gants maculés de sauce tomate n'ont pas été entièrement nettoyés à la main, mais un lavage à la machine a suffi à les détacher. Pas de contre-indications connues, question précaution chimique, pour la substance dont sont faits ces gants.

GOMME À EFFACER

De couleur brune et qui s'effrite facilement, elle permet d'enlever de nombreuses taches sur les murs.

GRATTOIR

Les grattoirs à peinture sont très utiles pour enlever les dépôts divers. Les tampons de laine d'acier avec détergent endommagent le verre.

Un tampon de laine d'acier doux ou moyen peut à la limite servir, mais jamais sur le verre teinté.

HOTTE DE CUISINE

Récupérer, grâce à la hotte, les vapeurs, graisses et odeurs de cuisson est indispensable – quand on a mieux à faire que de devoir nettoyer, en son absence, les quelque 30 kg de graisses transférés chaque année sur les surfaces environnant la cuisinière. Et si l'idéal est l'évacuation vers l'extérieur de l'air vicié, la filtration de l'air en mode recyclage vers l'intérieur est de loin préférable à rien du tout.

En général, le motif le plus répandu pour la non-utilisation de la hotte est le désagrément causé par le bruit de son fonctionnement. Or, les modèles les plus puissants ne sont pas nécessairement les plus bruyants. De plus, l'excuse pour éviter de nettoyer la hotte comme elle le requiert – pour filtrer l'air adéquatement – réside dans la difficulté de son entretien quand elle comporte plein de recoins difficiles à récurer.

Ces deux problèmes sont bien connus, ce sont les plus répandus et ils se règlent au moment de l'achat – en choisissant un modèle silencieux et facile d'entretien, comme le montre l'analyse de *Protégez-Vous*[57].

Même une hotte efficace a besoin d'être entretenue pour diminuer l'entretien du logis et sa dégradation par l'humidité.

Avec le mode évacuation, l'entretien de la hotte inclut le lavage du filtre à graisse en métal, avec la vaisselle, et le nettoyage des dépôts de gras autour et sous le filtre. Le nettoyage est grandement simplifié si la hotte est bien conçue, avec une surface lisse dépourvue de recoins sous les filtres : de tels modèles existent.

Avec le mode recyclage, s'ajoute un filtre au charbon pour récupérer les odeurs, lequel ne se lave pas et requiert d'être remplacé de une à quatre fois l'an, selon l'utilisation. Vérifiez le coût de remplacement des filtres, à l'achat, pour éviter les surprises.

Toutes les hottes peuvent fonctionner en mode recyclage et évacuation. La qualité minimale, pour assurer quiétude, facilité d'entretien et efficacité, a un prix. Selon le test de *Protégez-Vous*, les modèles Broan (ou Nu Tone) Allure I (185 $) rencontrent ces exigences si le conduit d'évacuation est court. Le Venmar Série Signature S20 (285 $) a un débit convenant aux conduits plus longs de même que les modèles plus onéreux Venmar Série Signature S40 (400 $) et S30 (360 $). Le détail de l'analyse du magazine permet de trouver un appareil spécifiquement adapté à votre situation.

LAVE-LINGE
Repères à l'achat

Lors de l'achat, la profusion des modèles demande que l'on jette un coup d'œil aux magazines de consommateurs et de transiger avec un marchand réputé.

Les modèles économiques auront un panier de lavage plus petit. Ils n'auront peut-être pas de distributeurs automatiques à détergent et blanchisseur assurant que ces ingrédients soient incorporés au bon moment. Il existe des modèles économiques qui sont relativement silencieux. Mais payer plus permet d'économiser… argent et énergie (avec les modèles à chargement frontal), offre une opération plus douce pour les tissus et encore plus de silence.

Les contrôles électroniques sont onéreux et ne présentent pas vraiment d'avantages. Les cycles de base suffisent pour la majorité des besoins. Les éléments chauffant l'eau n'ajoutent pas au rendement.

Gardez à l'esprit que l'élément qui a le plus d'impact sur le rendement de la sécheuse est la machine à laver : mieux elle extrait l'humidité des tissus, plus vite le sèche-linge les séchera. Les laveuses retirant le plus d'humidité sont celles qui sont dites éconergétiques.

Les modèles qui s'ouvrent à l'avant fonctionnent par culbutage plutôt que par agitation : ils représent désormais 50 % des ventes. Ils prennent moins d'espace et requièrent significativement moins d'eau chaude, de détergent et d'énergie que ceux qui ouvrent sur le dessus. Leur capacité de charge est très élevée et leur capacité supérieure d'essorage diminue le temps de séchage. Leur coût supérieur est compensé par les quelque 900 $ CA qui seront économisés en énergie durant les 16 années de vie de l'appareil. Par contre, il faudra se pencher pour les charger et on ne peut y faire de trempage. Le dessus de ces modèles peut servir de surface de travail.

Hydro-Québec estime qu'un lavage au cycle normal coûte 36 ¢ à l'eau chaude, 16 ¢ à l'eau tiède et 2 ¢ à l'eau froide. C'est le chauffage de l'eau qui est le principal facteur de coût. Ces coûts ne constituent qu'une moyenne, parce que les appareils à chargement frontal utilisent significativement moins d'eau et d'énergie.

Les équipements affichant le symbole Energy Star ci-contre sont les plus éconergétiques. Ils doivent permettre des économies de 10 à 50 %.

On trouve sur Internet – www.energystar.gc.ca – des recommandations de marques éconergétiques, ou au 1 800 622-6232.

Une évaluation récente du *Consumer Reports* des États-Unis[58] a constaté une différence énorme dans l'efficacité des lave-linge alors que la plupart des marques offraient auparavant un rendement acceptable. En cause : les modèles à agitateur (ouverture sur le dessus) qui peinent à offrir une performance acceptable tout en rencontrant les nouvelles exigences d'efficacité énergétique. Vérifiez avant de choisir votre modèle.

TRACES DE ROUILLE

Si des taches de rouille apparaissent sur les vêtements après le lavage, c'est sans doute que le panier de lavage est rouillé. Il est possible de le remplacer sans avoir à acheter un nouvel appareil.

RÉSIDUS

Le rendement du lave-linge peut être sérieusement diminué par les résidus d'eau dure, du détergent et d'adoucisseur dans les tuyaux, le panier de lavage et le distributeur (godet) d'adoucisseur.

Versez 250 ml (1 t) de vinaigre blanc chaud dans le godet pour l'adoucisseur, puis lancez le lave-linge au cycle long, avec sa pleine capacité d'eau chaude dans laquelle 4 l (16 t) de vinaigre blanc ont été ajoutés ; mettez aussi une partie du vinaigre dans le godet à Javel dont vous nettoyez les parties amovibles. Si l'eau de votre logis est une eau dure **(p. 208)**, répétez l'opération tous les trois ou six mois.

Évitez de lancer le lavage quand vous quittez le logis pour limiter les dégâts en cas de bris de la machine.

LAVE-VAISSELLE

Le bon entretien du lave-vaisselle est essentiel à son bon fonctionnement. Voir comment procéder facilement à la rubrique du même nom, dans la section des tâches **(p. 81)**.

Protégez-vous de l'impact des sous-produits du chlore (SPC) contenus dans l'eau du robinet. Les SPC résultent de la réaction entre le chlore ajouté lors du traitement de l'eau potable et les matières organiques présentes dans l'eau avant le traitement. Évitez d'ouvrir la porte du lave-vaisselle avant que la vapeur ne soit dissipée pour éviter d'absorber par l'air et la peau les SPC en suspension. Évitez pareillement les douches et bains trop prolongés. Ne pas utiliser de détergent à lave-vaisselle contenant du blanchisseur javellisant.

L'utilisation d'un détergent (p. 201) avec enzymes et le rangement adéquat des articles sur les paniers assurent le meilleur résultat. Grattez, même sans les rincer, les articles avant de les placer au lavage permet d'épargner jusqu'à 124,80 $ par année : consultez les explications et d'autres consignes d'utilisation (p. 82).

Certains critères permettent de guider votre choix d'un modèle de lave-vaisselle qui réduira autant le bruit et le temps de lavage que la dépense d'eau, d'électricité et d'argent.

Les tests exigeants du *Consumer Reports* ont révélé qu'il existe des modèles de lave-vaisselle bas de gamme qui font un travail aussi excellent que des modèles plus chers[59]. Vous paierez plus pour obtenir silence de fonctionnement, flexibilité de chargement et apparence huppée. Les modèles de milieu de gamme offrent d'excellents compromis.

Les tests de lavage de *Consumer Reports* constituent le défi ultime posé à un lave-vaisselle. Les articles testés sont recouverts de nourritures difficiles à laver comme le gruau et les épinards, et le tout est laissé à durcir durant une nuit. Les senseurs, pour ajuster longueur de cycle et quantité d'eau au degré de salissure, se sont révélés n'être pas assez justes pour offrir un avantage significatif : ils ajoutent au prix et ne sont pas recommandés.

Une cuve en acier inoxydable durera toujours, mais une cuve en plastique durera toute la vie du lave-vaisselle, bien qu'elle puisse perdre sa couleur si elle est pâle. Le fini en inoxydable du devant laissera paraître les traces de doigts.

La majorité des modèles nord-américains possèdent des filtres autonettoyants qui broient les restes d'aliments avant de les laisser filer. Avec les modèles européens, il faut enlever le filtre et le rincer régulièrement, ce qui n'est tout de même pas compliqué. Certains modèles peuvent contenir des plats aux formes particulières ou plus larges : choisissez en conséquence, d'autant que la tendance est aux articles plus grands.

La plupart des modèles possèdent trois cycles – court, moyen, long – qui suffisent. Les autres cycles ne se sont pas révélés utiles.

Achetez un modèle à faible quantité d'eau et épargnez 50 $ par année – un peu moins d'un lavage par jour. Un modèle énergétiquement plus efficace peut en réalité être moins onéreux à la longue qu'un modèle moins cher à l'achat.

Utilisez un lave-vaisselle à cycle court et épargnez 6,50 $ par année. Le cycle normal peut varier de 85 à 145 minutes. En moyenne, les modèles à senseurs utilisaient 20 minutes de plus lors des tests. De plus, les tests n'ont révélé aucune corrélation entre la durée de cycle et la performance au lavage. Il existe des modèles à cycle court lavant aussi bien que les modèles aux cycles les plus longs.

En plus des suggestions de Consumer Reports, les équipements affichant le symbole Energy Star sont les plus éconergétiques – permettant des économies de 10 à 50 %. On les trouve sur Internet – www.energystar.gc.ca – ou au 1 800 622-6232.

ORGANISATEURS

Les organisateurs sont de petits bidules qui transforment votre quotidien. Ils font de chaque geste un générateur d'ordre et d'agrément, plutôt que de désordre et d'entretien. Ils éliminent à la source les tâches désagréables, avec un meilleur résultat.

Personne ne dispose, aujourd'hui, de temps à consacrer au rangement du désordre causé par manque d'organisation. Organiser, c'est prévoir comment et où tout trouve à se ranger au fur et à mesure.

Se faciliter la vie en la protégeant prend ici tout son sens. En limitant le désordre et la saleté, vous diminuez votre tâche et votre utilisation de nettoyants puissants.

Il a fallu questionner de nombreuses habitudes pour assembler les solutions simples proposées ci-après. Ça valait le coup. Les explications détaillées pour chaque item sont données à la rubrique citée.

À noter qu'il existe, parmi les articles utiles à se procurer, non seulement du ruban collant des deux côtés, mais aussi collant d'un côté et aimanté de l'autre.

Ventouses et autocollants ne peuvent supporter qu'un certain poids, autrement il faut les réinstaller à répétition. Il existe des ventouses grand format très efficaces ; afin qu'elles adhèrent solidement, il est indispensable de bien nettoyer la zone où on les applique avec de l'alcool pour éliminer tout résidu de gras ou de poussière. Les ventouses peuvent aussi s'apposer solidement sur un miroir fixé au mur pour l'occasion, ce qui peut donner un effet visuel amusant.

La désorganisation chronique est parfois un luxe, mais le plus souvent une plaie. Le fait que l'organisation du logis ne soit plus le monopole d'une seule personne est en réalité une bénédiction : chacun et chacune récupère son pouvoir autonettoyant. Et diminue la tâche d'autant. Commencez. Il suffit de quelques minutes.

Faites-vous plaisir en réglant le cas du tiroir, du placard ou de la pièce qui est votre bête noire. Dans le doute, quant à l'utilité d'un objet, jetez tout de suite ! Pas une autre fois ni plus tard. Contrôler l'espace est une façon de s'en donner, quand la vie de château est hors budget.

POUR LA CHAMBRE

Consultez la rubrique *Chambre* (p. 37) pour la description des mannes pour vêtements sales, crochet de porte grande capacité, range-cintres et double barre de rangement.

POUR LA CUISINE

Consultez la rubrique *Cuisine* (p. 44) pour la description des tablettes, paniers et supports de broche pour évier – à ventouses, colle ou vis – crochets multi-usages, robinets à levier fixé au mur et douchette pivotante ajoutée ou jointe, distributeurs à savon et nettoyant à vaisselle intégrés, évier et plan de travail à entretien minimal, crochets à placard d'entretien, sièges à rangement intégré.

POUR L'ENTRÉE
Consultez la rubrique *Entrée* **(p. 39)** pour la description des marches de rangement, range-bottes, range-chaussures, range-couvre-chef, range-écharpes et foulards, range-manteaux et range-moufles. S'ajoutent crochet et panier pour les articles destinés au nettoyage à sec.

POUR LA SALLE DE BAINS
Consultez la rubrique *Salle de bains* **(p. 46)** pour la description des tablettes, paniers et supports de broche pour évier, douche et bain – à ventouses, colle ou vis; crochets multi-usages; robinets à levier fixé au mur et douchette pivotante, ajoutée ou jointe, distributeur à savon intégré; évier à entretien minimal et patères.

POUR LA SALLE DE LAVAGE
Consultez la rubrique *Zone de lessive* **(p. 42)** pour la description des mannes à lessive, tringles de séchage, filet plat sur pieds et autres éléments d'aménagement.

POUR LA SALLE DE SÉJOUR
Consultez la rubrique *Séjour* **(p. 41)** pour la description des range-magazines, range-télécommande, range DC-DVD et aménagements pour les objets de décoration.

PANIERS DE PRODUITS D'ENTRETIEN
Plus le logis est grand, plus il vaut le coup d'organiser des paniers de produits d'entretien qui permettent d'effectuer un bout d'entretien ou de régler un problème de dégât au fil des jours.

PANIER DE LA MAISON
Celui de la maison contient les nettoyants tout usage et à vitres, des chiffons à nettoyer et épousseter à profusion, une éponge à récurer, une « brosse à dents tout usage » pour déloger des dépôts, un poli à meubles maison, des gants.

PANIER DE LA SALLE DE BAINS
Contient un nettoyant à salle de bains plus acide que le nettoyant tout usage, un nettoyant à vitres, des gants, une brosse de toilette, une pierre ponce. S'y ajoutent des éponges à récurer et une provision de chiffons.

PANIER DE LA CUISINE
Sert de rangement, mais on peut aussi le traîner avec soi, au lieu du panier de la maison, lors de l'entretien, pour éviter les pas inutiles. Attachez-y un crayon-stylo au bout d'un élastique, doublé d'un calepin pour noter réparations, rappels et traits de génie qui nous traversent immanquablement l'esprit dans l'état créatif où nous

projette le bourdonnement de l'entretien… des fois. Incluez nettoyants et chiffons, en plus de l'additif pour détergent à lave-vaisselle dans un pot fermé pour faciliter un usage régulier.

PANIER DU BUREAU
S'il y en a un, y joindre chiffons pour verre, vitres et poussière, nettoyants à vitres et époussette.

PANIER DE LA SALLE DE LAVAGE
Prévoyez au moins trois mannes (paniers à linge) – couleurs, blanc, fragile – pour faciliter la séparation des articles en continu par les membres de la tribu. Le panier lui-même contient des chiffons, un ensemble de réparation et couture de dépannage, les chasse-taches, du vinaigre et du jus de citron.

POÊLES À FRIRE, CASSEROLES, MARMITES
Pour les motifs expliqués à la rubrique *CPF* (p. 246), il est souhaitable d'éliminer graduellement, à la maison, l'utilisation du Téflon et des accessoires de cuisson et d'usages variés qui sont antiadhésifs et conçus pour être chauffés. Si vous pouvez vous permettre une telle dépense, remplacez ces accessoires sans tarder. Chauffés à haute température, le Téflon et les accessoires avec d'autres types de surfaces anti-adhésives émettent des vapeurs qui peuvent être dommageables.

Faites comme la plupart des grands chefs qui ont éliminé tous les éléments anti-adhésifs de leur batterie de cuisine.

Une journaliste du *New York Times*, Marian Burros, en a interrogé quelques-uns, a consulté le *Consumer Reports* et fait ses propres expériences pour trouver la meilleure solution de rechange[60]. Elle avait deux objectifs en tête : trouver des poêles sur lesquelles les aliments n'adhèrent pas lors de la cuisson et qui sont faciles à nettoyer.

Huit marques de qualité ont été testées : All-Clad avec cœur en aluminium, All-Clad avec cœur en cuivre, Bourgeat en cuivre, De Buyer en acier carbone, Calphalon en aluminium anodisé, Lodge en fonte traitée ou non, et Le Creuset en fonte émaillée noire.

La grande gagnante, tant pour la qualité de cuisson, la non-adhérence des aliments et la facilité de nettoyage, est la poêle Le Creuset en fonte émaillée noire (sans anti-adhésif), suivie de près par la simple fonte. La fonte ne doit pas être nettoyée avec du savon, mais la fonte émaillée Le Creuset peut l'être.

PLANCHES DE TRAVAIL, CUISINE
Ces nouveautés que sont les planches de travail et autres accessoires dits antimicrobiens sont imprégnés de triclosan et ne protègent qu'elles-mêmes. Elles ne protègent même pas leur surface, d'où risque de se propager la contamination par salmonelle et *E. coli*. Un gadget inutile.

PLOMBERIE, DÉBOUCHE-TUYAUX MÉCANIQUES

Consultez à leurs rubriques respectives les ventouse, fichoir (furet de dégorgement), pompe (bonbonne) à air comprimé et pompe à tuyau d'arrosage.

PLUMEAU

Voir la rubrique *Époussette* **(p. 268)**.

POMPE (BONBONNE) À AIR COMPRIMÉ

Consumer Reports les considérait inutiles et chères, lors d'un test effectué il y a quelques années. Elles n'offrent rien qu'une simple ventouse ne puisse fournir à coût minime.

POMPE À TUYAU D'ARROSAGE

Les accessoires qui se fixent au tuyau d'arrosage et qui s'insèrent en les bloquant dans l'entrée du renvoi, pour ensuite appliquer la pression de l'eau, sont plus embarrassants qu'efficaces.

POMPE À TOILETTE

Voir la rubrique *Ventouse de plomberie* **(p. 283)**.

PORTE-POUSSIÈRE

Un porte-poussière en plastique présente les avantages de servir à ramasser le gros des dégâts liquides occasionnels et d'être facile à nettoyer ensuite.

RACLETTE (SQUEEGEE)

Une raclette qui adhère bien à la vitre – donc d'assez bonne qualité – fait l'unanimité chez les spécialistes pour assécher les vitres quand elles sont assez larges pour en permettre l'utilisation. Elles font épargner bien du temps quand il faut laver des vitres abondantes. Le papier journal a le défaut de créer de l'électricité statique, laquelle accélère ensuite l'accumulation de la poussière, en plus de laisser des marques d'encre sur le pourtour des vitres.

La possibilité d'ajouter une rallonge à la raclette est utile pour les fenêtres haut perchées. Une raclette de 25-35 cm (10-12 po) de largeur est habituellement idéale, selon le genre des fenêtres à l'extérieur de la maison. À l'intérieur, une raclette de 15-25 cm (6-10 po) de largeur conviendra, selon les miroirs et autres surfaces vitrées. Il vaut la peine de s'en procurer une de meilleure qualité que celles qui servent habituellement pour les voitures.

RÉFRIGÉRATEUR

Les appareils d'aujourd'hui économisent jusqu'à 30 % de la facture en argent et en énergie, comparés aux modèles qui se vendaient encore il y a peu. Avec une consommation annuelle estimée par Hydro-Québec à 67 $ – pour le modèle sans givre, et 52 $ pour le modèle à dégivrage manuel – on parle d'une économie annuelle de 20 à

30 $, assez pour défrayer en quelques années la moitié du coût d'un nouvel appareil économique.

Les équipements affichant le symbole Energy Star sont les plus éconergétiques. Ils doivent permettre des économies de 10 à 50 % – plus près de 10 % selon l'analyse de *Consumer Reports*, soit au moins 6,70 $ pour le réfrigérateur. On trouve sur Internet – www.energystar.gc.ca – des recommandations de marques éconergétiques, ou au 1 800 622-6232.

Les modèles avec congélateur au-dessus du réfrigérateur occupaient le moins d'espace pour l'espace de rangement offert, coûtaient le moins cher à l'achat et à opérer. De plus en plus répandus, les modèles avec congélateur au-dessous coûtent environ 20-30 % plus à l'achat et un peu plus à opérer ; ils offrent un peu moins d'espace de rangement mais mettent à hauteur du regard les articles utilisés le plus souvent. Les modèles à rangement parallèle sont plus chers à l'achat et à l'utilisation ; ils offrent plus de fonctionnalités, occupent plus d'espace extérieur et n'offrent pas un rangement intérieur optimal.

SACS POUR ASPIRATEURS

La solution idéale est d'expulser l'air à l'extérieur du logis avec un aspirateur central. Et un sac de moindre qualité est susceptible de laisser filtrer dans l'air ambiant les poussières fines qui sont les plus nocives. Consultez la rubrique *Aspirateur* (p. 260) pour d'autres explications.

SÈCHE-LINGE

L'élément qui a le plus d'impact sur le rendement de la sécheuse est la machine à laver : mieux elle extrait l'humidité des tissus, plus vite le sèche-linge les séchera. Les laveuses retirant le plus d'humidité sont celles qui sont dites éconergétiques. Les laveuses à chargement frontal sont réputés essorer mieux.

En plus de présenter un tableau des marques les plus efficaces, *Consumer Reports* a constaté que surchauffer les tissus ou les sécher trop longtemps les abîme[61]. Choisissez un modèle avec un senseur pour l'humidité qui laissera les tissus juste assez humides pour le repassage ou prêts à porter – même certains modèles économiques en sont dotés. Le senseur rend plus précis le réglage automatique. Vérifiez clairement si le senseur évalue l'humidité ou la chaleur, puisque c'est le premier qui est utile.

Utilisez le réglage automatique plutôt que le réglage chronométré ; placez-le à *moyen*, plutôt qu'à *surcroît de séchage*, et déplacez-le vers *en plus* ou *en moins* au besoin. L'habitude du réglage continuel à *surcroît de séchage* est inutile, onéreuse et néfaste pour les tissus. Le réglage automatique inclut une phase sans chaleur, à la fin, qui évite que les tissus chauds se chiffonnent au fond de la sécheuse.

Les sèche-linge grandeur normale suffisent pour tout ce qui peut être lavé dans une brassée de laveuse – à moins que vous deviez sécher fréquemment des articles de grande taille. Inutile de rechercher autre chose que les cycles de base – niveaux de chaleur, réglage automatique ou chronométré, tissus fréquents (coton, sans repassage, délicat). Les panneaux électroniques ne sont pas utiles et même parfois source de confusion. Une cuve en acier inoxydable ne présente aucun avantage – contrairement au lave-linge. Une sécheuse a une durée de vie plus grande que celle d'une laveuse : les deux n'ont pas besoin d'être changés en même temps, ni d'être du même modèle, contrairement à ce que peuvent laisser entendre les conseillers chez les marchands.

Les conduits de sortie pour l'air doivent être le plus court et droit possible ; ils doivent aussi être rigides et en métal, et non souples et en plastique ou en alliage, pour éviter les dépôts de charpie humide.

Hydro-Québec évalue qu'au cycle normal, en 52 minutes, une charge coûte 15 ¢ alors qu'elle coûte 12 ¢ au cycle délicat.

Les équipements affichant le symbole Energy Star – voir plus haut avec la rubrique *Réfrigérateur* – sont les plus éconergétiques. Ils doivent permettre des économies de 10 à 50 %. On trouve sur Internet – www.energystar.gc.ca – des recommandations de marques éconergétiques, ou au 1 800 622-6232.

Pour ce qui est de l'entretien, parcourez au moins une fois le manuel d'instruction pour les consignes particulières. Le filtre à charpie doit être nettoyé après chaque charge ; rincez-le à l'eau 2-3 fois par année ou brossez-le délicatement s'il tend à garder l'humidité. Les conduits de sortie pour l'air doivent être nettoyés au moins une fois l'an ou plus en cas d'usage intensif ; vérifiez alors aussi que la sortie d'air n'est pas obstruée côté mur extérieur. Habituellement situé sur le rebord avant de la cuve, le senseur d'humidité doit être nettoyé 2-3 fois l'an avec de l'alcool à friction et un tampon d'ouate.

SÉCHOIR À VÊTEMENTS

Il existe des filets horizontaux sur support en métal pliant qui permettent d'étendre les chandails et de les faire sécher à 7,5 cm (3 po) du sol sans les déformer. D'autre modèles sont montés sur un séchoir permettant d'étendre d'autres articles à sécher.

SERPILLIÈRE (*MOP*)

Voyez la rubrique *Vadrouilles humides à franges* **(p. 282)**.

TAPIS-BROSSE À POILS LONGS EXTÉRIEUR

Éliminez, selon les spécialistes, jusqu'à 200 heures d'entretien par année avec un simple tapis bien conçu à l'entrée. Il élèvera un rempart efficace tant contre la saleté que contre le temps mis pour s'en débarrasser. Il réduit d'autant la pénétration des contaminants chimiques dont la poussière est un véhicule privilégié.

Les tapis sont des collecteurs de saleté utiles et non embêtants. Les carpettes en nylon, que l'on trouve un peu partout, achèvent le brossage des pieds commencé sur le tapis-brosse à poils longs de l'extérieur.

Secouez ces tapis régulièrement. Lavez-les au tuyau d'arrosage ou à l'eau savonneuse, avec une brosse, quand ils sont encroûtés au point de n'être plus efficaces.

TASSES À MESURER

Prévoyez deux tasses à mesurer pour mesurer le sec et le liquide lors de la préparation des nettoyants maison, dont une de 1 l.

THERMOSTATS PROGRAMMABLES

Les équipements affichant le symbole Energy Star illustré un peu plus haut sont les plus éconergétiques. Ils doivent permettre des économies de 10 à 50 %.

On trouve sur Internet – www.energystar.gc.ca – des recommandations de marques de thermostats, ou au 1 800 622-6232.

TOILETTE

Épargner l'eau sur les toilettes plus anciennes est possible, mais peut rendre moins efficace l'évacuation des rejets. On le découvre à l'expérience. Il existe deux mécanismes, soit placer une bouteille emplie d'eau dans le réservoir, soit installer une valve spéciale conçue à cet effet.

La chasse d'un modèle ancien utilise plus de 13 l d'eau, celle des modèles plus récents, moins de 6 l.

Les tests effectués par *Consumer Reports* démontrent que certains modèles cités sont non seulement plus efficaces à l'évacuation mais aussi pour nettoyer la cuvette[62]. Les choisir diminue la tâche d'entretien et évite le recours aux nettoyants toxiques – les nettoyants à cuvette **(p. 224)** appartiennent aux trois salopards de l'entretien, les nettoyants les plus toxiques pour la santé et l'environnement.

Un modèle à faible rendement de chasse peut exiger deux à trois reprises pour évacuer la norme minimale de 250 g de matières. Il existe des modèles capables de chasser 500 g de matières qui méritent d'être recherchés.

Les nouveaux modèles dotés d'un mécanisme à pression dans le réservoir sont efficaces mais plutôt chers et bruyants ; ne les installez pas près d'une chambre.

Certaines marques de modèles classiques à gravité se démarquent significativement par leur efficacité, avec un prix très raisonnable.

Les analyses de *Consumer Reports* l'amènent à souhaiter le développement d'un plus grand nombre de marques pour le modèle de toilette dit à vacuum. Il s'agit d'un modèle à dispositif mécanique de succion installé dans le réservoir. C'est un modèle à vacuum qui est arrivé en tête de liste lors des tests, avec un prix à peine supérieur à un bon modèle à gravité. Le modèle à vacuum est à ce jour moins facile à trouver en grandes surfaces et plutôt diffusé dans les petites quincailleries.

TUYAU D'ARROSAGE

Vérifiez sur l'étiquette de votre nouveau tuyau d'arrosage s'il n'y a pas un avertissement indiquant de ne pas boire l'eau issue de ce tuyau. Il peut alors dégager du plomb. En 2007, des reporters d'une station télé de Phoenix affiliée au réseau ABC des États-Unis ont fait analyser l'eau laissée à reposer durant une journée dans 10 marques de tuyaux d'arrosage achetées dans des grandes chaînes comme Home Depot et Wal-Mart[63]. Cinq des échantillons contenaient des niveaux de plomb plus élevés que la norme pour l'eau potable de la Environmental Protection Agency. Quatre de celles-ci affichaient des niveaux de plomb très élevés. Les tuyaux d'arrosage tendent à être faits de PCV, un composé utilisant le plomb comme stabilisateur.

Il s'offre depuis peu un tuyau d'arrosage avec une couche de protection dite *antimicrobienne*. Il est dit que ce produit prévient la croissance des bactéries et moisissures qui *menaceraient* de détériorer le tuyau. Tout comme pour les planches de travail enduites d'un produit similaire – à base de triclosan ou de microban – l'intégration d'une substance antimicrobienne n'a aucun impact sur l'eau et notre protection si nous en buvons. Tout comme sur les rideaux de douche en plastique, les moisissures n'ont aucune capacité de s'attaquer au plastique du tuyau.

En réalité, tout comme sur les autres produits et accessoires auxquels ils sont ajoutés, les antibactériens ne s'attaquent qu'à ce qui ne présente aucun danger pour la santé et ne peuvent rien contre les micro-organismes qui la menacent. Pire, les antimicrobiens sont même largement soupçonnés de contribuer au renforcement des micro-organismes qui peuvent affecter notre santé. Évitez-les.

VADROUILLES

Vadrouilles sèches ordinaires

La vadrouille sèche ne fait pas beaucoup plus que déplacer la majeure partie de la poussière. Les nouveaux balais équipés d'un réservoir de nettoyant et d'une enveloppe de tête jetable ne font pas beaucoup mieux. Ils ont une capacité d'absorption réduite qui peut tout au plus effectuer un époussetage léger et enlever rondement quelques taches.

Vadrouilles humides à microfibres et chiffons

Elles ne font pas de miracles à moins d'être de bonne qualité, avec un prix à l'avenant. Celles qui possèdent des bandelettes au lieu des franges de coton habituelles ont un rendement réduit. Vileda offre un mécanisme d'essorage attaché à la chaudière qui permet d'essorer sans se mouiller les mains. Efficace.

Celles qui viennent avec une pièce de tissu rectangulaire facile à enlever et à replacer donnent de bons résultats. Servent aussi pour laver plafonds et murs. Vileda offre un modèle qui permet d'essorer sans toucher le tissu mouillé avec les mains. Très apprécié par quiconque l'essaie.

Recherchez un modèle dont le tissu s'enlève et se replace rondement, ce qui n'est pas toujours le cas. N'oubliez pas que la manière de laver les planchers (p. 69) beaucoup mieux requiert deux chaudières – l'une pour l'eau de rinçage, l'autre pour le nettoyant. Sans autre produit puissant ou accessoire compliqué, on veille ainsi à ce qui est prioritaire : ne pas étendre la saleté.

Certains apprécient les balais à têtes multiples – épousseter, récurer, nettoyer – selon l'extrémité qu'on y attache en un tournemain. Complétez avec un seau assez large pour accueillir les têtes.

Les nouveaux balais équipés d'un réservoir de nettoyant et d'une enveloppe de tête – chiffon – jetable ont une allure et une publicité séduisantes, mais la capacité d'absorption limitée de l'enveloppe, comme celle des balais-éponge, interdit cependant de s'en servir pour laver un plancher plus grand que celui de la salle de bains, à moins de renouveler les chiffons à répétition – un usage de papier pour le moins questionnable. Facile à manipuler, comme ne manquent pas de l'illustrer les publicités, le balai à chiffons jetables convient tout au plus pour un époussetage léger et pour enlever simplement quelques taches.

Un nettoyant savonneux, comme celui que l'on peut pulvériser en actionnant la gâchette sur le manche du balai à chiffon, laissera sur le plancher une fine pellicule savonneuse. Inconvénient : la pellicule attirera plus rapidement la saleté, à moins d'être bien rincée – ce qui ajoute à la tâche. Vous pouvez tout aussi bien utiliser, comme nettoyant, le mélange moitié-moitié eau et vinaigre décrit comme nettoyant à planchers en gicleur **(p. 231)**.

Une analyse de *Consumer Reports* a trouvé chers, encombrants et peu faciles d'utilisation les balais à brosse mécanique doublés d'un aspirateur à liquides et matières sèches. Ils sont plus difficiles à nettoyer après usage que la vadrouille et le seau.

VADROUILLES HUMIDES À FRANGES

Le balais-éponge que l'on trouve un peu partout ne sert que pour des surfaces restreintes, parce que sa petite taille ne lui permet de ramasser que très peu de saleté, comme le balai à chiffons jetables décrit à la rubrique précédente. La tête de la vadrouille à franges longues est aussi nommée serpillière en Europe. Plus étroite, elle est moins efficace que la tête rectangulaire des vadrouilles à microfibres.

Celle qui est épaisse est préférable pour ramasser toute la saleté des grandes surfaces. Une plus légère suffit aux surfaces moyennes.

Ce n'est pas l'accessoire le plus sophistiqué, mais il a abattu beaucoup de besogne à petit prix. Bien l'essorer avant de frotter le plancher, parce que le surcroît d'eau met plus de temps à sécher et laisse des traces.

Plus que la puissance des nettoyants, c'est la propreté de la vadrouille et de l'eau contenant la solution nettoyante qui influe sur le résultat. Pouvoir laver la tête amovible d'une vadrouille au lave-linge de temps à autre ajoute donc significativement à son efficacité.

Seules les têtes avec des franges en boucles se lavent à la machine sans s'effilocher. Ces têtes possèdent aussi une bordure lisérée – une couture à quelques centimètres de l'extrémité – qui empêche les fils de s'emmêler. La tête à bouts coupés se vend environ 6 $, celle qui a les extrémités en boucle et lisérées, environ 11 $.

Évitez le modèle avec antibactérien – produit que l'on évite aussi bien dans la planche de travail de la cuisine que dans les nettoyants à mains et ménagers. Suspendre la vadrouille pour qu'elle s'assèche en limitant le développement de moisissures.

VENTILATEUR DE SALLE DE BAINS

Essentiel pour contrôler le développement des moisissures et le taux d'humidité qui influe sur les frais de chauffage. Pour contrôler aussi la détérioration des matériaux. Le bruit n'est plus un obstacle à l'utilisation régulière de cet accessoire. Comme le constatait *Consumer Reports*, les meilleurs ventilateurs sont aujourd'hui offerts à prix raisonnable, faciles à installer et presque silencieux[64].

Le coût d'utilisation (environ 1 ¢ par jour) n'est pas significatif et ne constitue en aucun cas un motif pour en réduire l'utilisation. L'adjonction d'une minuterie au commutateur permet d'en régler le temps d'opération sans plus de tracas.

VENTOUSE DE PLOMBERIE

La ventouse existe avec une extension repliée par en-dedans (9 $) ou sans (3-5 $, pour évier ou toilette). Toutes les ventouses peuvent être utilisées pour les éviers et baignoires, le modèle avec extension s'adapte mieux à la cuvette : il fournit un surcroît de pression.

Les COMMERCES VERTS

La plupart des commerces d'alimentation naturelle offrent une sélection de produits nettoyants dits plus sécuritaires. Malheureusement, l'efficacité et les prétentions d'un grand nombre de ces nettoyants n'ont souvent pas fait l'objet de tests indépendants, tant sur le plan de l'innocuité que de l'efficacité. Il est aujourd'hui légitime de questionner des prix trop élevés en compaison du prix des nettoyants conventionnels. Mais plusieurs des produits verts sont beaucoup plus doux que leurs équivalents conventionnels.

Il existe quelques commerces spécialisés qui offrent un plus grand nombre de nettoyants verts : ils s'annoncent dans les annuaires.

Les AIDE-MÉMOIRE

Identifier les contenants des nettoyants maison est indispensable pour fonctionner adéquatement et éviter les erreurs. Identifiez-les au marqueur ou utilisez les modèles d'étiquettes **(p. 172)** à photocopier et à coller avec un ruban gommé à large bande, qui sont offerts dans ce guide. Les photocopies d'étiquettes peuvent aussi être simplement affichées sur une porte de placard.

Il n'y a pas que des nettoyants maison, il y a aussi des procédés utilisant des ingrédients de base simples qui permettent de travailler efficacement tout en se protégeant. Il s'agit de façons simples de se débrouiller auxquelles peuvent s'initier tous les membres de la tribu.

Les pages d'aide-mémoire sont conçues pour être photocopiées, plastifiées et affichées là où elles sont indispensables : dans la cuisine **(p. 288)**, la salle de lavage **(p. 292)** et la salle de bains **(p. 290)**.

CUISINE
AIDE-MÉMOIRE

NETTOYANT À ARGENTERIE

Polissez les pièces avec un chiffon humide sur lequel vous saupoudrez du bicarbonate de soude. Au besoin, si ce nettoyant léger ne suffit pas, voyez le nettoyant puissant **(p. 223)**.

DÉTACHANT POUR CHROME ET ACIER INOXYDABLE

L'évier peut avoir besoin d'être récuré avec l'abrasif inoffensif qu'est le bicarbonate de soude mélangé à un peu d'eau pour faire une pâte. Utilisez une éponge à récurer et rincez avec soin. Il existe une poudre à récurer dégraissante maison **(p. 250)** pour les taches résistantes. La base de la robinetterie, le pourtour de l'évier et celui du broyeur à déchets se récurent plus facilement avec une brosse à dents conservée à portée de main.

288

NETTOYANT À DÉPÔTS MINÉRAUX POUR LAVE-VAISSELLE

Videz le lave-vaisselle. Placez un bol propre sur l'étage du haut. Versez-y 125 ml ($1/2$ t) de vinaigre blanc. Lancez le cycle régulier sans ajouter de détergent. Au besoin, répétez en augmentant la quantité de vinaigre.

NETTOYANT À HUMIDIFICATEUR

Solution n° 1: videz le réservoir. Chauffez légèrement le vinaigre blanc avant d'en appliquer généreusement sur les parois. Laissez reposer 10 minutes. Frottez avec une éponge à récurer trempée de vinaigre chaud. Séchez avec un chiffon.

Solution n° 2: versez dans le réservoir vide 4 l (16 t) d'eau et 15 ml (1 c à s) d'eau de Javel. Mouillez les parois et laissez reposer 20 minutes. Rincez pour éviter les émanations. Pour limiter la prolifération des bactéries et champignons, reprenez le procédé toutes les deux semaines au moins.

NETTOYANT À PLANCHERS EN CHAUDIÈRE

Ajoutez à 4 l (16 t) d'eau ½ tasse (125 ml) de vinaigre. Nettoyant tout simple qui convient à la majorité des types de surfaces. Au besoin, détachez les traces tenaces avec un chiffon humide et un peu de bicarbonate de soude ou le nettoyant tout usage.

NETTOYANT À PLANCHERS DÉGRAISSEUR

Pour plancher particulièrement sale et graisseux, versez un peu d'eau très chaude sur 60 ml (¼ t) de cristaux de soude dans une chaudière et agitez pour bien dissoudre. Ajoutez 8 l (32 t) d'eau chaude, 60 ml (¼ t) de vinaigre blanc, puis 15 ml (1 c à s) de nettoyant à vaisselle liquide ou de savon/détergent liquide ménager.

Rincez ensuite avec le nettoyant parfumé à base de vinaigre et d'eau pour enlever la pellicule de savon, qui autrement attirera la saleté.

NETTOYANT À TISSU DE FAUTEUILS

Efficace pour les taches légères non graisseuses. Un petit jet ou 3 ml (½ c à c) de savon à vaisselle liquide translucide doux dans 250 ml (1 t) d'eau. Faites mousser en brassant, en fouettant ou en passant au robot. Appliquez la mousse en apposant sans frotter. Ne détrempez pas le tissu et allez-y par petites sections. Rincez à l'eau avec une éponge humide de façon à éliminer tout à fait le savon, sinon la saleté adhérera plus vite au tissu par la suite.

Finissez toujours d'éponger en asséchant. Un bon truc consiste à poser des objets lourds, magazines ou dictionnaires, sur un chiffon épais et sec couvrant la zone humide pour une nuit. Cette méthode permet aux résidus de saleté de se déplacer sur le chiffon.

NETTOYANT À BROYEUR

Emplissez l'évier de 5 cm (2 po) d'eau chaude additionnée de 250 ml (1 t) de bicarbonate de soude. Évacuez en lançant le broyeur.

NETTOYANT À TUYAUX

Prévenez l'accumulation de dépôts graisseux quand votre renvoi a tendance à se boucher. Une fois par semaine, versez 2 l (8 t) d'eau bouillante, puis encore 2 l (8 t) après quelques minutes. Versez l'eau directement au-dessus du renvoi et non sur la porcelaine, qui peut se fissurer sous l'effet de la chaleur.

Une formule plus élaborée peut être utilisée une fois par mois.

Dans un contenant d'au moins 500 ml (2 t) – idéalement une tasse à mesurer de ce volume – versez 125 ml (½ t) de bicarbonate de soude, 125 ml (½ t) de sel, puis délayez avec 180 ml (¾ t) d'eau à température ambiante. Versez le mélange dans le tuyau de renvoi. Versez ensuite seulement 60 ml (¼ t) de vinaigre blanc, qui bouillonnera au contact du bicarbonate. Couvrez l'entrée du tuyau. Laissez agir 15 minutes avant de faire couler l'eau chaude durant 1 minute ou, mieux, de verser une pleine bouilloire d'eau chaude. Si possible, laisser agir durant une nuit avant de verser l'eau.

SALLE DE BAINS
AIDE-MÉMOIRE

CUVETTE, SOLUTION DÉSINFECTANTE

Versez dans la cuvette 6 ml de Javel. Soit un peu plus de 1 c à c, soit un petit jet de Javel conservée dans un contenant à gicleur (bec similaire à celui du nettoyant à vaisselle), soit $1/3$ du gros bouchon sur les contenants d'origine pour l'eau de Javel, qui contiennent environ 15 ml (1 c à s). Seulement 3 ml par litre d'eau sont nécessaires pour désinfecter, et la cuvette contient environ 2 l. Il est inutile et nuisible d'en utiliser plus.

Deux étapes :
- lavez la cuvette : un nettoyant maison à salle de bains suffit ;
- chassez l'eau souillée de la cuvette et versez alors seulement l'eau de Javel. Trempez la brosse dans le mélange, rincez les abords, puis rangez-la. Laissez reposer.

CUVETTE, NETTOYANT PAR TREMPAGE DURANT LA NUIT

Pour dissoudre la saleté incrustée, versez dans l'eau de la cuvette 250 ml (1 t) de borax ou 80 ml ($1/3$ t) de cristaux de soude, puis 60 ml ($1/4$ t) de vinaigre blanc – ce qui produira un bouillonnement inoffensif. Rabattez le couvercle et laissez reposer durant une nuit. Brossez vigoureusement les parois. Évacuez l'eau.

DÉBOUCHE-TUYAUX ET NETTOYANT À TUYAUX PRÉVENTIF

Prévenez l'accumulation de dépôts graisseux quand votre renvoi a tendance à se boucher. Une fois par semaine, versez 2 l (8 t) d'eau bouillante, puis encore 2 l (8 t) après quelques minutes. Versez l'eau directement au-dessus du renvoi et non sur la porcelaine, qui peut se fissurer sous l'effet de la chaleur.

Une formule plus élaborée peut être utilisée une fois par mois dans les conduits qui ont tendance à bloquer, ou dès que le débit d'un conduit commence à diminuer. Vous évitez ainsi le recours aux solutions lourdes.

Dans un contenant d'au moins 500 ml (2 t) – idéalement une tasse à mesurer de ce volume – verser 125 ml ($^1/_2$ t) de bicarbonate de soude, 125 ml ($^1/_2$ t) de sel, puis délayer avec 180 ml ($^3/_4$ t) d'eau à température normale. Versez le mélange dans le tuyau de renvoi. Versez ensuite seulement 60 ml ($^1/_3$ t) de vinaigre blanc, qui bouillonnera au contact du bicarbonate. Couvrez l'entrée du tuyau. Laissez agir 15 minutes avant de faire couler l'eau chaude durant 1 minute dans l'évier, la baignoire et la douche, ou de tirer la chasse dans la toilette. Si possible, laissez agir durant une nuit avant de faire couler l'eau.

DÉPÔTS MINÉRAUX ET SAVONNEUX

Première étape : allez acheter une raclette pour que chacun la passe sur les parois de la douche après usage. Fini l'accumulation de dépôts.

Les dépôts majeurs de savon et de minéraux dans la baignoire, la douche et l'évier en fibre de verre se nettoient en pulvérisant du vinaigre réchauffé une vingtaine de secondes au micro-ondes (enlever le bec du pulvérisateur pour chauffer). Pulvérisez, puis laissez reposer 10 minutes. Frottez ensuite avec une éponge à récurer trempée de vinaigre. Séchez avec un chiffon. Recommencez au besoin.

Les traces de tartre (ou dépôts calcaires) peuvent être ramollies en appliquant un gras quelconque – beurre, huile. Enlevez ensuite les résidus graisseux avec un simple nettoyant et rincez.

Une pierre ponce mouillée peut aussi déloger bien des dépôts sur les cuvettes de porcelaine. Elle n'éraflera pas la porcelaine si elle est gardée mouillée : laissez-la tremper deux minutes avant de commencer, pour lui permettre de s'imbiber.

POMME DE DOUCHE

Quand des dépôts deviennent apparents ou quand le jet semble obstrué, ficelez un sac de plastique empli de vinaigre blanc autour de la pomme de douche durant une nuit, de telle sorte que la pomme baigne dans le vinaigre. Retirez et brossez.

En cas de dépôts persistants qui nuisent au jet, dévissez la pomme de douche et brossez chacun de ses éléments. Vous obtiendrez un meilleur résultat en laissant tremper la pomme quelques heures avant de brosser.

291

TRACES D'EAU JAUNE SUR LA PORCELAINE

Enlevez les traces jaunes causées par la rouille, même incrustée depuis des années, en saupoudrant du sel de citron (acide oxalique) **(p. 255)** après avoir humecté les parois. Laissez reposer de 5 à 10 minutes et la rouille se sera volatilisée. Au besoin, frottez légèrement avec une brosse à dents saupoudrée de sel de citron le pourtour intérieur plus difficile à rejoindre de la cuvette. Le sel de citron est économique et facile à trouver en pharmacie.

Une pierre ponce peut aussi déloger bien des dépôts sur les cuvettes de porcelaine. Elle n'éraflera pas la porcelaine si elle est gardée mouillée : laissez-la tremper deux minutes avant de commencer, pour lui permettre de s'imbiber.

SALLE DE LAVAGE
AIDE-MÉMOIRE

MÉNAGE VERT, se faciliter la vie en la protégeant

EN GÉNÉRAL

Suspendez les vêtements en partie séchés dans la salle de lavage ou son équivalent pour réduire le repassage des articles qui ne sont pas de pur coton ou de lin. Prévoyez un support ou une corde à sécher accompagnés de cintres.

Utilisez la température nécessaire : une brassée lavée à l'eau chaude coûte 36 ¢, à l'eau tiède, 16 ¢, à l'eau froide, 2 ¢. Réservez en général l'eau chaude pour serviettes, literie, sous-vêtements. Les détergents **(p. 204)** pour eau froide sont aujourd'hui efficaces et évitent la dépense d'énergie.

Un bon essorage est l'élément qui réduit le plus le temps de séchage. Utilisez le réglage automatique de la sécheuse plutôt que le réglage par chronomètre ; placez-le à *moyen*, plutôt qu'à *surcroît de séchage*, et déplacez-le vers *en plus* ou *en moins* au besoin.

L'habitude du réglage continuel à *surcroît de séchage* est inutile, onéreusee et néfaste pour les tissus.

PRÉPARER LES VÊTEMENTS

Lisez les étiquettes sur les vêtements, car les fibres composant les tissus d'aujourd'hui sont tellement variées qu'il faut absolument repérer les pièces qui requièrent une attention particulière. Repérez les précautions à prendre quant à la température de l'eau, à l'usage de blanchisseur, à l'intensité de l'agitateur.

- Séparez les couleurs foncées, les couleurs pâles, le blanc, les tissus délicats. Mettez à part ce qui est vraiment plus sale. Lavez ensemble les tissus qui moussent beaucoup comme la flanelle et les peignoirs.

292

- Ne mélangez pas aux tissus qui moussent les tissus synthétiques et de couleur noire, qui ont tendance à s'attacher la mousse.

- Enlevez sur les vêtements les accessoires qui ne se lavent pas. Déroulez les manches. Retournez les vêtements dont l'endroit est plus fragile, tels que les jeans, dont on veut protéger la couleur, les chandails et les gilets avec des imprimés.

- Après avoir séparé, inspectez. Faites le tour des poches pour éviter les catastrophes à l'encre, au rouge à lèvres, à la gomme à mâcher et au papier-mouchoir. Remontez les fermetures à glissière et attachez tout ce qui pourrait s'arracher. Nouez les cordons, lacets et ceintures.

- Placez les articles plus délicats dans une vieille taie d'oreiller fermée à l'aide de plusieurs épingles ou, mieux, dans un filet à fermeture éclair **(p. 269)** vendu exprès, avant de les joindre aux autres, si ces articles peuvent être lavés avec les autres.

- Épargnez du temps en plaçant les chaussettes dans un autre filet à fermeture éclair pour faciliter leur récupération après les grosses brassées. Placez le filet avec les paniers dans lesquels la tribu dépose son linge sale pour faciliter la tâche.

Bibliographie et ressources

Choix environnemental: seul programme d'éco-étiquetage national complet au Canada (www.environmentalchoice.com); une ressource indispensable pour clarifier les critères complexes de précaution devant régir les produits tant à la fabrication, à l'utilisation qu'à l'élimination; le site permet de repérer de nombreuses marques de produits certifiés.

Consumer Reports, magazine étatsunien comprenant une section particulière pour les équipements disponibles au Canada, présente une mine d'informations sur tous les sujets d'intérêt à propos de consommation. Il est possible de s'abonner pour un seul mois afin de faire quelques recherches sur Internet (4,95 $ US, www.consumerreports.org) ou à l'année (26 $ US). Les consignes générales de choix et d'entretien extraites des tests et présentées ici ne représentent qu'une petite partie des informations disponibles.

Environmental Working Group (EWG), (www.ewg.org).

FabricLink (www.fabriclink.com), créateur du *Carpet Stain Index* et du *Upholstery Stain Guide*, tous les deux commandités par Solutia Inc., propriétaire de la marque de tapis et recouvrements de fauteuils Wear-Dated®.

Guide To Less Toxic Products – Household Cleaners. Environmental Health Association of Nova Scotia (www.lesstoxicguide.ca).

Le catalogue Éco-gestion. Le catalogue officiel des produits et services certifiés Choix environnemental, Éco-Logo. Le cabinet conseil en environnement TerraChoice Inc., Ottawa, vol. 4, n° 1, 2000-2001.

Our Stolen Future (www.ourstolenfuture.org) présente une information de haut calibre, avec une revue de presse judicieuse.

Protégez-Vous est un magazine québécois qui continue son travail héroïque avec des moyens limités. Consultez leur site Internet pour plus d'information: www.protegez-vous.ca. Les consignes générales de choix et d'entretien extraites des tests et présentées ici ne représentent qu'une petite partie des informations disponibles.

Sans laisser de trace, Bureau de l'information de Greenpeace, Toronto, Ontario.

No Time to Clean, Don Aslett, Pocatello IO, Marsh Creek Press, 2000.

Better Basics for the Home, Annie Berthold-Bond, New York, Three Rivers Press, 1999.

Trucs et astuces pour gagner du temps, Véronique Biron *et al.*, Montréal, Sélection du Reader's Digest, 2005, 352 p.

Clean it Fast, Clean it Right, Jeff Bredenberg, Emmaus, PA, Rodale Press, 1998.

1001 trucs et techniques de nettoyage, Jeff Bredenberg, Laval, Modus Vivendi, 1999.

Talking Dirty with the Queen of Clean, Linda Cobb, New York, Pocket Books, 1998.

Talking Dirty Laundry with the Queen of Clean, Linda Cobb, New York, Pocket Books, 2001.

How to Clean Practically Anything, Consumer Reports, 2002, 232 p.

Les 500 meilleurs trucs, Coup de Pouce, Montréal, Éditions Télémédia, 2000.

The Secret Life Of Dust: From The Cosmos To The Kitchen Counter, The Big Consequences Of Little Things, Hannah Holmes, New York, John Wiley & Sons, 2001.

Clean House, Clean Planet, Karen Logan, New York, Pocket Books, Simon & Schuster, 1998.

The Canadian Green Consumer Guide, The Pollution Probe Foundation, Toronto, McClelland & Stewart, 1989.

Household Hints for Dummies, Janet Sobesky, Foster City CA, IDG Books, 1999.

The Safe Shopper's Bible, David Steinman et Samuel S. Epstein, New York, Macmillan, 1995.

La Presse, sections Actualité, Affaires, Environnement, Actuel, et Mon toit, pour des informations et références.

NOTES

1. David R. Boyda et Stephen J. Genuisb, *The Environmental Burden of Disease in Canada: Respiratory Disease, Cardiovascular Disease, Cancer, and Congenital Affliction, Environmental Research*, consulté en ligne le 29 septembre2007.
2. *Notre santé victime de l'environnement*, Société de recherche sur le cancer, *E_Bulletin*, vol. 2, n° 9, novembre 2007.
3. *Idem.*
4. Margaret E. Sears (M.Ing., Ph.D.), *Le Point de vue médical sur l'hypersensibilité environnementale*, Commission canadienne des droits de la personne, mai 2007.
5. « Le fond de l'air est-il pollué ? », *Protégez-Vous*, octobre 2001, p. 12.
6. John Henderson *et al.*, *Journal européen de pneumologie (ERJ)*, Université de Bristol, Royaume-Uni, mars 2008.
7. *Combattre l'asthme à la maison*, dans la série de feuillets *Votre maison*, Société canadienne d'hypothèques et de logement, 30 novembre 2007.
8. *Solutions*, Environmental Working Group (www.ewg.org/solutions).
9. *Guide to Less Toxic Products – Household Cleaners – Common Hazardous Ingredients in Cleaning Products*, Environmental Health Association of Nova Scotia (www. lesstoxicguide.ca).
10. Marie-Josée Boudreau, « Mission accomplie ? Test : Détergents pour laveuses à chargement frontal », *Protégez-Vous*, août 2006, p. 9.
11. *Les Pays nordiques champions de l'égalité hommes-femmes*, Agence France-Presse, Genève, *CyberPresse*, jeudi 8 novembre 2007.
12. K. Marshall, « Convergence des rôles des sexes – Étude spéciale », *L'Observateur économique canadien*, Statistique Canada, août 2006.
13. Sources : Australian Bureau of Statistics, Statistique Canada (Enquête sur l'emploi du temps, 1998), et Institut de la statistique du Québec (*Bulletin, Données sociodémographiques en bref*, juin 2000 et février 2002).
14. « Choose the right allergy treatment », *Consumer Reports on Health*, septembre 2007, p. 8 (www.consumerreports.org).
15. Marie-Josée Boudreau, *op. cit.*, p. 8-11.
16. *Consumer Reports*, octobre 2005 (www.consumerreports.org).

17. *The Safe Shopper's Bible*. David Steinman et Samuel S. Epstein, New York, MacMillan, 1995, p. 84.

18. Jane Houlihan, Vice President for Research, Environmental Working Group, *EWG's Comments on CCA Ban Petition HP01-3 – Testimony before the Consumer Product Safety Commission,* 17 mars 2003 (www.ewg.org/node/8690).

19. Environmental Working Group (www.ewg.org).

20. Michel Legault, «Stérilisateur maison», *L'Actualité,* Santé, 15 mars 2007, p. 88.

21. *Maison propre et jardin vert,* Ville de Montréal, Direction de l'environnement, 2006. Allez sur le site Internet de la Ville de Montréal au www.montreal.qc.ca et lancez une recherche pour le titre du document.

22. Juillet 2003, p. 26-27; www.protegez-vous.ca

23. *Consumer Reports*, janvier 1994, p. 44-48.

24. *Idem.*

25. *Protégez-Vous*, janvier 2000, p. 34-37 et septembre 2003, p. 21-25.

26. *Protégez-Vous*, janvier 2000, p. 35.

27. *Idem.*

28. «Best fabric softeners», *Consumer Reports*, Up Front, News Trends Advice, mars 2008, p. 8.

29. «Fabric softener», *Guide to Less Toxic Products, Household Cleaners*, Environmental Health Association of Nova Scotia (www.lesstoxicguide.ca).

30. D. Steinman et S. S. Epstein, *Safe Shopper's Bible,* New York, MacMillan, 1995, p. 154.

31. «Air freshener, deodorizer, odour remover», *Guide to Less Toxic Products* (www.lesstoxicguide.ca).

32. *Consumer Reports*, mai 2003, p. 39.

33. Émilie Brunelle et Clémence Lamarche, «Test: Lave-vaisselle et détergents», *Protégez-Vous*, mars 2008, p. 10-17 (www.protegez-vous.ca).

34. Clémence Lamarche, «Test – Lave-vaisselle: 13 modèles à l'œuvre», *Protégez-Vous*, mars 2008, p. 10-14 (www.protegez-vous.ca).

35. «Dishwasher detergents: Which shine?», *Consumer Reports*, août 2007, p. 42.

36. «Dishwasher detergents», *Guide to Less Toxic Products* (www.lesstoxicguide.ca).

37. *Protégez-Vous*, septembre 2003, p. 21-25.

38. *Consumer Reports*, octobre 2005 (www.consumerreports.org).

39. *Protégez-Vous*, septembre 2003, p. 24.

40. *Protégez-Vous*, janvier 2000, p. 37.

41. *Protégez-Vous*, septembre 2003, p. 21-25.

42. Elaine L. Larson *et al., Effect of Antibacterial Home Cleaning and Handwashing Products on Infectious Disease Symptoms, Annuals of Internal Medecine,* p. 321-327, vol. 140, n° 5, 2 mars 2004.

43. *Consumer Reports*, juillet 2000, p. 33-35.

44. *Consumer Reports*, janvier 1994, p. 44-48.

45. *Consumer Reports*, août 2002, p. 32-33.

46. Chantal Gagnon, «Tous ne font pas le poids. Test – Papier hygiénique», *Protégez-Vous*, août 2002, p. 6-9.

47. *Consumer Reports*, mai 2002, p. 9.

48. *Guide to Less Toxic Products*, «Household cleaners. Common hazardous ingredients in cleaning products – Fragrance (less toxic guide)» (www.lesstoxicguide.ca).

49. *Combattre l'asthme à la maison, op. cit.*

50. Poêlons avec antiadhésifs (Téflon), protections pour tissus et imperméabilisants aux CPF.

51. T. H. Begley *et al.*, US Food and Drug Administration, Center for Food Safety and Applied Nutrition, «Perfluorochemicals: Potential sources of and migration from food packaging», *Food Additives & Contaminants*, vol. 22, n° 10, octobre 2005, p. 1023-1031.

52. Jeff Montgomery, «Chemicals tied to low birth size: Research adds to data on DuPont products», *The News Journal. Delaware Online*, jeudi 23 août 2007 (www.delawareonline.com).

53. «EPA science panel says Teflon chemical 'likely' cause of cancer», communiqué, Environmental Working Group, 30 janvier 2006.

54. *Protégez-Vous*, juillet 2003, p. 8-11.

55. *Consumer Reports*, août 2002, p. 14-30 et mars 2004, p. 36-39.

56. *Consumer Reports*, août 2003, p. 7.

57. *Protégez-Vous*, juillet 2003, p. 26-27 (www.pv.qc.ca).

58. «Dirty laundry – Washers & dryers (watch out for major impact of new standards)», *Consumer Reports*, juin 2007, p. 42-45 (www.consumerreports.org).

59. *Consumer Reports*, janvier 2004, p. 34-37.

60. Marian Burros, «In search of a pan that lets cooks forget about Teflon», *New York Times*, 7 juin 2006.

61. *Consumer Reports*, août 2003, p. 43-46.

62. *Consumer Reports*, octobre 2002, p. 52-54.

63. «Dangerous lead levels found in some garden hoses», *ABC News*, 12 juillet 2007 (www.abcnews.go.com).

64. *Consumer Reports*, janvier 2004, p. 32-33.

INDEX

Trouvez un problème, un produit,
un accessoire, une tâche, une tache,
une préoccupation.

Cet ouvrage a été composé en Lino Letter 9,75/13
et achevé d'imprimer en mai 2008 sur les presses de
Quebecor World Saint-Romuald, Canada.

certifié   procédé   100 % post-   archives   énergie
sans chlore   consommation   permanentes   biogaz

Imprimé sur du papier Quebecor Enviro 100 % postconsommation,
traité sans chlore, accrédité Éco-Logo et fait à partir de biogaz.